Book
Fami
Faxir

Rozdeptać pająka

Paweł Siedlar

ROZDEPTAĆ PAJĄKA

TOM 2

REDHORSE

Jest to powieść o miłości, nienawiści, szaleństwie i zbrodni. I o zemście. Dzieje się w pierwszej połowie lat dziewięćdziesiątych. Wszelkie podobieństwo do osób żyjących i zdarzeń prawdziwych nie jest przypadkowe, gdyż zawsze ktoś gdzieś rozdeptuje swojego pająka, a wszędzie pełno jest trójkątów, czworokątów i innych figur geometrycznych.

Niezmiernie osobliwym tworem Pana jest niewiasta
i silić się na zrozumienie jej zbędnym jest trudem.
To jednak wiedzieć potrzeba i pamiętać, że gniewu jej
wystrzegać się należy, gdyż ten podstępny bywa
a niebezpieczny. Nienawiść bowiem jest w niewieście
tak bliska miłości, że zdawać się może, iż potrafi ona
i kochać, i nienawidzić jednocześnie.

Ternclavenna

CZĘŚĆ DRUGA

Ameryka

part 2

Rozdział pierwszy

Dwaj mężczyźni siedzą przy brudnym stoliku i piją wódkę. Milczą. Atmosfera w małym, do ostateczności zawalonym wszelkiego rodzaju gratami składziku jest ciężka. A oni piją mocny alkohol z wyraźną wprawą, sumiennie i rzetelnie, lecz bez entuzjazmu. Omal ze wstrętem. Zupełnie jakby wypełniali jakiś umiarkowanie przykry obowiązek. Wreszcie opróżniona butelka żałośnie połypuje denkiem. Nie spełniła swego zadania. Nie poprawiła humorów, nie roztopiła lodów. Na stole pojawia się druga butelka. Pierwsza z brzękiem rozbijanego szkła ląduje w kącie.

— Wiesz, dlaczego nazwałem galerię „Bezpieczna część na ogonie osła"? — przerywa milczenie Witold. — Bo widziałem w telewizji quiz z właśnie takim rozwiązaniem — odpowiada, choć Bernard w żaden sposób nie okazuje cienia zainteresowania. — Takiej nazwy nie ma nikt i nic — kontynuuje, by zapełnić ciszę. Nalewa kolejny kieliszek.

— Dlaczego?

— Co dlaczego? — Witold udaje nieświadomość.

— Nie rżnij głąba.

— Widzisz, to nie takie proste...

— Dlaczego?

— Nie wiem, jak ci to powiedzieć. Ja nie chciałem nic złego. Wiem, że głupio wyszło...

— Zostawiłeś mnie bez forsy, bez niczego. Samego i zdanego tylko na siebie. W nieznanym i nieprzychylnym środowisku. To się nie nazywa „głupio wyszło". To się nazywa dużo gorzej. Co sobie wyobrażałeś, postępując tak nikczemnie. Jak mogłeś tak skasować, nie, skazać przyjaciela, wróć, byłego przyjaciela, na nędzną wegetację, a być może zagładę. — Wypity alkohol sprawia, że słuszne skądinąd pretensje brzmią tyleż patetycznie, co żałośnie. — Czy, zwabiając mnie do Stanów, już miałeś takie perfidne zamiary? Przecież, żeby zawładnąć moimi obrazami, nie musiałeś ściągać mnie tutaj. Przysłałbym ci je bez problemu, kiedy byś tylko chciał. Miałem do ciebie zaufanie. A ty go nadużyłeś. Kopnąłeś mnie w dupę i spuściłeś z wodą jak rzadkie gówno. Jak mogłeś mi to zrobić? No i po co? W imię czego?

— To nie tak, to nie tak. Źle mnie osądzasz. Ja chciałem całkiem inaczej. Wiem, że masz do mnie żal. Słuszny i głęboki żal. — Witek pociąga nosem. Obaj są już trochę pijani.

— Więc jak? Odpowiedz.

— Chciałem cię wylansować. Naprawdę. Możesz mi wierzyć. Jasne, że zamierzałem przy tym sam zarobić. Ale stało się tak, że jeden facio, który początkowo mnie popierał, zmienił front i z dobrego wujaszka sponsora, stał się zaciekłym wrogiem. On jest pedał, a ja nie. Sam rozumiesz. Zostałem z długami, z wydatkami, o których nie masz pojęcia. Musiałem zapłacić kaucję, żeby mnie nie zamknęli, bo ten stary zgred oskarżył mnie o kradzież. Mam rozprawę na karku. Mam też kłopoty z „immigration"[1], choć ten skurwysyn twierdził, że wszystko pozałatwiał. A z „immigration" nie ma żartów. Nie stać mnie na adwokata...

— Teraz już stać.

— Niby tak. Na niezbyt drogiego.

— W zasadzie prawie cię rozumiem. Ale mogłeś mnie zawiadomić. Wciąż nie jarzę, po co ci tu byłem potrzebny.

— Nie miałem głowy, żeby cię zawiadomić. Jak Boga kocham! — Witek z rozmachem wali się w pierś. — Poza tym już mówiłem. Chciałem cię wylansować. Chciałem, żebyś malował dla mnie i tylko dla mnie. To miał być rodzaj spółki. Chciałem, rozumiesz, zorganizować kilku dobrze się zapowiadających malarzy. W przyszłości stalibyśmy się potęgą. Dyktowalibyśmy ceny. Stworzylibyśmy prawdziwe imperium sztuki — uderza w górnolotny ton. — Ale tu trudno się przebić bez jakiegoś nosiciela. A ja za wcześnie się odsłoniłem przed tym starym pedrylem. W chwili, gdy pisałem list do ciebie, miałem idealną sytuację i wielkie plany. Wszystko wydawało się łatwe i proste. Zmierzało ku coraz lepszemu. Dopiero potem wyszło, że mój dobry i życzliwy pan sponsor ma co do mnie konkretne zamiary i oczekuje dowodów wdzięczności. Wstrętny, bogaty pederasta.

— Nie wyczułeś go wcześniej? Nic nie podejrzewałeś?

---

[1] immigration (ang.) — tu: Urząd Imigracyjny

— Skądże znowu. Ja myślałem, że to tylko taka maniera, pozoranctwo, moda na zewnętrzne objawy ogólnego zepsucia pośród tubylczego hajlajfu². Nie sądziłem, że oni naprawdę, no, tego, rżną się między sobą. Zawsze miałem zdolności przystosowawcze, to się dostosowałem i naśladowałem pewne zachowania, ja przybysz egzotyczny z innego świata. Jak wpadłeś pomiędzy wrony, musisz krakać tak jak one, przyjacielu. Nie zdawałem sobie sprawy z tego, w co wpadłem. No i wzięli mnie za swego. Najpierw gadu-gadu, koci-koci łapci, buzi-buzi. A potem do roboty, dydu-dydu w kakałko. Jak Boga kocham, myślałem, że z dobrego serca mi pomaga ten mój, kurwa jego, adorator. Obiecywał cudy-niewidy. Ciągał na wystawy, na wernisaże, na party. Przedstawiał rozmaitym ludziom. Dziś wiem, że afiszował się ze mną. Chwalił się mną, kawał gada. Wiesz, jak to działa. Poderwiesz jakąś szczególnie apetyczną pizdeczkę, to też się nią chcesz pochwalić. Nie jest tak? Chodzisz dumny jak paw, pokazujesz całemu światu swoją zdobycz i czujesz się wielki. Tak było z tym palantem. I to ja miałem robić za tę jego cholerną zdobycz. Nie zmyślam ani trochę. Tylko, że wtedy tego nie jarzyłem. Chwilami czułem się trochę dziwnie, ale tylko chwilami i tylko do pewnego stopnia. To był w miarę kulturalny zboczeniec. Do czasu. Swoją ścieżką, poznałem całą sprawę niejako od drugiej strony. Bo zazwyczaj to my jesteśmy stroną czynną. Tak nam wypada. Samiczka ma być uwodzona, a samczyk ma uwodzić, tokować. Mnie przytrafiła się rola samiczki...

---

² hajlajf (ang. high life) — światowe życie, tu: wyższe sfery

— Może trzeba było jednak dać mu dupy — mówi Bernard z zadumą.

— Jak to?

— Miałbyś znacznie szersze spectrum, że się tak wyrażę. I duuużo GŁĘBSZE doznania.

— Ty. Nie pierdol...

— Coś za coś, koleżko. Chciałeś tylko brać od delikatnego starszego pana kochającego inaczej? A ładnie to tak, panie przystojny?

— Jaja se robisz, czy co?

— Skądże znowu. To już sobie nawet pomarzyć nie wolno? — Bernard nie wytrzymuje i parska śmiechem. Witek jeszcze patrzy na niego z niedowierzaniem i obawą.

— Pogięło cię na rozumie, kurwa? Odbiło ci? — bełkocze i naraz sam zaczyna się śmiać. Obaj ryczą jak idioci. Walą się po plecach. Napięcie pęka. Dwa pijane, skłonne do zmiennych reakcji umysły odreagowują długotrwały stres.

Szerszeń napełnia kieliszki.

— No to nasze kawalerskie.

— Nasze kawalerskie. — Stuka szkło. To już nie jest smętne topienie robaka. Już nie są przeciwnikami. Wczesny świt zastanie ich kompletnie zalanych i... pogodzonych ze sobą.

* * *

Rano każdy ruch był przyczyną straszliwych męczarni, a wydobycie dźwięku ze zmacerowanych gorzałą strun głosowych sprawiało Bernardowi wiele trudności. Pomimo to zatelefonował do José i oznajmił wprost, że zalał pałę i nie nadaje się do pracy. Nie kręcił, nie owijał w bawełnę.

José trochę marudził, ale czynił to głównie dla zasady. Kuchnia i łazienka były już wykończone i chwilowo ani na Bernarda, ani na Locknera nie czekała żadna pilna dodatkowa fucha. Pracy ubywało. Kilka dni wcześniej odeszli dwaj elektrycy. Ich rola dobiegła końca i nie było za co im płacić. Cała brygada pracowała „na pół gwizdka", bo w mieszkaniu pojawili się „carpeciarze"[3], by ułożyć wykładzinę w sypialni i w maleńkim pokoiku przy kuchni. Chłopaki snuli się więc tu i tam, dokręcając śrubki, dopieszczając to i owo, wynosząc śmieci i przestawiając cholerne znienawidzone kolumienki w pokoju z atrapą kominka. Chuda raszpla o sępiej szyi mieniąca się projektantką wnętrz wciąż nie mogła się zdecydować, które miejsce nimi zeszpecić.

* * *

Bernard czuł się wolny i bogaty. Na pracy budowlańca nie zależało mu już tak bardzo. Chciał ją utrzymać głównie dlatego, że dawała stały, regularny zarobek. Jednak jej utrzymanie przestało być kwestią życia i śmierci. Właściwie mógł wracać do Polski. Miał sporo forsy. Więcej niż oczekiwał, decydując się na wyjazd. Ale chciał zarobić jeszcze więcej. Zadziwiający przypadek sprawił, że wylazł z totalnego dołka, stanął na nogi i stał na nich mocno. Zaczął czuć się dobrze w Ame-

---

[3] carpeciarze (ang. carpet fitter) — fachowcy układający wykładzinę dywanową

ryce, gdzie wszystkie zasady gry były jasne i przejrzyste. Zdobył sobie dobre miejsce w grupie i tymczasem nie zamierzał z niego rezygnować. Polubił chłopaków z brygady i ich nieskomplikowany świat. Sam czuł się lubiany i akceptowany przez nich. Dobrze pamiętał początkowy okres swego pobytu w Ameryce, ciągłe podenerwowanie, zgryźliwość, uczucie zagrożenia. To było przeszłością. Minęło i wydawało mu się nieprawdą. Nie miał więc zamiaru tracić tego, co już osiągnął, zwłaszcza że w przyszłości zamierzał osiągnąć znacznie więcej.

— Wiesz, co jest lepsze od jednego dolara? — podstępnie spytał Witek, kiedy już wlali się wystarczająco mocno, by być wielkimi entuzjastami własnych pomysłów, a dostatecznie trzeźwi, by planować. — Dwa dolary — odpowiedział, zanim Bernard zdążył się zastanowić.

— O co chodzi? Nie łapię.

— O Wernera.

— O Wernera?

— Tak. Sprzedaliśmy twoje obrazy jako dzieła kogoś zupełnie innego. Ta transakcja przyniosła nam niezły zysk. Było tak?

— Było. I co dalej?

— Sprawa jest prosta. Stworzyliśmy coś, czego wcześniej nie było.

— Jak to „stworzyliśmy"? Obrazy malowałem ja.

— Tak. Ale Wernera jako malarza wymyśliłem ja. Na bazie ekscentrycznego rzeźbiarza powstał ktoś zupełnie inny. Werner zmartwychwstał. Na razie odkryto tylko kilkanaście jego obrazów, ale kto wie, ile i jakich obrazów wielki Werner namalował naprawdę?

— Jedź dalej.

— Chcę, żebyś namalował jeszcze trochę obrazów za niego.

— To może mieć krótkie nogi. Graziani nie jest idiotą. Prędzej czy później pokaże moje obrazy ekspertom. Będzie wpadka.

— A skąd panowie eksperci będą wiedzieli, jak malował Werner? Jaką skalą porównawczą, jakim materiałem będą dysponować, pytam ja kogo? — Słowa Witka brzmiały rozumnie i przekonująco. — Zresztą twoje obrazy są bardzo dobre. Są warte swojej ceny.

Bernard słuchał z przyjemnością. Doskonale wiedział, że jest pijany więcej niż trochę. Ale przecież to, co mówił Szerszeń, nie było głupie. Nawet jeśli się wzięło poprawkę na wypitą gorzałę.

— Nie chcę ci kadzić — płynęły łatwe, gładkie słowa. — Taka jest po prostu prawda. Nawet jakby wyszła jakaś chryja, Graziani będzie się starał ją zatuszować. Nikt nie lubi wychodzić na błazna i dyletanta. Zresztą on nie objawi tych obrazów światu przed upływem roku, może dwóch. Tymczasem nie będzie się chwalił. Raczej je ukryje, aby odkryć w najbardziej dla siebie korzystnym momencie. Na jego miejscu rozdmuchałbym temat w telewizji. Dodałbym Wernerowi tajemniczości, przyozdobiłbym go w jakiś mit. Przygotowałbym świat na narodziny nowo odkrytego geniusza pędzla. Dopiero potem zacząłbym je sprzedawać. A i to powolutku, z ostrożna. Wylansowałbym go na nowo. Graziani ma takie możliwości. Podsuń mu taką myśl przy okazji. A potem my, ty i ja, odnajdziemy następne obrazy. Tym razem będzie to pięć, najwyżej sześć prac. Ich cena będzie znacznie wyższa. Graziani albo ktoś inny równie bogaty zapłaci tyle, ile trzeba, żeby mieć wyłączność. Bo to będą ostatnie obrazy Wernera. Nikt już nigdy nie namaluje niczego podobnego. Kapujesz?

— Mógłbym sprowadzić kilka prac z Polski. To byłoby szybciej niż malować je tu. Nie ociekałyby też zbyt świeżą farbą. Byłyby bardziej wiarygodne.

— Myśl jest niegłupia. Trzeba by je tylko...

— Wiem, wiem. Zmienić blejtramy, troszkę podsztafirować, postarzyć i...

— No to siup.

— No to siup. — Wypili. — Za nasze wielkie plany. Kapitalistom na pohybel.

— Na pohybel.

* * *

Spacerując z dziewczyną po parku, myślał wciąż o rozmowie z Witkiem. Na szczęście Rosalynn nie miała zwyczaju paplać trzy po trzy, szczebiotać głupio czy ględzić bez sensu. Dlatego znakomita część mózgu Bernarda była wolna i mogła się zająć poważnymi sprawami. Przed chwilą opuścili muzeum Guggenheima[4]. Przesuwając się powoli wzdłuż abstrakcyjnych dzieł, obserwował ją ukradkiem z narastającą, starannie ukrywaną paniką. Rosalynne patrzyła na nowoczesne dzieła jak na kołki w płocie, bardziej niż zbiorami interesując się futurystyczną architekturą budowli i konstrukcją pochyłej

| 19

[4] muzeum Guggenheima (właśc. Solomon R. Guggenheim Museum) — muzeum sztuki nowoczesnej

podłogi prowadzącej ich coraz niżej i niżej opadającymi korytarzami.

— To pomysłowe — stwierdziła wreszcie z uznaniem, a Bernard przytaknął kwaśno, bo nic mądrzejszego nie przyszło mu do głowy.

Kilkanaście dni wcześniej zawlókł Rosalynn do galerii Fricka[5]. Kosztowało go to mnóstwo zdrowia i wysiłku. Wyobraził sobie jednak, że gra może być warta świeczki. Że obcowanie ze sztuką przez duże „S" uchyli jakąś klapkę, otworzy coś tam w tym jej pragmatycznym do bólu, grubawo ciosanym umyśle. Pierwsze chwile wydawały się potwierdzać słuszność metody. Rosalynn kilkakrotnie wyraziła uznanie dla bogatego wystroju wnętrz, pełnego złoceń i secesji. Potem było gorzej. Prace dawnych mistrzów uznała za nieciekawe. Nudziła się straszliwie, wcale tego nie kryjąc. Okrutnie szczera, rozczulająca w swej bezpretensjonalnej ignorancji, ziewała jak lew, gdy Bernard usiłował zainteresować ją takim czy innym obrazem.

Jednak przy „Lisowczyku"[6] zmusił ją do zatrzymania się. Starał się wyjaśnić przyczynę, dla której młodzieniec dosiadający chudego konia został uwieczniony przez króla malarzy swej epoki. Streszczał się maksymalnie, nie chcąc zanudzić nieprzywykłej dziewczyny. Pompując esencję wąskiego wycinka historycznej wiedzy w jej kształtne, choć nieco zbyt duże uszy, dziwił się własnemu uporowi. Najprościej byłoby pozostać przy

---

[5] galeria Fricka (właśc. Frick Collection) — muzeum sztuki dawnej

[6] „Lisowczyk" — obraz Rembrandta „Lisowczyk" zwany też „Jeźdźcem polskim"

układzie obopólnych korzyści, bez zbędnego balastu zobowiązań.

— Ja wyjadę, ona zostanie i wszystko będzie po staremu. Dość już zabawy pod tytułem „Pigmalion"[7] — nakazał sobie i dał spokój ręcznemu sterowaniu jej w kierunku tak zwanych wyższych aspiracji. Wybrali się za to do wesołego miasteczka i do oceanarium na Coney Island[8], gdzie oglądali delfiny.

* * *

W sobotę pojechał wraz z José do Maríi.

— W samą porę — stara czarownica serdecznie przywitała gąsiorek tequili i sporą paczkę czarnego mięsistego tytoniu.

Zasiedli do stolika w ogródku pośród chaszczy. José i María wypili już po szklaneczce. Bernard nawet nie zamoczył ust. Coś wstrzymywało go dziś od picia. Milczał i rozmyślał o tym, jak dziwnie poukładało mu się w życiu. Przede wszystkim obserwował Maríę. Miała przygaszone oczy. Mówiła mniej i ciszej.

— Co ci jest? Jesteś chora? — spytał, gdy José oddalił się na chwilę. Od rana narzekał na bóle brzucha.

— Umieram — odparła krótko.

— Jak to?

— Całkiem normalnie. Nie będę żyła sto pięćdziesiąt lat.

---

[7] Pigmalion — tu: aluzja do sztuki George'a Bernarda Shawa „Pigmalion"

[8] Coney Island — wyspa będąca częścią Brooklynu

— Dlaczego? Przecież jeszcze niedawno...

— Człowiek ma do wykorzystania pewną ilość wrażeń, doznań i emocji. Określoną ilość oddechów i uderzeń serca. Ja wykorzystałam swoją pulę. Coś się wypaliło.

— Nie rób mi tego.

— To się kiedyś musiało stać.

— Ale dlaczego akurat teraz?

— A dlaczego nie?

— Ukrywasz coś przede mną?

— Nie.

— Na pewno?

— Nnnnie.

— Więc jednak?

— Mmmmmmm. Nie patrz tak na mnie.

— Powiedz...

— Tak musiało być.

— Coś jest nie tak. Wiesz coś, czego nie wiem ja. Czuję to. Powiedz.

— Na pewno chcesz wiedzieć?

— Tak.

— Umieram przez ciebie. Prawda nie zawsze jest przyjemna. — Przyglądała mu się spod oka.

— Przeze mnie?

— W pewnym sensie. Przekazałam ci zbyt wiele z siebie. Za dużo energii własnej. Nie mam już skąd wziąć nowej.

— Ale dlaczego, po co...?

— Czuwałam nad tobą i kierowałam twoimi krokami, nawet gdy nie wiedziałeś o tym.

— Ależ...

— Nie przerywaj, bo niczego nie zmienisz. To był mój wybór. Musiałam odkupić swoje winy. Albo sprzedać je komuś innemu. Akurat ty doskonale się nadajesz i do jednego, i do drugiego. Taka jest prawda. Wiele osiągnąłeś. Osiągniesz jeszcze wiele. To działa i będzie działać i po mojej śmierci. Mam do ciebie tylko jedną prośbę.

— Spełnię każdą — zapewnił gorliwie.

— Gdy już umrę...

— Ty nie umrzesz jeszcze długo. Nie umrzesz...

— Nie spieraj się ze mną. To niegrzeczne, nie uważasz?

— Nie chcę, żebyś umarła.

— Wiem. Gdy już umrę, dam ci znak. Nie wiem, czy nastąpi to jutro, za tydzień, czy za miesiąc.

— Może nie nastąpi.

— Khehehehekhe — kaszlała i śmiała się jednocześnie. — Nastąpi. Niezadługo. Czuję, że jest to już mój ostatni gąsiorek tequili w tym życiu. Czy myślisz, że tam, gdzie pójdę po śmierci, dają tequilę?

Patrzył na nią z lękiem i szacunkiem. Docierało do niego, że przyjazna wiedźma wcale nie żartuje.

— Nie wydaje mi się, żebyś „tam" potrzebowała tequili. Wierzę, że „tam" nic nikomu nie jest potrzebne i że na tym właśnie polega szczęście. Jednak sądzę, że gdybyś poczuła smak na tequilę, to dadzą ci tyle, ile będziesz chciała — odparł równie poważnie. — Masz niekonwencjonalne podejście do sprawy. Jaka to prośba?

— Ważna. Otrzymasz ode mnie znak. Zostawisz wszystko i przyjedziesz tu bez względu na porę dnia czy nocy. Natychmiast i bez ociągania. Sam jeden. Tylko ty. Drzwi zastaniesz otwarte. Prawdopodobnie będę siedziała w fotelu i moje ciało nie będzie już żyło. Ale ja wciąż tu będę. Na stole zostawię ci szklankę z płynem, który wypijesz za jednym razem. Nie wąchaj go, nie próbuj, bo jest wstrętny. Masz go wlać sobie prosto w gardło. Najlepiej tak, żeby nie poczuć smaku. Wypijesz?

— Wypiję

— Przysięgnij na twoją matkę. — Błysnęła oczami jak dawniej.

— Przysięgam na moją matkę. Zrobię wszystko, czego zażądasz. Dobrze o tym wiesz. Ty zrobiłaś dla mnie bardzo wiele. Zawsze będę pamiętał.

— Wiem. Tak tylko mówię, żeby mieć całkowitą pewność.

— Dlaczego ci zależy...

— Żebyś wypił?

— Tak.

— Nie wiem, czy mogę powiedzieć. Nie jestem pewna, czy mi wolno. No i nie wiem, jak to przyjmiesz.

— Powiedz.

— Gdy wypijesz, będziemy mogli rozmawiać jak dawniej. Wtedy powiem ci coś, czego nie wie nikt.

— Ooooo.

— Nie wierzysz mi?

— Wierzę, ale...

— José wraca. Nie mówmy przy nim o tych sprawach. I postaraj się, żebyście odjechali jeszcze dziś. Mam parę spraw do zrobienia, a mój czas jest krótki.

Odjechali więc zaraz. Bernard pewnie prowadził ciężarówkę. Dobrze znał i wóz, i drogę. Odwiedzali Marię nie po raz pierwszy. Miał nadzieję, że nie po raz ostatni.

Bardzo chciał, by stara kobieta pomyliła się. José postękiwał w fotelu pasażera, a i Bernardowi nie chciało się gadać. Zajmowały go własne, niewesołe myśli. Odstawił José pod dom, wsiadł w subway[9] i pojechał do siebie.

* * *

Długo nie mógł zasnąć i przez pół nocy przewracał się z boku na bok. Wreszcie zapadł w nerwowy sen przerywany niejasnymi wizjami, pośród których dominował monotonny krajobraz z szeroką rzeką o ciemnej, prawie czarnej wodzie. Ta rzeka głębokimi powolnymi zakolami toczyła się poprzez rozległą równinę podobną do pustyni. Po równinie, bliżej jej horyzontu snuły się jakieś postacie. Były zbyt odległe, by Bernard mógł im się dokładnie przyjrzeć. Wydawało mu się, że postacie te nie mają żadnego celu, bądź że nie znają celu i dlatego pętają się po owej posępnej krainie tak bezładnie.

Jeżeli nie mają żadnego celu, a cel taki istnieje, to należy im go wskazać — pomyślał logicznie. — *Jeśli przedstawię im jakiś cel, wybawię je z ich pozbawionego sensu bytu, w którym tkwią od wieków* — pomyślał znów z wielką pewnością. Jednakże pomimo wysiłków nie potrafił wyobrazić sobie żadnego w ogóle celu, choć jeszcze przed chwilą wydawało mu się, że wie wszystko. Tymczasem jedna z postaci zbliżyła się. Była ubrana w czarną długą wystrzępioną u dołu pelerynę i, choć zakapturzona, wydawała mu się znajoma. Szła w jego kierunku tyłem, co pewnie byłoby ogromnie niewygodne, gdyby nie to,

| 25

---

[9] subway (am.) — metro

że nie stawiała kroków, lecz sunęła po powierzchni suchego piasku niczym szachowa figura przesuwana po gładkiej tafli szachownicy. Gdy była już całkiem blisko, odwróciła ku niemu głowę. Spod głęboko nasuniętego kaptura spoglądały na Bernarda puste oczodoły, dwie czarne dziury w zwierzęcej czaszce o długim pysku i sterczących kłach. Czaszka przyglądała mu się uważnie, przechylając się tak, by widzieć go dokładnie zarówno jednym, jak i drugim oczodołem.

— Zawsze pamiętaj, co przysiągłeś — powiedziała głosem Maríi i zupełnie niespodziewanie wbiła mu w pierś ostre kły drapieżnika. Poczuł, że się dusi. Wyrywał się i krzyczał, lecz paszcza wgryzała się w jego ciało coraz mocniej, coraz głębiej.

Zaraz dosięgnie serca — pomyślał z przerażeniem. Z najwyższym trudem zmobilizował resztki wyciekających z niego sił, wierzgnął ostatnim konwulsyjnym zrywem i obudził się, dysząc ciężko.

— Co ci jest, hej, chłopie, co ci jest — chropawy głos Rosalynn przywracał go do rzeczywistości. Uśmiechnął się z trudem do jej pospolitej twarzy, która akurat w tej chwili była najpiękniejszą twarzą od początku świata. — Co ci jest, Ben Roth, co ci jest?

— Nic. Już dobrze. Fajnie, że jesteś. — Próbował się uśmiechnąć. Dziewczyna nie spuszczała z niego badawczego wzroku. — Brałeś coś?

— Co? — nie zrozumiał.

— Pytam, czy brałeś jakieś dragi?

— Nie, nie. Skądże znowu.

— Tak wyglądasz, jakbyś dostał solidnego kopa. — Chłodna rzeczowość jej tonu na dobre wyciągała go z objęć koszmarów. Niski, pozbawiony emocji głos Rosalynn uspokajał i koił rozdygotany umysł.

— Już jest okay.

— Jesteś pewny?

— Tak. Dzięki...

— Nie ma za co. Rzucałeś się tak przez całą noc, że nie mogłam spać. Przeniosłam się na fotel, bo nie dawałeś się obudzić, chociaż próbowałam. I to jak próbowałam. O mało co nie urwałam ci fiuta — zarżała głośno. — A ty nic, chociaż się starałam jak nigdy. Spałeś i spałeś, a jakbyś nie spał. Krzyczałeś coś. Pewnie miałeś niedobre sny. Ale żeby aż tak? Dlatego pomyślałam, że jesteś na haju. Trochę mnie to zdziwiło, bo nigdy nie zauważyłam, żebyś się czymś szprycował. Chociaż kto cię tam wie?

— Nie, nie. Ja czasem miewam straszne sny, których nie rozumiem. To pewnie przez zbyt rozbudowaną wyobraźnię. Miałem wczoraj dziwne zdarzenie, a potem śnili mi się umarli.

— Mnie nigdy się nic nie śni. — Rosalynn nie zdradzała najmniejszego zainteresowania treścią Bernardowych majaków. — Zaparzę kawy, zrobię śniadanie, a ty pościel. Już późno. Czas do roboty. Dziś pojedziemy razem. Mam zlecenie tam, blisko ciebie. Wrócić też możemy razem, jeśli chcesz.

— W porządku — udało mu się wpaść w jej ton. — Kończę o piątej. Poczekam na ciebie albo ty czekaj w barze na rogu. No wiesz, w tym z zielonymi zasłonami. Ostatnio ci się tam podobało. Zjemy coś, co lubisz, i może pójdziemy do kina...

— Najpierw zjemy kolorowe spaghetti, a potem pójdziemy. Od wieków nie byłam w kinie. Kino jest o niebo lepsze od tych wszystkich twoich muzealnych obrazków i starodawnych pierdół.

* * *

W drodze do pracy miał złe przeczucia. Z początku sądził, że są one reminiscencjami wydarzeń dnia poprzedniego i okropnej nocy. Ale to było coś zupełnie innego. Nerwowe napięcie za nic w świecie nie chciało go opuścić, chociaż dzień był ładny, słoneczny i powinien nastrajać optymistycznie nawet największych ponuraków. Jednak coś wisiało w powietrzu. To coś dopiero miało się wydarzyć i niekoniecznie musiało okazać się dobre. W miarę pokonywania kolejnych pięter niepokój narastał. Wreszcie winda zatrzymała się. Bernard ostrożnie wyszedł na korytarz. Nic się nie działo. Tylko z mieszkania państwa Grazianich dobiegały podniesione głosy. Skradając się na palcach, podszedł do drzwi. Nadstawił ucha. Rozpoznawał gniewny baryton José, z kilkoma innymi głosami w tle. Na wszystko nakładał się czyjś wyjątkowo piskliwy jazgot.

Przez moment wyobraził sobie Milady stawiającą czoła grupie rozdrażnionych czymś mężczyzn i poczuł gniew. Już zamierzał wkroczyć ostro, by stanąć w jej obronie, gdy zdał sobie sprawę, że sytuacja taka jest po prostu niemożliwa. Pani Graziani jednym słowem mogła załatwić całą brygadę. Była znacznie twardsza i dużo bardziej bezwzględna od swego męża. Żaden z chłopaków nie byłby zdolny przeciwstawić się jej. Nawet José zwracał się do niej w kornej pozie z przesadnie okazywanym szacunkiem. Na myśl o tym w Bernardzie obudziło się nagle poczucie więzi z kolegami i coś w rodzaju męskiej solidarności.

Niby dlaczego miałbym stawać po jej stronie — pomyślał. — *Przecież nawet nie wiem, o co poszło.* Nasłuchiwał dalej. Z nieopisaną ulgą konstatował, że jadowity, zanoszący się cienkim ujadaniem falset nie należy do jego kochanki. Śmiało otworzył drzwi. W przedpokoju rozgrywała się bitwa. Po lewej stronie Stan, Pedro, Lockner oraz jeszcze dwóch chłopaków pod wodzą José, ostrzałem ciężkiej artylerii atakowało opartą o ścianę po stronie prawej chudą projektantkę wnętrz, która odgryzała się kalibrem lżejszym, lecz za to znacznie bardziej szybkostrzelnym. Słowa przecinały powietrze niczym kartacze. Zmaganiom przyglądała się pani Graziani stojąca w drzwiach swej sypialni, pozornie obojętna, doskonale panująca nad sobą. Paliła papierosa. Czyniła to niezwykle rzadko. Bernard już wiedział, co legło u podstaw wojny. Konflikt nabrzmiewał od dawna. Wreszcie wszedł w fazę ostateczną. Wulkan nagromadzonych pretensji i żalów dojrzał do erupcji. Ta okazywała się nadzwyczaj gwałtowna. Wszyscy mieli serdecznie dość nieustannego przestawiania idiotycznych filarków mających udawać kolumny nowobogackiej rezydencji. Wszyscy mieli dość panoszenia się pozującej na egzystencjalistkę zbyt pewnej siebie kretynki.

Wraz z wejściem Bernarda awantura przyczaiła się, gotowa natychmiast rozgorzeć z nową siłą. Zapadła nagła cisza. Ten moment wykorzystała Milady.

— Was, ciebie i ciebie — wskazała palcem José i Stana — proszę na rozmowę. Proszę również panią — zwróciła się do projektantki — i... — zawahała się — pana, panie Roth. Zjawił się pan jak zwykle w odpowiednim momencie. Pan wydaje mi się osobą bezstronną. Poza tym zauważyłam, że nieźle radzi pan sobie w sytuacjach konfliktowych. A ta sytuacja... — po jej ustach przemknął cień wyjątkowo przewrotnego uśmiechu — ta sprawa też jest poważna.

— Oooch — westchnął Bernard. Przed oczami stanęła mu rozhisteryzowana kuzynka w kąpieli i niespodziewane konsekwencje ratowania jej z wyimaginowanego zagrożenia. — Dziękuję za zaszczyt. Nie wiem, czy nie okaże się dla mnie zbyt wielki...

— Proszę bez zbędnej dyskusji. — Pani Graziani zdecydowanym gestem wskazała im drogę do dużego pokoju. Weszła ostatnia i starannie zamknęła za sobą drzwi.

— W czym rzecz? — spytała. Wszyscy zaczęli mówić razem.

— Po kolei — rozkazała Milady. — Najpierw pani.

Projektantka tylko czekała na taką okazję. Natychmiast rozdarła się niesamowicie i nie na temat. Właściwie nie bardzo było wiadomo, czy ma pretensje do złych, brzydkich i niegrzecznych robotników, zbyt dużych okien umieszczonych nie tam, gdzie trzeba, nietypowych rozmiarów salonu, do państwa Grazianich czy do Pana Boga, który stworzył ją kobietą.

Gdy się zapowietrzyła, głos zabrał José. Kostyczna szprycha w czerni chciała jeszcze rozwodzić się nad swoją krzywdą, ale pani Graziani zastopowała ją szorstko. José zaś wyliczył, ile razy przestawiano nieszczęsne filarki, ile to kosztowało czasu i pieniędzy. Wspomniał o niszczonych za każdym razem klepkach w podłodze, nie zapomniał o utraconej skutkiem opóźnień premii.

— Ona za każde takie przemeblowanie zgarnia dodatkowy szmal, a my taki sam szmal tracimy — zakończył konkretnie. Milady słuchała w skupieniu.

— A co pan myśli o tym, panie Roth? — spytała na koniec.

— Czy na pewno chce pani znać moją szczerą opinię, pani Graziani? — upewnił się.

— Tak. Po to pana wezwałam do udziału w naszej, hm, naradzie. Jestem zdecydowana wysłuchać i pańskiej opinii.

— To be quite honest, you know[10], te kolumienki są całkowicie zbędne, proszę pani.

— Jak to? — żachnęła się.

— Zabierają miejsce i są w bardzo złym stylu — stwierdził bezlitośnie. — Nie wiem, kto państwu poddał pomysł ich zainstalowania, ale ten ktoś był pozbawiony elementarnego poczucia smaku. Nie wiem, w jaki sposób przekonał osoby o tak wyrafinowanych gustach jak pani i pani mąż — zaryzykował wazeliniarstwo.

— To są kolumny korynckie — syknęła projektantka głosem żmii. — Czy wiesz, co znaczy „korynckie", prostaku?

— Pani się myli — odparł uprzejmie z niewzruszonym spokojem. — To nie są kolumny korynckie. To nieudolne, tekturowe kopie pomniejszonych dziesię-

---

[10] to be quite honest, you now (ang.) — żeby być całkiem uczciwym

ciokrotnie kolumn w stylu jońskim. Kolumny koryncukie wyglądają zupełnie inaczej, przede wszystkim zaś różnią się od jońskich kapitelem. Są znacznie bardziej ozdobne i dużo mniej szlachetne, jeśli pani wie, co mam na myśli. Reasumując: te słupki nie mają z kolumnami nic wspólnego, są tandetne i do dupy. A żadne w ogóle kolumny nie pasują do nowoczesnego mieszkania we współczesnym domu w centrum wielkiego miasta. Czy pani tego nie widzi? Czy pani tego nie czuje?

— Chciałam rozbić przestrzeń. Wydawało mi się, że nadmiar przestrzeni napiera, czyni wnętrze mniej przytulnym — bąknęła pokrętnie kompletnie zbita z tropu niewiasta.

— Gdyby państwo Graziani potrzebowali więcej przytulności, to by sobie obstalowali mniejsze mieszkanie, a nie wystawiali takie paskudztwa w najlepszym pokoju, tfu. — Milczący dotąd Stan z trudem powstrzymał się od splunięcia na podłogę wprost pod nogi zepchniętej do defensywy projektantki.

— Dość. Decyzję podejmę wraz z mężem. — Milady przybrała jeszcze bardziej zdecydowany wyraz twarzy. — Tymczasem niech wszystko zostanie na swoich miejscach. Kontynuujcie panowie swoje prace te, które są możliwe do wykonania w zaistniałym stanie rzeczy. — Bernard był zaskoczony taką metamorfozą. „American dream"[11] objawiał swoje kolejne oblicze i było to oblicze nad wyraz interesujące.

Potrafisz nie tylko artystycznie dawać dupy, kwiateczku — pomyślał z uznaniem.

---

[11] American dream (ang.) — amerykański sen

— Dziękuję państwu — powiedziała Milady. — Jutro sobie wszystko wyjaśnimy do końca. Teraz wychodzę. Klucze proszę zostawić w recepcji.

* * *

Pracę skończyli nieco wcześniej niż zazwyczaj. Wszyscy poszli sobie i tylko Bernard został sam w pustym mieszkaniu. Do piątej pozostały mu prawie dwie godziny, nudził się więc trochę, łażąc tam i z powrotem po świeżo wyremontowanych, pachnących nowością pokojach. Odczuwał satysfakcję. Lubił widzieć efekt swych wysiłków, a akurat ten efekt przedstawiał się wyjątkowo pięknie i okazale. Tylko cholerne kolumienki w salonie psuły obraz całości.

— Ciekawe, co postanowią — rozmyślał. — Ciekawe, co powie Królik Buggs. Bo Milady jest już chyba gotowa wypieprzyć je na śmietnik.

Zgrzytnął klucz w zamku. Po sposobie otwierania Bernard rozpoznał panią Graziani.

— Ooo, jesteś — ucieszyła się.

— Jak widzisz. Już miałem lecieć, ale poczekałem trochę, żeby cię zobaczyć — skłamał.

— To miłe. — Przytuliła się do niego.

— Ostrożnie. Jestem brudny. Nie pachnę zbyt ładnie. — Nie miał ochoty na karesy. Na dole już pewnie czekała Rosalynn. Nie chciał jednak niepotrzebnym chłodem zrażać do siebie pięknej i niezwykle sprawnej kochanki.

— Nie szkodzi. Lubię twój zapach. Jest taki męski. Jesteś taki męski. Prawdziwy twardy facet. Nie to, co ten mój mięczak.

— On też ma swoje zalety.

— Głównie forsę.

— I pozycję.

— I pozycję.

— Muszę już iść. Sorry. — Delikatnie uwolnił się z jej ramion.

— Trochę szkoda. Moglibyśmy dziś zdziałać niejedno.

— Pewnie, że szkoda. Ale co się odwlecze, to nie uciecze. Jutro też jest dzień.

— A po dniu wieczór i noc.

— Pewnie.

— No to idź już, jeśli musisz. Ale pamiętaj. Ja cię nie wypędzałam, mój ty gladiatorze.

— Gdybym naprawdę nie musiał, tobym nie odchodził — pocałował ją szybko i już go nie było.

W windzie natknął się na Grazianiego.

* * *

— Ten mój bałwan wrócił wcześniej.

— Wiem, spotkaliśmy się w windzie.

— I co?

— I nic. Powiedzieliśmy sobie dzień dobry i do widzenia.

— Zupełnie, jakby mnie chciał na czymś przyłapać.

— Sądzisz, że się domyśla?

— Nie wiem. Zazwyczaj telefonuje, gdy ma zamiar wcześniej wrócić do domu. Lubi, gdy na niego czekam. Lubi, gdy oglądam jego program.

— Musimy zawsze pamiętać, żeby telewizor był włączony. Chociaż nie sądzę, by cię podejrzewał. Ma za mało danych. Nie podejrzewa przecież, że jego żona zadaje się z takim jak ja, the beast of burden.

— Nie jesteś bydlęciem roboczym. Wiemy to od dawna. Oboje. Mój mąż ma dla ciebie duży szacunek, choć o tym nie mówi. On się ciebie trochę boi.

— Boi? Mnie? Nie ma powodu.

— To nie chodzi o powód. To jest instynktowne. Obawia się ciebie, ale go intrygujesz. No i jesteś mu potrzebny. Gdyby nie to, być może by cię wylał z roboty.

— Mmmmmm. Myślisz? — mruczy Bernard głosem rozleniwionego tygrysa. Szerokie, wyposażone w wodny materac małżeńskie łoże Grazianich jest bardzo wygodne. Leżą w nim on i Milady, odpoczywając po niezwykle intensywnych wysiłkach, na których spędzili ostatnie pół godziny.

— To znaczy, że mieliśmy szczęście.

— A pewnie. Niewiele brakowało, żebym został. Ale wyszedłem. Chociaż nie chciałem. W samą porę. Miałem przeczucie. Poza tym nie chciałem się spóźnić. Ktoś na mnie czekał.

— Inna kobieta?

— Tak.

— Twoja „fiancée"[12]?

— Tak.

— Jaka ona jest?

— Fajna.

---

[12] fiancée (franc.) — dziewczyna, narzeczona

— Wie o mnie?

— Nie.

— Czy jest ładniejsza ode mnie?

— Nie.

— Więc dlaczego...?

— Czy robisz mi scenę zazdrości?

— A jak myślisz?

— Myślę, że tak.

— Jesteś stanowczo zbyt pewny siebie. Nie znaczysz dla mnie więcej niż ja dla ciebie.

— Zazwyczaj jest tak, że nie znaczymy dla innych więcej niż oni dla nas.

— Jesteś okropny. Traktujesz mnie utylitarnie.

— A czy ty traktujesz mnie inaczej?

— Upokarzasz mnie.

— Używam broni przeciwnika. Miłość to wojna. Nie wiedziałaś?

— Jeśli tak, to chyba pora zacząć kolejną bitwę. Jesteś gotów?

— Pewnie. Albo zaraz będę, jeśli pomożesz mi się sprężyć. Jestem już troszkę wypompowany.

— Mamy czas. Program potrwa do jedenastej. Powrót do domu to następna godzina.

— Spoko. Ale wiesz co, ścisz telewizor. Hałas mnie rozprasza. No i nie gap się w ekran, jak cię posuwam.

Rozdział drugi

Po południu Lockner zaproponował Bernardowi i krostowatemu Pedrowi dodatkową fuchę. Miała ona polegać na montowaniu domofonów gdzieś aż na Queensie[1]. Bernard zgodził się tylko dlatego, że nie chciał zawieść kolegi. Jeszcze całkiem niedawno przyjąłby ofertę z pocałowaniem ręki. Ale od tamtych francowatych i beznadziejnych dni zmieniło się bardzo wiele. Dziś zarobienie kilkudziesięciu dodatkowych dolarów nie wydawało mu się sprawą ważną, pilną czy choćby potrzebną. Pojechali więc i pracowali do wieczora. Robota przebiegała gładko, szybko. Wszyscy trzej byli zgranymi ze sobą profesjonalistami. Rozumieli się bez zbędnych słów i nie wchodzili sobie w paradę. Każdy robił to, co do niego należało. Po pracy wrócił prosto do domu, chociaż koledzy namawiali go na „małą wizytkę" w znajomym barze. Odmówił, gdyż dobrze wiedział, jak zakończy się owa niewinna „mała wizytka". Odmawiał od pewnego czasu. Od dość dawna nie potrzebował alko-

---

[1] Queens — jedna z pięciu dzielnic Nowego Jorku

holu ani jako rozrywki, ani jako remedium na zwykłe emigracyjne bolączki. Nie potrzebował alkoholu jako chwilowej ucieczki. Układało mu się zadziwiająco dobrze. Być może była to zasługa Maríi. Bernard omal wierzył starej Meksykance utrzymującej, że wspiera go siłą swej magii. Od kilkunastu dni nie pił zupełnie. Zrezygnował nawet ze słabego piwa, którym zwykle gasił pragnienie w upalne dni. Czekał. Czekał na coś, co miało nastąpić. Na coś, co wymykało się zdrowemu rozsądkowi „cywilizowanego białego człowieka". Ale akurat on, Bernard, ów „cywilizowany biały człowiek" myślał o tym jak o nieuniknionym, zapowiedzianym kataklizmie, nieszczęściu, które tylko czeka sposobnej chwili, by pojawić się i zburzyć wszystko, co miało jakiekolwiek znaczenie. Dziś dodatkowo czuł do alkoholu po prostu wstręt bez żadnego konkretnego powodu. Wstrętną była mu sama myśl o napiciu się. Przypomniał sobie, że podobnego uczucia doznał podczas ostatniego pobytu na Hill Top i jego zmysły stały się czujne. María mogła go wezwać w każdej chwili. Pełen niepokoju wracał do domu.

Jednak i ta noc minęła spokojnie.

* * *

Rany boskie, jaki piękny jest świat. Jakie piękne jest życie — myślał, leżąc na wznak, wdychając ciepły powiew wiatru i wpatrując się w gwiaździste niebo. Ten wiatr był znajomy. Niósł ze sobą coś więcej niż tylko zapachy. *Nie sądziłem, że wiatr może pachnieć po polsku. Ten wiatr pachnie jak halny. Albo jak tuż przed halnym.* — Smakował znajomą woń. Przed oczami stanęły mu zapomniane, zdawałoby się, obrazy i sceny. — *Ile może zapach...* — Mocny powiew budził rozliczne skojarzenia, jakby niósł ze sobą zdarzenia sprzed wielu, wielu lat, sceny z domu rodzinnego, z dzieciństwa.

Jestem w Ameryce. Tak daleko od całego poprzedniego życia tam. W Polsce. W starym kraju. O wiele tysięcy mil od domu. A ten wiatr sprawia, że czuję, jakbym był tuż. Jakby coś, co było dawno, dawno temu wróciło i znajdowało się w zasięgu ręki. Czas nie istnieje. Odległość nie istnieje też. Wszystko istnieje tylko w nas. Reszta jest iluzją. Jeżeli jednak nie istnieje nic, czego nie poznaliśmy, to nie istnieje nic w ogóle, bo przecież nie znamy większości spraw i rzeczy. Nie istniejąc dla znakomitej większości ludzi, sami nie istniejemy naprawdę. A może jest na odwrót? Może bardziej istniejemy dzięki temu, że pojawiliśmy się kiedyś na drodze innych ludzi? Każdy zna i wie coś, dzięki czemu to coś istnieje i trwa. Może to właśnie my kreujemy wszechświat, prawa fizyki, siebie nawzajem — pozwalał toczyć się osobliwym rozmyślaniom. Niekiedy dopadały go takie właśnie, nie wiadomo skąd biorące się myśli, które zadziwiały go i których wstydził się trochę przed samym sobą. Nazywał je myślami o dupie Maryni i uznawał za głupie. Lecz one czasem zjawiały się nieproszone, a potem odchodziły same, toteż już od dawna z nimi nie walczył.

Wieczorem przeczytał list z Polski. Dorota pisała o rozmaitych drobiazgach, z których składa się zwyczajne życie, o tym, że tęsknią, lecz że dają sobie radę. Używała swoistego kodu, klucza. Pisząc o ludziach, których oboje znali, o miejscach, które kiedyś razem odwiedzali, budziła w nim nostalgię. Przypominała mu o sobie, nie przypominając wprost. Nie pytała, kiedy wraca, nie zadawała w ogóle żadnych pytań. Nie namawiała do powrotu. Przynajmniej nie dosłownie. Ale jej: „Krzyś bardzo podrósł ostatnio" znaczyło nie tylko to, że Bernard powinien mu przywieźć większą kurtkę. Przede wszystkim znaczyło bowiem: „Nie ma cię już od bardzo dawna".

Ten list i gwiaździsta, wietrzna noc sprawiły, że wyszedł do parku, choć nie było to rozsądne. Potrzebował samotności i ciszy. Potrzebował chwili zastanowienia. Jego życie tu, w Stanach, było zbyt intensywne i zupełnie nieprawdziwe. Znajomość z Milady i układ z Rosalynn nie miały żadnego znaczenia dla nikogo. Były kompletnie puste emocjonalnie. Były jak oszukujący głód hamburger czy porcja frytek. Nie wiązały żadnej ze stron. Nie niosły ze sobą niczego ponad to, że były wygodne. Z obu mógł się więc wycofać w jednej chwili. Mógł wracać do Polski choćby jutro. Pod wpływem pierwszego impulsu był gotów tak właśnie postąpić. Spakować manatki zaraz, już, natychmiast, i wracać pierwszym możliwym rejsem.

Swój cel zrealizował. Zarobił sporo forsy. Przecież od początku chodziło mu tylko o to. Ale teraz pojawił się kolejny plan pachnący dużymi pieniążkami. Wysłał już dyspozycje do Polski. Obrazy miały nadejść lada dzień. Po długotrwałym namyśle i po wielu debatach z Witkiem zdecydował, że sprezentuje Wernerowi trzy starsze i cztery nowsze prace. Doprowadzenie ich do odpowiedniego stanu i puszczenie w obieg powinno było trochę potrwać. Dlatego musiał jeszcze wytrzymać kilka, kilkanaście tygodni. Dlatego „Oni", „tam", pozostawieni w kraju żona i syn też musieli wytrzymać. Przynajmniej z miesiąc, dwa. Zakładał, że nie więcej niż trzy. Ale musieli.

Gra szła o dużą stawkę. Nie chciał pozostawiać biegu spraw w ręku kolegi. Wolał czuwać nad nimi osobiście. Nie dowierzał już Szerszeniowi tak, jak za dawnych czasów. Dostał zbyt bolesną nauczkę. Zamierzał zmyć się dopiero wtedy, kiedy wszystkie obrazy zostaną sprzedane. Było także coś, co wiązało go znacznie mocniej niż wszelkie możliwe układy. Było to zobowiązanie wobec Maríi.

Za kilka dni skończy jej się tequila — kalkulował. — *W weekend pojedziemy tam znów z dostawą. Zobaczymy, jak się mają sprawy. Może jej się poprawiło? Może odmieniło? Ale jeśli tak, to przecież nie będę czekał, aż umrze. Jeśli rzeczywiście miałaby dociągnąć do stu pięćdziesięciu lat, to ładnie bym wyglądał. Nie, nie. Niech sobie żyje, ile chce. Nie życzę ci przecież śmierci, Marysieńko* — przestraszył się, że ona może znać jego myśli — *ale sama rozumiesz, że moja przysięga nie miała obowiązywać wiecznie. Rozumiesz, prawda?*

— Rozumiem. Nie martw się na zapas. To już niedługo — odpowiedziała i Bernard ocknął się. Wciąż leżał na wznak, rozciągnięty na pokrywającej się rosą trawie. Nadciągał wczesny brzask. Podniósł się z trudem, przeciągnął aż chrupnęły zdrętwiałe gnaty i poczłapał do domu.

— Dziwny z ciebie gość — powiedziała sennie Rosalynn, gdy wlazł do jej ciepłego, wygrzanego łóżka.

* * *

Tekturowe atrapy zwane szumnie kolumnami pozostały jednak jako wątpliwa ozdoba salonu państwa Grazianich. „Słuszny i sprawiedliwy bunt proletariatu" — jak go na swój własny użytek nazwał Bernard — dał tylko tyle, że nie trzeba już było ich przenosić z miejsca na miejsce. Zostały zamocowane kompletnie bez sensu, grzecznie i symetrycznie, każda oddalona od ściany o dwadzieścia dwa centymetry. Zajmowały przestrzeń, utrudniały dostęp do okien i wyglądały głupio.

Bernard rysował nieduży portrecik Milady. Rozmawiali półgłosem, nie chcąc niweczyć atmosfery wielkiej intymności, szczególnej więzi powstałej między nimi w ciszy przerywanej tylko szurnięciami ołówka po kartonie.

— Z tymi kolumnami to było tak. Zaangażowałam swoją dawną znajomą projektantkę. Salon wydawał mi się pusty i nieciekawy — mówiła pani Graziani. — Zgodziłam się na jej projekt i przekonałam do niego męża, który z początku był mu przeciwny. Ja sama dopiero teraz widzę jasno, że są niepotrzebne.

— Najwyraźniej użyłem jedynych właściwych argumentów — wtrącił dwuznacznie.

— Otworzyłeś mi oczy — mówiła dalej, nie słuchając go. — One są brzydkie i tandetne. Jednak musiały zostać, bo z kolei mąż się uparł. Na początku nie mogłam go do nich przekonać. Teraz nie potrafię mu ich wybić z głowy. Podejrzewam, że pani projektantka została jego kochanką — wyznała z zażenowaniem.

— Sądzisz, że to możliwe?

— Nie broniłby jej tak, gdyby było inaczej.

— Wynika z tego, że strona przeciwna też użyła jedynych właściwych argumentów.

— Ooooch, świntuchu.

— Za to ty masz teraz silną motywację, by się pozbyć tych cholernych kolumienek. W pewnym sensie zamieniliście się rolami i frontami. Nastąpiła ciekawa podwójna metamorfoza, nie sądzisz? Swoją drogą Graziani jest idiotą. Mając w ręku taką perłę jak ty, zadaje się z taką raszplą.

— Z czym?

— Nie znam odpowiedniego słowa. W zasadzie raszpla to tylko rodzaj pilnika. Ale po polsku brzmi paskudnie. A ona jest paskudna i beznadziejna. Za to wreszcie wiem, dlaczego tak bronił tych jej, chachacha, koncepcji i pozwalał na wszystko, w tym na marnowanie jego własnych pieniędzy. Gdyby nie ona, dawno już skończylibyśmy całą robotę. Ale, ale, czyżbyś właśnie dlatego zdradzała go ze mną?

— Niezupełnie, a już na pewno nie tylko dlatego.

— Więc dlaczego?

— Nie powiem. Może kiedyś. Może już niedługo.

— Dobra, dobra. Wiem, że jestem cholernie przystojny i bardzo męski — odparł półżartem.

— Jasne, i jeszcze na dodatek bardzo mądry — dodała poważnie.

— Skąd wiesz, że jestem mądry?

— Sam mi to powiedziałeś parę dni temu — zaśmiała się. — Nie pamiętasz?

— Fakt — skrobnął się w głowę ołówkiem. — A już myślałem, że wpadłaś na to samodzielnie. A wracając do sprawy, to jeśli te cholerne słupy mają zostać, zasugeruj mu grecki wystrój salonu. Na początek proponuję zrobienie fryzu pod sufitem dookoła pomieszczenia. Starogrecki motyw geometryczny, ewentualnie kreteński motyw falisty z delfinami konweniowałby z kolumnami. Jeśli już są i mają tu pozostać, to następnym krokiem powinno być dopasowanie do nich charakteru całości wnętrza. Trzeba być konsekwentnym. Zresztą obiektywnie nie wyglądałoby to źle. Dużo lepiej niż samotne kolumny sterczące ni stąd, ni zowąd i nie wiadomo po co. Gdybyście mi dali wolną rękę, to wkrótce mielibyście salon, jakiego nie ma nikt nie tylko w Nowym Jorku, ale nawet w całym kosmosie i okolicy.

— Pomyślę nad tym. Ile by to kosztowało?

— Niewiele. W skali kosztów, które już ponieśliście, bardzo niewiele. Ze względu na starą znajomość z tobą i wielką sympatię do mego dobroczyńcy, a twego czcigodnego męża, mógłbym to zrobić po kosztach własnych. Choćby licząc według stawek godzinowych wykwalifikowanego robola. Za sam projekt nie policzyłbym wam nic. Nie ruszaj się teraz, bo wszystko sknocę! — ostrzegł. — No, przestań wreszcie mrugać. Jeśli możesz, to patrz w okno wzrokiem nieruchomym.

Zagryzł wargi i skoncentrował się na pracy. Zawsze wielką wagę przywiązywał do wykończenia, do ostatniego szlifu. Dobrze pamiętał starego profesora, który do znudzenia powtarzał, że na obrazie nie ma nieważnych miejsc. A akurat ten obrazek był ważny. Nawet bardzo. Od tego, czy spodoba się Grazianiemu, zależało ewentualne zamówienie przez niego dużego, „prawdziwego" portretu żony oraz zamówienia jego kilku zamożnych przyjaciół. Jednak nie tylko dlatego Bernard starał się tak mocno. W portrecik Milady prawie niechcący i bezwiednie, ale przecież nie całkiem niechcący i bezwiednie, wkładał stanowczo zbyt wiele ciepła.

* * *

W sobotę, zgodnie z utartym zwyczajem, urastającym do rangi rytuału, pojechali do Maríi. Zastali ją w zupełnie dobrym zdrowiu i równie dobrym humorze. Nic nie zapowiadało rychłego spełnienia się wcześniejszych posępnych przewidywań. Jednak tuż przed samym odjazdem nastąpiło coś, co mocno potrząsnęło Bernardem.

— Umarli czekają na mnie. Wczoraj znów wzywali mnie do siebie. Są tacy niecierpliwi — wyszeptała stara wiedźma przy pożegnaniu. — Pamiętasz?

— Wiem. Pamiętam. Będzie, jak każesz — odpowiedział, opanowując nagły skurcz krtani. Gdyby nie znał Maríi, pewnie potraktowałby jej słowa jak bełkot tkniętego starczą demencją umysłu. Lecz znał ją już wystarczająco dobrze, by pozwolić sobie na lekceważenie nawet najdziwniejszych czynionych przez nią wyznań. Jej spokojna rezygnacja, fatalistyczna pewność nieuchronnego, wywierały na nim wielkie wrażenie. Czuł też ciężar odpowiedzialności za to, czego się podjął, i płynący z owej odpowiedzialności lęk. Zaczął bać się Maríi. Nie takiej, jaką była od bardzo dawna. Nie żywej, żyjącej życiem jakże innym od życia innych nie tylko ludzi, ale jakichkolwiek żywych istot. Bał się jej takiej, jaką miała się stać. Bał się swej przysięgi i tego, czego czarownica zechce zażądać od niego po śmierci swego ciała. Nie wiedział, co to może być, a zawsze obawiał się nieznanego. Nawet jeśli udawał przed sobą samym i przed całym światem, że jest zupełnie na odwrót.

* * *

Wreszcie nadeszły obrazy. Odebrali je i zawieźli na Hill Top jeszcze tego samego dnia wieczorem.

— Dlaczego nie zadołujesz ich w galerii? — Bernardowi wcale nie spodobała się nieplanowana eskapada. Miał inne zamiary.

— Nie mam już galerii — odparł Szerszeń. — Zlikwidowałem cały majdan. „Bezpieczna część na ogonie osła" przestała istnieć. Zresztą galeria jako taka nigdy nie istniała.

— Jak to?

— Nie bądź naiwny. Czy ja wyglądam na galernika? Sądzisz, że chciałoby mi się prowadzić taki bajzel? I jeszcze płacić podatki do kieszeni wujaszka Sama?

— Nie rozumiem.

— Zainscenizowałem całą szopę na użytek tego palanta.

— Grazianiego?

— A pewnie. I jemu podobnych zbyt bogatych pajaców. Zakładałem, że przywlecze ze sobą kilku następnych frajerów. Ale on wolał nachapać się sam. Zgarnąć wszystko.

— Jego pańskie prawo.

— Pewnie, że tak. Ja tę norę wynająłem dla potrzeby chwili i tylko w jednym celu, rozumiesz? Taniutko i na trochę. Na kilka, najwyżej kilkanaście dni. Najpierw powierzchownie odnowiłem tu i tam, potem zagraciłem rozmaitym badziewiem, które miało udawać sztukę nowoczesną. Wreszcie zawiesiłem twoje obrazy. A wszystko po to, żeby zrobić stosowne wrażenie. Że też człowiek tak się musi naupierdzielać tylko dlatego, że ma życzenie wyszarpać burżujom parę dolców.

— Ładnych parę dolców. Nie narzekaj. A wrażenie zrobiłeś nawet na mnie. Masz łeb...

— Właśnie.

Jechali szybko. Niepotrzebnie szybko. Taka jazda groziła zbyt bliskim kontaktem z policją. Szerszeń spieszył się. Bernard już w drodze na lotnisko zauważył ten niepotrzebny pośpiech, nerwowość. Mimo ponagleń, popędzania i ponurych min kolegi zdążył jednak wpaść na Brooklyn do polskiego sklepu o dumnej nazwie Orzeł Biały i kupić duże pęto kiełbasy dla Maríi. Dobrze pamiętał, że podobną, przywiezioną jeszcze z Polski kiełbasę staruszka nazwała „muy buena". Niestety, nie miał możliwości uzgodnienia z José całej tej wyprawy i nie wziął od niego tequili. Pocieszał się jednak tym, że María żyła według pewnego rytmu ustalonego latami i, taką miarą mierząc, powinna jeszcze mieć przynajmniej połowę z otrzymanego wcześniej zapasu trunku, który akurat w jej szczególnym przypadku urastał do roli życiodajnego paliwa.

Nerwowe zachowanie Witolda w drodze do terminalu cargo i podczas odprawy, zbyt szybka jazda, jego tak nietypowa milkliwość nie uszły uwadze Bernarda. *Zachowujesz się jak ścigany lub śledzony* — pomyślał. — *Zdaje się, że szykujesz jakiś lepszy przekręt, przyjacielu.* *„Tu uciekam przed niegodziwością świata"* — przypomniał sobie słowa Witolda, gdy ten po raz pierwszy pokazywał mu barak na Hill Top. — *Przed czym uciekasz tym razem?* — myślał.

Zajechali nocą. Wyładowali skrzynię i wtaszczyli ją do środka. Witek starannie zasłonił okna. Dopiero wtedy zapalił małą lampkę. Jego ostrożność i konspiracyjne miny rozbawiły Bernarda. Półciężarówka i tak stała przed budynkiem. Wiadomo było, że nie przyturlała się sama.

Otworzyli wieko. Osiem nadesłanych obrazów pochodziło sprzed kilku lat. Bernard malował wtedy inaczej niż ostatnio. Jednak widać było, że i jedne, i drugie stworzyła ta sama ręka.

— Wszystkie, których nie sprzedałeś? — spytał Witold.

— Tak. Nie są tak dobre jak ostatnie. Wiem. Uprzedzam na wypadek, gdybyś miał ochotę wybrzydzać.

— Fakt. Nie są najlepsze.

— Ale są wystarczająco dobre, by wcisnąć je Grazianiemu albo jakiemuś innemu głąbowi, jako wczesne prace Wernera. Odrobina patyny i starego kurzu, trochę spękań i odprysków. Wszystko świadczy na ich korzyść. A klient jest już ugotowany i chętny. Powiem więcej: on jest napalony.

— Niby tak. Ale...

— Zastanawiasz się, czy by ich nie kupić na pniu, prawda?

— By the way[2]. Ile chciałbyś za nie?

— To zależy.

---

[2] By the way (ang.) — przy okazji

— Od czego?

— Jeszcze nie wiem. Ale nie myśl, że tym razem dam się zrobić w rybę. Sorry za szczerość. Jak jednak zamierzasz je sprzedać, skoro zlikwidowałeś swój kramik?

— U źródła.

— U źródła?

— A jakże. Zaprowadzę Grazianiego do pracowni Wernera.

— Do tego złomowiska?

— Pewnie. Niech widzi, w jakich bólach rodziła się sztuka. To powinno na niego dobrze wpłynąć. Może nawet odkryję je w jego obecności. Byłoby ładnie i przekonująco, nie sądzisz?

— Może się skapnąć. Co za dużo, to niezdrowo.

— Eee tam.

— Graziani nie jest idiotą. To bystry gość.

— Eee tam.

— Niedocenianie przeciwnika z reguły ma fatalne następstwa.

— Przecenianie bywa jeszcze gorsze.

— Nie bądź zbyt pewny siebie.

— Tu jest free world. Kto śmielszy, ten lepszy.

— Miglanc z ciebie. I ryzykant.

— A pewnie. Kto nie ryzykuje, ten nie ma wielu dobrych rzeczy, zapomniałeś?

— Uważaj, żebyś się kiedyś nie wpakował w jakieś większe łajno.

— Spoko. A obrazki niech sobie tymczasem odpoczną po podróży. Więc jak. Sprzedajesz?

— Co ci tak pilno?

— Po tysiaku za jeden?

— Mało.

— Po tysiąc dwieście?

— To brzmi lepiej.

— Okay. Daję dziewięć patoli za wszystkie osiem sztuk. Ani centa więcej.

— Niech będzie. Kiedy forsa?

— Jutro.

— Z samego rana?

— Z samego rana.

— Załatwione. Teraz opuszczę cię na chwilę. Mam pewne zobowiązania.

Bernard starał się jak najciszej otwierać furtkę, ale i tak w głęboką ciszę letniej nocy wdarło się paskudne zgrzytnięcie zardzewiałych zawiasów. Przez chwilę nasłuchiwał. Z chałupy nie dobiegał żaden głos. Pełen lęku położył dłoń na klamce. *Może to już?* — pomyślał. — *Może umarła i leży tam, w środku?*

W końcu zdecydował się i ostrożnie zanurkował w ciemny korytarzyk. Przebył go jak ślepiec, wiodąc dłonią po ścianie. Drzwi do pokoju były uchylone. Nadstawił ucha. Ucieszył się ogromnie, słysząc świszczący oddech staruszki. María spała na swym legowisku.

W mroku rozrzedzonym wpadającą przez brudne szyby księżycową poświatą jej skulona postać wydawała się jeszcze mniejsza i drobniejsza, niż była w istocie. Cichutko, by jej nie budzić, położył kiełbasę na stole. W porę przypomniał sobie o kocie i na wszelki wypadek przewiesił pęto przez duży wbity w ścianę gwóźdź, na którym María suszyła łodygi jakiegoś zielska.

Wyszedł równie cicho, jak wszedł, żałując, że nie zostawił żadnej wiadomości.

Witek już grzał silnik. Ruszyli ostro, a potem gnali przez noc pustą autostradą. O trzeciej nad ranem byli na miejscu. Umówili się na wpół do dziesiątej przed bankiem przy bulwarze La Fayette'a.

Jednak Bernard na próżno czekał do jedenastej. Szerszeń nie przyszedł.

* * *

Półtorej godziny oczekiwania wystarczyło Bernardowi, by dokładnie przećwiczyć parę ekstremalnych stanów własnego umysłu. Na początku było to lekkie, lecz wyraźnie wzrastające zniecierpliwienie przechodzące stopniowo we wzbierającą coraz mocniej złość, ewoluującą w swym apogeum w pobliże graniczącej z furią wściekłości. Ta z kolei, nie mogąc znaleźć ujścia, przygasła trochę, robiąc odrobinę miejsca dla przebijającej się trzeźwej oceny i nieznającemu swego źródła niepokojowi.

O ile pierwszą myślą krążącego dookoła skwerku Bernarda było podejrzenie, że stał się po raz kolejny ofiarą wiarołomstwa Szerszenia, o tyle rozwaga doradzała wstrzymać się z pochopnymi wnioskami. Witkowi nie opłacałoby się palenie za sobą mostów. Oszukiwanie Bernarda po raz kolejny byłoby najgorszego rodzaju głupotą. Byłoby jak zatrzaśnięcie sobie samemu przed nosem furtki do skarbca i utopienie klucza do niej w największej głębi oceanu. Tym kluczem miał się stać Graziani z jego znajomościami w kręgach ludzi mediów i dużych pieniędzy. Pozorny zysk wynikający z kradzieży kilku obrazów nie wydawał się wystarczającą motywacją do popełnienia takiego idiotyzmu. Wystawienie Bernarda do wiatru przekreślało wspólne plany, obiecujące rychłą i pewną realizację już niedługo. Szerszeniowi bardziej opłacało się uczciwie zapłacić za płótna, niż pakować się w ślepą uliczkę z towarem, którego być może nikt oprócz Grazianiego nie zechce kupić.

Bernard myślał o tym wszystkim, łażąc tam i z powrotem niby uwięziony w klatce tygrys. Dochodziła jedenasta. Jeszcze łudził się nadzieją, że niepunktualny kompan utknął w jednym z wielu korków (trafik, kurwa, trafik na hajłeju), lecz była to nadzieja coraz słabsza. Wreszcie całkiem zgasła.

Może gdzieś bestia zachlał? Że też od razu na to nie wpadłem — przyszła mu do głowy najprostsza ze wszystkich i przez to bardzo prawdopodobna ewentualność. Witek nie dał mu co prawda swego adresu, wykręcając się dzielnie i zasłaniając trudnym charakterem swego współlokatora, lecz Bernard zdążył poznać parę miejsc, w których Szerszeń bywał. Postanowił je sprawdzić.

* * *

Od kilku dni był posiadaczem mocno przechodzonego, sportowego MG.[3] Autko nie miało prawych drzwi, a rura wydechowa ledwo się trzymała. Ale silnik grał równiutko na niskich obrotach, przegazowywany porykiwał basem, ładnie wchodził na obroty i prawie wcale nie brał oleju. Zawieszenie i opony też były w całkiem dobrym stanie. Dlatego kupił wózek za bezcen od poznanego przypadkiem Polaka, który wracał do kraju

---

[3] MG — marka samochodu Morris Garages

i nie chciał zabierać go ze sobą. Koszty transportu przewyższały obecną wartość samochodu.

Bernard własnym przemysłem dorobił nowe wieszaki pod rurę, wyremontował tłumiki. Bez tego nie dało się jeździć: potężny silnik małej maszyny ryczał przeraźliwie. Połatany blachą i drutem wydech tłumił straszliwe dźwięki na tyle, że nie zwracały uwagi zawsze czujnej policji drogowej. Drzwi postanowił wprawić w bliżej niesprecyzowanej przyszłości. Było wystarczająco ciepło, by się bez nich obejść. Nowe musiałyby kosztować kilkaset dolarów. Bernard miał plan okazyjnego pozyskania starych, lecz ciągle brakowało mu czasu. Stale miał coś pilniejszego do roboty. Albo był zmęczony. Albo po prostu nie chciało mu się robić akurat tego. Parkował wóz na ulicy, „pod chmurką", licząc, że zużyta skorupa nie znęci żadnego amatora cudzej własności. Na wszelki wypadek przykleił na szybie dużą kartkę ze starannie wykaligrafowaną informacją, że w wozie nie ma ani radia, ani paliwa. Kilkakrotnie zdarzyło mu się rano sprzątać puszki po piwie i prezerwatywy porzucone w kabinie przez jej nocnych użytkowników, ale nie przeszkadzało mu to i nie mobilizowało do żadnych poważniejszych działań. Oczywiście zamierzał kiedyś wprawić drzwi, ale jeszcze nie teraz. Może jutro? A może za tydzień?

Znał miejsce, gdzie niektórzy przedsiębiorczy Amerykanie porzucali swoje stare auta. W zasadzie było to nielegalne. Zużyty wóz powinien zostać wyrejestrowany i na koszt właściciela odtransportowany na junkyard[4]. Tak przynajmniej wyglądała teoria. Ale kto by się przej-

| 53

---

[4] junkyard (am.) — złomowisko

mował teorią, jeśli wystarczyło zaparkować starego gra-ta gdziekolwiek, odkręcić tablice rejestracyjne i oddalić się krokiem spokojnym bez dodatkowych formalności. Bernard wymyślił sobie, że na jednym z takich skupisk samochodowych wraków może pozyskać trochę części do swego auta.

Tak naprawdę nie potrzebował samochodu. Wszę-dzie mógł dotrzeć subwayem. Nie od wczoraj przemiesz-czał się po mieście bardzo sprawnie. Nawet bez planu. Jednak posiadanie rasowego toczydełka napawało go swoistą dumą. Dawało mu też niespodziewanie silne poczucie niezależności, choć chwilami było kłopotliwe.

Teraz, lokując się w nisko zawieszonej kabince był zadowolony. Miejsca, które chciał odwiedzić, były odda-lone od siebie, rozsiane na mapie wielkiego miasta z nie-jasnych przyczyn zwanego niekiedy Wielkim Jabłkiem. Metrem trwałoby to zbyt długo. Musiałby się przesiadać zbyt wiele razy. A on nie miał nastroju do bycia cierp-liwym.

Najpierw odwiedził dawną galerię. Liczył, że ktoś, kto wynajął lokal, będzie miał jakieś informacje o po-przednim właścicielu. Tam nie było jednak najmniejsze-go nawet śladu po krótkotrwałej działalności komercyj-nej Witolda. Sklep stał zupełnie pusty.

Pojechał na East Village[5]. Wdepnął do dwóch knaj-pek, które odwiedzali razem w trakcie krótkiego okresu „entente cordiale"[6]. Spotkał w nich kilkoro znajomych, ale żadne z nich nie widziało Witka od dłuższego cza-

---

[5] East Village — część Manhattanu
[6] entente cordiale (fr.) — serdeczne porozumienie

su i nie wiedziało, gdzie może się obracać. Odwiedził sklepik z pamiątkami na Saint Marks[7] i mały polski sklepik „u pani Beli" na Fifth Avenue[8]. Nigdzie nie odnalazł zguby. *Co się stało, co się mogło stać?* — główkował usilnie. Niepokój odczuwany wcześniej wzmógł się. Nadal nie miał konkretnych podstaw, ale był ogromnie uciążliwy. Wręcz namacalny. Bernard nie mógł sobie znaleźć miejsca.

Zbliżała się piąta. Zabrał Rosalynn z pracy i zawiózł do domu. Zjedli co nieco, zastanawiali się nad pójściem do kina, ale ostatecznie wylądowali w Central Parku. Bernard zaprowadził Rosalynn pod pomnik króla Jagiełły. Dziewczyna okazała umiarkowane zainteresowanie siedzącym na koniu „cudacznie ubranym" mężczyzną z dwoma wzniesionymi nad głową mieczami. Bernard zaczął opowiadać jej o Krzyżakach, Litwinach, królowej Jadwidze i o bitwie pod Grunwaldem. Lecz po całkiem małej chwili dał spokój, widząc jej szerokie, szczere i zupełnie nieskrępowane ziewnięcie. Wspomniał jeszcze tylko o swym pierwszym spotkaniu z nowojorskim pomnikiem wielkiego króla. Wówczas, ujrzawszy rzeźbę z daleka, zastanawiał się dlaczego akurat ten kowboj nie wywija lassem ani nie dzierży kijów do bejsbola. Dopiero z bliska zorientował się w pomyłce. Jednak Rosalynn wcale nie uznała żartobliwej opowiastki za śmieszną. Poczucie humoru nie było jej najmocniejszą stroną. Spacerowali trochę tu i tam. Bernard sam przed

55

---

[7] Saint Marks — ulica w East Village
[8] Fifth Avenue — Piąta Aleja, jedna z najsłynniejszych ulic Nowego Jorku

sobą udawał, że wszystko jest w porządku, starał się być wesoły i rozmowny. Nie potrafił jednak zagłuszyć dręczącego go uporczywego niepokoju. Coś było „terribly wrong"[9]. Czuł to przez skórę.

Wieczorem nie mógł zasnąć. Rosalynn chrapała już dawno, ostentacyjnie odwróciwszy się do niego plecami, gdy pomimo zachęt i awansów z jej strony nie wykazał najmniejszej ochoty do tego, co z portorykańska nazywała „dżigidżigi". Zapadł wreszcie w niespokojny sen przerywany letargopodobnymi okresami półjawy, w których trakcie męczyły go jakieś niedookreślone przywidzenia.

Przez cały następny dzień, wykonując rozmaite prace, nasłuchiwał, czy nie odezwie się telefon. Cały czas był spięty. Oczekiwał, że Witek zadzwoni choćby po to, by wyjaśnić nieporozumienie. Nic takiego nie nastąpiło.

Po południu Graziani trochę poprawił mu humor, zamawiając duży olejny portret Milady. Bernard zasugerował namalowanie podwójnego portretu obojga małżonków za półtorej ceny jednego obrazu. Graziani po krótkim namyśle przystał na to, robiąc miny łaskawego mecenasa. Postanowili zacząć z początkiem przyszłego tygodnia. Bernard musiał tylko ukończyć fryz, z którym walczył mężnie ostatnimi czasy. Ta robota sprawiała mu radość, toteż posuwała się szybko. Dzięki niej czuł się naprawdę niezależny. Tu wszystko zależało od niego. Nie musiał liczyć się z nikim. Pracował na swój własny rachunek i na własną odpowiedzialność. Był panem samego siebie.

---

[9] terribly wrong (ang.) — bardzo źle

Jeszcze kilka razy wypytywał o Szerszenia w rozmaitych miejscach, ale dał temu spokój. *Jeśli zechce, to sam się ze mną skontaktuje* — rozumował. — *Będzie musiał to zrobić, jeśli zechce spieniężyć obrazy Grazianiemu. Chyba, że trafił na innego frajera. Jeśli tak, to trudno* — myślał bez żalu, prawie z ulgą. Już nie zależało mu na szybkiej forsie. Miał stałe, dobrze płatne zajęcie z perspektywami na przyszłość. Malowanie portretów zamożnym Amerykanom podobało mu się znacznie bardziej niż wciskanie im własnych starych obrazów jako prace kogoś innego, nawet jeśli ten ktoś byłby najlepszym malarzem wszech czasów. Współpraca z Szerszeniem miała zbyt dobrze wyczuwalny posmak dość żałosnego cwaniactwa. A akurat tego cholernie nie lubił. Nie był w tym dobry. I nie chciał stać się w tym dobry. Pomysł z Wernerem od początku uznawał za beznadziejny i straszliwie naiwny. Fakt, że plan Szerszenia w ogóle wypalił, że wszystko poszło po myśli obrotnego koleżki, kładł na karb szczęścia, zbiegu okoliczności, wręcz cudu. Czegoś, co więcej nie ma prawa się powtórzyć. *Tych parę obrazów, które straciłem, od dawna nie miało dla mnie większego znaczenia* — myślał teraz. — *A mogło się z tego zrobić prawdziwe bullshit[10].*

| 57

* * *

Zaczynał wcześnie, rześkim świtem. Koło południa, gdy państwo Graziani wypełzali ze swego łoża, robił sobie „lunch time" i wychodził do knajpki starego Żyda. Zjadał

---

[10] bullshit (am.) — gówno prawda

wątróbki albo co innego, zamieniał z właścicielem kilka słów i wracał do apartamentu w El Alameda, gdzie nie było już gospodarza. Milady zazwyczaj czekała na niego. Ale jeśli i jej nie było, znów właził na drabinkę i pracował pod sufitem tak długo, jak się dało. Niecierpliwił się. Było mu pilno do rozpoczęcia tego, co potrafił najlepiej. Chciał zacząć malować naprawdę. Pokazać, ile jest wart.

Wreszcie fryz miał się ku końcowi. Prezentował się efektownie i okazale. Można było zacząć wspólny portret Grazianich. Bernard kupił więc odpowiedni blejtram i starannie naciągnął gotowe, fabrycznie zagruntowane płótno. Na pracownię przysposobił północny pokój. Tam najdłużej utrzymywało się spokojne światło dzienne o mniej więcej jednostajnym natężeniu. W przyszłości pokój ten miał stać się sypialnią dziecka. Tymczasem nie było w nim jeszcze żadnych sprzętów. Bernard rozpostarł na podłodze kilka worków foliowych i ustawił sztalugi.

Nie miał zamiaru bawić się w żadne skomplikowane techniki i w wielką sztukę. W żadne poczucie misji, męki tworzenia. Nowy obraz miał być namalowany szybko i bez bólu, w czysto komercyjny sposób. Ale miał być dobry. Jak najlepszy. *Dawni mistrzowie też malowali na zamówienie. Wiele obrazów powstających jako chałtura okazało się arcydziełami* — usprawiedliwiał się trochę przed samym sobą. Wyobrażał sobie Grazianiego i jego połowicę w stylizowanych renesansowych szatach, na tle łukowatego okna, w którym zamierzał umieścić fragment jakiegoś wyimaginowanego krajobrazu. To była dość pretensjonalna koncepcja i pewnie dlatego spodobała się nuworyszom. Spodobała się również dlatego, że nawiązywała do szesnastowiecznych obrazów włoskich, co mile łechtało próżność paniczyka.

Tło i sylwetki namalował szybko. Leżała mu ta robota. Od dawna nie malował z taką przyjemnością. Mimo iż była to komercja, towar. Z charakterystyczną twarzą Gracianiego nie miał żadnych kłopotów. Przedstawił ją prawie bez lizusostwa, omal zgodnie z oryginałem. Tylko odrobinę zmniejszył nos, przez co portretowany zyskał na subtelności. Dłużej pracował nad twarzą Milady. Szczególną uwagę poświęcił jej oczom. Chodziło mu o to, by oddać ich szczególny sposób patrzenia, nie budząc jednocześnie u widza zbyt jednoznacznych skojarzeń. Dopieszczał te oczy, poprawiał je, zmieniał, zaczynał od nowa i od nowa, mamrocząc przy tym pod nosem rozmaite wyrazy po polsku. — Za bardzo ci z tych ślipiów chujem patrzy — mruczał za każdym razem, gdy mu nie wychodziło. Wreszcie trafił w dziesiątkę. W pierwszym momencie nie był pewien, czy nie powinien jeszcze poprawić, dopracować diabelskich światełek. „Nie przedobrzyć, nie przegadać, nie przemalować" — wciąż pamiętał powtarzane do znudzenia przestrogi starego profesora. Wielkim wysiłkiem woli powstrzymał dłoń z pędzlem. Odstąpił od sztalug na dwa kroki, zmarszczył brwi.

— That's it — wysapał.

— Czy mogę zobaczyć? — Milady poruszyła się zaintrygowana.

— Siedź — warknął groźnie. — Obrazu nie wolno oglądać, dopóki nie jest całkiem ukończony — dodał łagodniej.

— Dlaczego?

— Vincent van Gogh uważał...

— Ten od „Słoneczników"?

— Ten sam. Well, on uważał, że oglądanie nieukończonego obrazu, obrazu w trakcie malowania, jest takim samym niesmacznym nietaktem jak zaglądanie pod koszulę położnicy. Natomiast nie miał nic przeciwko oglądaniu nowo narodzonego ślicznego bobaska.

— Ciekawe podejście do sprawy.

— A jakże. Stary Vincent oszalał, bo pił za dużo absyntu. Poza tym jednak był w porządku.

— Absyntu? To znaczy czego?

— Alkoholu z igieł Pinus cembra[11]. Albo z Taxus[12] bla, bla, bla.

— Pinus cembra? Taxus blablabla? Zaskakujesz mnie po raz kolejny.

— Ojejku. To po łacinie. Nie znam angielskiej nazwy drzewa, z którego pędzono zieloną gorzałę pijaną przez ubogich artystów ubiegłego wieku.

— Zieloną gorzałę?

— Ten ich absynt[13] miał podobno zielony kolor. Obrzydliwość. W życiu nie wypiłbym trunku w zielonym kolorze. Sorry. Łacińskiej nazwy też zresztą nie pamiętam dokładnie. Nie zauważyłaś? Powiedziałem „bla, bla, bla". Po polsku takie drzewo nazywa się krótko „cis". Robin Hood miał cisowy łuk, a niezamężne kobitki spo-

60

---

[11] Pinus cembra (łac.) — sosna limba
[12] Taxus (łac.) — cis
[13] Podstawową rośliną służącą do wyrobu absyntu jest piołun, są różne receptury uwzględniające różne dodatkowe zioła, ale nie ma w nich ani sosny, ani cisu

dziewające się dziecka pozbywały się kłopotu za pomocą wywaru z cisowych igieł czy szyszek. Oczywiście za bardzo dawnych czasów. Jak widzisz, zastosowanie miał cis raczej mordercze. Nie należy się więc dziwić, że fatalnie wpływał na mózg. Ale pozwalał tworzyć dziwne obrazy. Sam nie jestem specjalnie gorliwym fanem van Gogha. Nie uważam jego obrazów ani za dobre, ani za wielkie. Jednak coś w nich jest. Zresztą de gustibus non est disputandum.

— What?

— O gustach się nie dyskutuje. Chociaż nie. To nie tak. Akurat w przypadku obrazów van Gogha to nie jest kwestia gustów. Bo niektóre z nich są po prostu ładne. Ale dziś o cenie dzieła nie decyduje jego klasa czy uroda. Przede wszystkim moda, snobizm. Nie wierzę, by którykolwiek z ich obecnych posiadaczy faktycznie rozumiał, na czym polega wartość akurat tych obrazów.

— A ty rozumiesz?

— Wydaje mi się, że tak.

— Więc powiedz. Co?

— O ich wartości decyduje właśnie szaleństwo mistrza i jego pasja. Van Gogh wybrał cholernie trudny sposób na życie. On, duchowny, kaznodzieja i raczej antytalent niż talent malarski, postanowił zostać malarzem. I został nim. Pomimo wszystko. Nędza i upokorzenie za życia stały się w jego przypadku ceną za sławę po śmierci. I moim zdaniem właśnie to stanowi o wartości jego prac. Bo jako obrazy, cóż... Są raczej nieudolne, nieudolnością doprowadzoną do szczególnego rodzaju perfekcji.

— Ciekawie mówisz.

— Jestem na swoim terenie. Prawdę mówiąc, wcale nie jestem pewien, czy nie wygłaszam herezji. Ja, widzisz, jestem dość staroświecki.

— Really? Nie wierzę.

— A jednak. Przynajmniej jeśli chodzi o sztukę. Wiem, że są nowe prądy, elektronika, lasery, bajery, fajerwerki. Ale to przeminie. A dobrego warsztatu i oka, wyczucia barw, pędzla w pewnej dłoni nie zastąpią żadne sztuczki, żadne wciskanie guziczków i kolorowe lampki. Tak uważam. Nooo. Na dzisiaj starczy. — Zasłonił wilgotną płaszczyznę kawałkiem lnianego płótna. — Obraz nie powinien być wymęczony. Pracę należy kończyć wtedy, gdy...

— Oooh odpuść... — Zrzuciła z siebie sukienkę i przylgnęła do jego popaćkanego farbami fartucha.

— Uważaj, ubrudzisz się — próbował ją powstrzymać, ostudzić. Nie miał szczególnej ochoty na seks. Najchętniej trochę by sobie odpoczął, poleżał, podrzemał, „ponicnierobił".

— No to się umyję — odparła rezolutnie.

— Olejna farba trudno schodzi.

— Zejdzie, zejdzie. — Już rozpinała mu koszulę i spodnie. — Jesteś taki mądry, taki podniecający. — Jej przyspieszony oddech i zamglone oczy uzmysłowiły mu, że się nie wywinie. Zaniechał więc zbędnego oporu, zwłaszcza że i w nim pod wpływem wielce wprawnych zabiegów Milady zaczynało się budzić pożądanie.

— Fuck me here[14] — rozkazała, czując jego gotowość. Oparł ją plecami o ścianę, a ona uwiesiła się na

---

[14] fuck me here (ang.) — pieprz mnie tutaj

nim i objęła go w pasie udami. Nadziewając na rożen jej gorący i wilgotny szaszłyczek, mocno zapierał się nogami, by utrzymać podwójny ciężar we właściwej pozycji, lecz stopy ślizgały mu się na uświnionej farbą folii, więc osunęli się na podłogę, nie zwracając już uwagi na to, że barwią swe ciała niekoniecznie pasującymi do siebie kolorami. Potem poszli razem do łazienki, by zmyć z siebie ślady po intensywnej działalności na niwie tego, co bywa nazywane „malarstwem czynnym".

* * *

Porządkował swoje graty, oddzielając rzeczy potrzebne od zbędnych i układając je na dwie osobne kupki. Tych niepotrzebnych było znacznie więcej. Zamierzał wyrzucić je razem ze śmieciami. Co rano przed domem pojawiał się ogromny biały wóz z dwiema kierownicami w kabinie. Te dwie kierownice intrygowały Bernarda z początku i trochę wydziwiał na „takie ustrojstwo", dopóki nie przekonał się, że zdwojony system kierowania, jest więcej niż sensowny w wiecznie zakorkowanych parkującymi samochodami uliczkach wielkiego miasta. Z wozu wysypywało się kilku ludzi w estetycznych czystych kombinezonach i odzianymi w rękawice dłońmi zbierali sprzed domów oczekujące na nich grzecznie, wypełnione do granic możliwości wszelkiego rodzaju syfem, worki foliowe.

„Śmieciarstwo to dobra fucha" — powiedział kiedyś Stan. Z jego dalszych słów wynikało, że śmieciarze tworzą zamknięty klan, do którego bardzo trudno się dostać komuś z zewnątrz. Wspomniał też coś o mafii. Bernard najpierw nie uwierzył. Dopiero z czasem przekonał się, że większość spraw i rzeczy, którym kiedyś nie dawał wiary, tu w Ameryce jest najprawdziwszą prawdą.

Zastanawiał się właśnie, czy wyrzucić starą sztruksową kurtkę. Ta kurtka wiernie służyła mu jeszcze w Polsce. Miał więc pewne opory w pozbyciu się jej, mimo iż była bardzo zniszczona. Z żalem pomyślał jednak, że zetlały materiał nie przetrzyma następnego prania i odłożył ją na bok wraz z niemądrymi sentymentami. *Przecież nie zabiorę jej ze sobą z powrotem do Polski* — zapanował nad zaczynającą go łaskotać nostalgią. Poskładał kurtkę starannie i bezwiednie ją pogładził.

Namacał coś twardego. Przewrócił więc kieszenie na drugą stronę, lecz znalazł w nich tylko dwa zużyte bilety i trochę paprochów. Jakiś przedmiot o kształcie niewielkiego, grubawego cylinderka ukrył się głębiej. Ciekawskie palce już zidentyfikowały znalezisko, powiększyły dziurę w podszewce i wydłubały na światło dzienne pomarańczową kasetkę z napisem „Kodak". Bernard ucieszył się. Ten film od dawna uważał za stracony. Miał na nim zdjęcia z pierwszych dni pobytu w Stanach. Fotografował wtedy impulsywnie i bez zastanowienia. Fascynowało go wszystko, co nawinęło mu się przed obiektyw. Dlatego akurat tych kilkadziesiąt zdjęć przedstawiało wartość dokumentu najświeższych wrażeń.

Zostawił na środku pokoju dwie wielkie kupy wszelkiego rodzaju badziewia, porzucił segregowanie i popędził do trafiki wywołać kliszę. Bardzo czarna pyzata Murzynka o smutnych oczach powiedziała, że będzie na jutro i dodała coś, czego nie zrozumiał. Doskonale porozumiewał się z białymi, z Hindusami i z Meksykanami.

Nieźle dogadywał się z Chińczykami. Miewał jednak kłopoty ze zrozumieniem niektórych „Blackies". Podziękował, dostał na pożegnanie smutny uśmiech i wrócił do swych śmieci, zastanawiając się nad przyczyną, dla której Murzyni częściej niż przedstawiciele innych ras miewają smutne oczy. *To może być dokładnie tak samo jak z delfinami, tylko że odwrotnie. Delfiny mają uśmiechnięte paszcze a wcale się nie śmieją* — znalazł wytłumaczenie. — *Po prostu ten typ tak ma.*

* * *

Nazajutrz z samego rana poszedł do trafiki. Dziś nie było tam smutnej Murzynki. Gibki blondyn w okularach zainkasował trzy dolary, z których wydał mu quarterkę[15] i rzucił na blat firmową kopertę. Bernard niecierpliwie ją otworzył i... — uaaaach — coś szarpnęło nim gdzieś wewnątrz, w samym środku. Pompa wykonała pełne salto i bez ostrzeżenia weszła na najwyższe obroty.

Z kolorowego kartonika spoglądały na niego oczy o długich rzęsach i opuszczonych zewnętrznych kącikach. Potrząsnął głową jak wyłażący z wody pies. Albo jakby mocno dostał w nos. To nie był sen. Ani złudzenie.

— Something's wrong[16]? — spytał blondyn.

— It's okay. Nice surprise[17]. — Bernard zmusił się do szerokiego uśmiechu, który wypadł gorzej niż źle, gdyż

| 65

---

[15] quarter (am.) — ćwierćdolarówka
[16] Something wrong? (ang.) — Coś niedobrze?
[17] It's okay. Nice surprise (ang.) — W porządku. Miła niespodzianka.

szczęki zacisnęły mu się bezwiednie, a ekspedient nagle wydał się podobny do Zdzisława.

— Jesteś pewien?

— Tak. Miła niespodzianka — powtórzył. — Zdjęcie jeszcze z Polski. Z mojego kraju — dodał. Dochodził do siebie

— Nie zrozum mnie źle: zbladłeś jak trup. Dlatego spytałem, czy wszystko gra. Jeszcze nigdy nie widziałem, żeby ktoś zbladł tak szybko.

Bernard nie miał chęci na dalszą pogawędkę z dociekliwym fotografem. Rzucił mu tylko krótkie „thanks" i wyszedł. Zauważył, że niesie kopertę w dwóch palcach z dala od siebie, jakby bał się oparzenia. Zaklął więc mocno po polsku, uzupełnił amerykańskim „fucken" i schował ją do kieszeni.

* * *

Rozkładał fotografie na podłodze, pociągając piwo. Był to jego pierwszy alkohol od pamiętnej rozmowy z Maríą. Pomny danej obietnicy, odstawił wówczas wszelkie trunki, chcąc być stale gotów do jej wypełnienia. Ale akurat teraz, w tej chwili, potrzebował szybkiego uspokajacza. Dlatego zaatakował lodówkę z marszu, zanim zdążył wyskoczyć z butów. Błyskawicznie wlał w gardziel pierwszą puszkę. Z drugą postępował oględniej: wypił ją w cywilizowany sposób z ładnego sprezentowanego mu przez Milady kufelka. Trzecie popijał znacznie wolniej, kontemplując zarazem działanie dwóch poprzednich, jak i spoglądających na niego z parkietu obrazków. Bo fotografie działały na niego. I to jak. Na wszystkich widniała Krystyna uchwycona w rozmaitych momentach i na rozmaitych etapach tak zwanego dnia codziennego. Krystyna w kuchni, Krystyna w pokoju, Krystyna na spacerze z psem, Krystyna pod prysznicem, Krystyna o świcie, Krystyna na balkonie wieszająca pranie, Krystyna o zmierzchu. Krystyna przed, Krystyna po.

— Jesteś jak świeża blizna — powiedział do niej głośno. — Jak otwarta rana. Jesteś jak drzazga w dupie — poprawił. Trochę pomogło.

Był pewien, że pozbył się tego filmu już dawno. Wtedy, gdy pozbywał się wszystkich pamiątek po destrukcyjnej znajomości. Niszcząc je, ulegał złudzeniu, że niszczy i wyrzuca ze swego umysłu również wspomnienia po niej. Że niszczy ją samą. A właśnie ta klisza przetrwała w ukryciu. Przyszło mu do głowy, że była niczym ukryta na dnie mina oczekująca biernie na niczego nieświadomy statek zmierzający ochoczo w jej kierunku. Że leżała, czekając spokojnie na swój czas.

W pierwszej chwili omal nie zniszczył i tych zdjęć. Miał wielką ochotę podrzeć je na drobne kawałki, wrzucić do muszli i dwukrotnie spuścić wodę. Taki gest byłby jednak zbyt teatralny, zbyt histeryczny. Taki gest oznaczałby, że nie do końca uwolnił się od Krystyny. Że nie wszystkie emocje wygasły. Że drzemią w nim całe pokłady urażonej ambicji, dumy i potężnie zranionej miłości własnej. Że wciąż nosi w sobie gniew, złość, żal. Byłby więc przyznaniem się przed sobą samym do słabości.

Stłumił emocje. Włączył rozum. „Jeśli przetrwały tyle czasu w ukryciu, a odnalazły się właśnie teraz, to być może jest w tym jakiś sens — pomyślał. — Ale jaki, jaki, do diabła starego?" Od dawien dawna nie wierzył w przypadek. Od dawien dawna uważał, że nic lub prawie nic nie dzieje się bez potrzeby. Że większość zdarzeń jest powiązana ze sobą, a ich nie zawsze uchwytny związek służy odległemu niekiedy i trudnemu do przewidzenia celowi. Dlatego rozłożył fotografie na podłodze i przyglądał im się, udając całkowitą obojętność.

— A to się przyczaiła bestia — mruczał pod nosem, obserwując jak kojące działanie „Becka"[18] równoważy gwałtowną eksplozję tego, co zbyt łatwo potrafiło uwolnić się spod kontroli i nie do końca okazywało się przeszłością.

— Mogłaś skończyć w sraczu, koteczku. Niewiele brakowało, a spuściłbym cię z wodą. Tak jak ty spuściłaś mnie — pomrukiwał do spoglądającej na niego uważnie Krystyny. Odniósł wrażenie, że akurat na tych fotografiach jej oczy wcale nie przypominały niewinnych i ufnych, cokolwiek zadziwionych oczu dziecka. Nie. One patrzyły uważnie, taksująco. Badały go, oceniały, szacowały jego wartość. Na dodatek były ironiczne, a może nawet cyniczne.

— Patrzysz, mała bestio, jak drapieżnik na ofiarę — powiedział. — Nie jesteś niczym innym jak polującą kotką. W marcu — dodał po krótkim namyśle wypełnionym łykiem piwa. — Albo modliszką. Albo jakąś inną zarazą. — Znów ogarniała go złość. Złość na nią. Złość na siebie.

— Ale dobrze mi z tobą było w łóżku — przypomniał sobie dziarsko, przekornie. — Doskonale. Nie da się ukryć. — Uparcie pracował nad podniesieniem upa-

---

[18] „Beck" — marka piwa

dającego ducha. — Co by o tobie nie powiedzieć, to doskonale się bzykasz. Jesteś w te klocki lepsza nawet od Milady. Jesteś najlepsza. — Patrzył. Myślał. Nie myślał. Dużo rzeczy działo mu się w głowie.

— Nie wolno się rozklejać — rozkazał sobie dobitnie. — Co sobie na niej użyłeś, to twoje, zbyt sentymentalny kolego. Pamiętaj o tym!!! Wyszło na twoje? Wyszło. Dostałeś, czego chciałeś? Dostałeś! No to o co biega? — usiłował poprawić sobie nastrój, ale tylko zrobiło mu się gorąco. Na samą myśl o Krystynie i jej umiejętnościach ogarnęło go silne pożądanie. Luźne, wygodne dżinsy robocze przestały być luźne i wygodne.

Zaczął się śmiać. Śmiał się z samego siebie, ze swej nagłej, godnej nastolatka reakcji. *Stanął mi jak jakiemuś pieprzonemu gówniarzowi do świerszczyka. Zupełnie jak młodemu obrzympałowi do fotki. A to numer* — nie mógł się nadziwić.

— Leżeć — rozkazał. — No leżeć! — rzucił w kierunku rozporka. Skończył piwo. Ostentacyjnie beknął.

Starannie poskładał fotografie i delikatniej niż zamierzał, położył je na stos rzeczy przeznaczonych do wyrzucenia. Całość wpakował do wielkiego wora. Z przesadną pieczołowitością zabezpieczył taśmą klejącą. Jakby obawiał się, że to, co uwięził niby w czarnej foliowej trumnie może jeszcze zechcieć chytrze wydostać się i znów powrócić do niego. Potem wyniósł śmieci przed dom, tam, skąd zazwyczaj zabierali je śmieciarze.

Zastanawiał się nad czwartym piwem, lecz na zastanowieniu się skończyło. Uznał bowiem, że wypicie jeszcze jednego piwa nosiłoby wszelkie symptomy słabości. Poza wszystkim kolejne piwo z pewnością wyzwoliłoby cug, ciąg, nieodpartą ochotę na następne i jeszcze następne. Finał był zbyt łatwy do przewidzenia. Bernard nie mógł i nie chciał pozwolić sobie na pijaństwo. A już zupełnie nie z powodu kilku fotografii nie najlepszej jakości. Kompletnie pozbawionych znaczenia.

— Tak. Pozbawionych znaczenia — powiedział bardzo głośno, dobitnie.

Gdy wieczorem kochał się z Rosalynn, wbrew swym upodobaniom zgasił światło. Sprawnie, jak automat punkt po punkcie realizujący zakodowany program, konsekwentnie i rzetelnie przechodził przez kolejne fazy i etapy, z roztargnieniem wsłuchując się w westchnienia, jęki i pokrzykiwania Rosalynn, która akurat tego wieczoru reagowała żywiej niż zazwyczaj. Dziś wcale nie musiał na nią czekać. Przeciwnie. To ona go ponaglała.

— Now, now, teraz, teraz. Wystarczy. Cóżeś się tak rozpędził? Juuuż. Kończ wreszcie.

Więc Bernard sprężył się i skończył jakoś tak, mimochodem, bez przekonania, przez cały czas udając sam przed sobą, że wcale, ale to wcale nie myśli o Krystynie. Wreszcie zlazł z Rosalynn z uczuciem bardzo podobnym do silnego niesmaku.

— Czysta schizofrenia — wyrwało mu się półgębkiem.

— Co? — zainteresowała się podejrzliwie.

— Mówię, że fajnie było.

— Fajnie, ale za długo. Nie mogłeś się spuścić, czy jak?

— Byłem trochę rozkojarzony i to dlatego.

— Pewnie ta twoja Milady tak cię wypompowała, że już nie miałeś czym, co? — zarżała.

— Milady? Moja? — udał zdziwione oburzenie. — Skąd ci to przyszło do głowy?

— Oooch, nie chrzań. Tak mi się powiedziało.

— A nie uważasz, że lepiej trochę za długo niż dużo za krótko?

— No pewnie. — Odwróciła się do niego swymi chudymi plecami i błyskawicznie chrapnęła. Bernard mimo zmęczenia nie mógł zasnąć.

Rozdział trzeci

Znalezienie drzwi do samochodu okazało się trudne. Kupując mocno zużyte MG, spodziewał się, że potrzebne mu części pozyska ze złomowisk. Tak się nie stało. Jego auto było więcej niż nietypowe. Pośród tysięcy amerykańskich wozów spoczywających na kilku dokładnie spenetrowanych cmentarzyskach znalazł tylko dwa MG tak porozbijane, że nie nadawały się do niczego: oczekiwały już tylko na swoją kolejkę do hutniczego pieca.

Drzwi jako takie nie były mu specjalnie potrzebne do szczęścia. Dawało się jeździć i bez nich. Nastały ciepłe dni i równie ciepłe wieczory. Nie przeszkadzało mu też, że jeździ „dziongiem". Zbyt wiele takich „dziongów", i w gorszym jeszcze stanie, widział codziennie na ulicach. Bo nowe, piękne auto nobilitowało, wzbudzało szacunek, podnosiło prestiż właściciela. Jak wszędzie. Jednak tu, w Ameryce, nikt nie śmiał się i ze starych wozów. Podobnie jak nikt nie śmiał się z niczyjego wyglądu.

Bernard był uparty. Zwykł swe zamierzenia doprowadzać do końca. Jeśli więc postanowił sobie, że drzwi zdobędzie, to musiał je zdobyć. Nigdy nie potrafił rezygnować. Dlatego teraz brak paru kawałków specyficznie uformowanej samochodowej blachy (najlepiej w kolorze niebieskim) sprawiał mu silny dyskomfort, doskwierał niczym piasek w oku. Już nie miało znaczenia, ile trudu i wysiłku będzie go kosztowało ich zdobycie. Nie miało też znaczenia to, że niezadługo wyjedzie do Polski i zostawi swoje autko po prostu na ulicy, gdyż i tak nikt już nie zechce go kupić.

Zrobił się zły i opryskliwy. Nawet dla José. Nawet dla Milady.

* * *

Wreszcie namierzył wymarzone cudo. Posuwał się wolno zakorkowaną FDR[1], gdy z wysokości estakady dostrzegł to, co ostatnimi czasy spędzało mu sen z powiek. W jednej z bocznych ulic stał nieduży samochód. Bernard nie zdążył mu się dobrze przyjrzeć, gdyż zaraz zasłoniły go inne auta. Ale i tak był pewny swego. Jego spostrzegawczość zawsze budziła zazdrość kolegów po fachu. Miał MG w zasięgu ręki. *Czy aby jest porzucony?* — pomyślał z obawą. — *Oby. Spraw, dobry Panie Bożuniu, żeby tak było.*

Skręcił w najbliższy rozjazd, zrobił rundę, na czuja zagłębił się w dokładnie wypełnioną parkującymi samochodami wąską uliczkę kończącą się ślepo małym placykiem pod filarami biegnącej górą arterii. *To musi być*

---

[1] FDR — ulica Franklina Delano Roosevelta

tu — pomyślał. — *Albo w następnej. Ale na pewno nie dalej niż w trzeciej kolejnej. Jeeest* — ucieszył się.

— Mam cię — powiedział głośno do małego auta stojącego pomiędzy kilkoma mniej lub bardziej rozbebeszonymi autami. — Fajnie, że zaczekałeś na mnie.

Tablice rejestracyjne były odkręcone. Karoserię i szyby pokrywała warstwa kurzu. Ten samochód został porzucony niezbyt dawno. Dookoła pętało się kilku Murzynów w brudnych łachach i z rozmaitymi narzędziami w rękach. Na jego widok rozeszli się powoli, z ociąganiem. Trochę jak stadko hien wobec silniejszego drapieżnika.

Wszystko wskazywało na to, że zarówno on, jak i oni mieli podobne zamiary.

— Hej, you — zawołał do najbliższego, ale z równym powodzeniem mógł wołać do słupa. Murzyn nie zareagował w żaden widoczny sposób. Nie zmienił nawet wyrazu twarzy.

— Czy to twoje auto? — Znów nie doczekał się reakcji. Kolorowa konkurencja przyglądała mu się bacznie z bezpiecznej odległości kilkunastu kroków. Jeden z Murzynów powiedział coś do pozostałych. Nie zabrzmiało to ani groźnie, ani agresywnie. Ustawili się półkoliście i tak stali wyczekująco, obserwując go bez ruchu.

Wobec tego przystąpił do roboty. W kilkanaście sekund uporał się z zamkiem i uśmiechnął się do siebie z satysfakcją. Nie stracił wprawy. Sięgnął po klucz francuski. Przymierzył się do jednej ze śrub. Ani drgnęła. Odłożył „francuza". Psiknął WD40[2]. Zapalił papierosa,

_____

[2] WD40 — preparat penetrująco-smarujący w aerozolu

oczekując, aż preparat poradzi sobie z korozją i wgryzie się głębiej, pomiędzy gwinty. Siedział na progu auta i palił. Zastanawiał się, czy zamiast bawić się w detale nie byłoby najwygodniej zabrać to auto, zostawiając w zamian swojego grata. Myśl była kusząca. *Byłoby szybciej, taniej i bez fatygi. Z uruchomieniem nie będzie kłopotów* — nakręcał się. — *Jeśli zostało chociaż parę kropli wachy w baku, odpalę go na krótko i git.* — Otworzył maskę. Akumulator tkwił na swoim miejscu. Klemy trzymały, kable były w dobrym stanie. *Pozostaje kwestia papierów. Ale tutejsza policja nie sprawdza dokumentów przy każdym zatrzymaniu. A bez powodu nie zatrzymuje. Wystarczy jeździć zgodnie z przepisami* — kombinował. — *Jeżeli jednak już się o coś przypierdzieli, to nie ma przebacz.* — Myśl o podprowadzeniu wozu w całości wydała mu się mniej ponętna. — *Tak. Nie. Tak. Nie. Albo tak, albo nie* — ważył argumenty. — *Nie wiadomo, w jakim stanie jest silnik i zawieszenie. Pewnie sporo trzeba by w niego wpakować. Nie warto. Stanowczo nie warto. Dość już wpakowałem w jeden, żeby teraz bawić się w taki sam, tylko gorszy. Na pewno gorszy. Tylko z wierzchu wygląda całkiem nieźle. Ale w środku szmelc* — odkręcił się całkiem.

Dopasował „francuza" do główki jednej ze śrub. Przycisnął. Nic. Przycisnął mocniej. Zgrzytnęło, puściło. Po małej chwili śruba spoczywała w jego kieszeni. Z drugą poszło jeszcze łatwiej.

— Dobrze jest — powiedział do siebie. — Znowu mi się coś udało.

Właśnie zabierał się za trzecią, gdy za plecami usłyszał dźwięk hamującego samochodu.

— Policja! Ręce do góry! — usłyszał, zanim zdążył się odwrócić. W przedniej szybie MG ujrzał odbity, niby w przykurzonym lustrze, policyjny radiowóz.

— Połóż ręce na dachu!

Usłuchał bez powtarzania. Z nowojorskimi gliniarzami nie było żartów.

— Nogi szerzej!

Rozkraczył się jak mógł najbardziej.

— Nie odwracaj się, nie ruszaj! Bo strzelam!

— Okaj, okaj. — Poczuł obok siebie czyjąś obecność, ale bał się choćby zerknąć w bok.

— Wyprostuj się powoli. — Ten głos należał do kobiety. — Powooooli. Opuść ręce. Ręce do tyłu.

Posłusznie jak automat wypełniał kolejne polecenia. Poczuł chłód metalu na przegubach. Rozległ się charakterystyczny szczęk. *Skuli mnie* — zdziwił się. — *A to cipa rada! Skuli mnie kajdankami. Tego tu jeszcze nie przerabiałem.*

— Możesz się odwrócić.

Najpierw ostrożnie spojrzał przez ramię, a dopiero potem obrócił się całkiem. Murzynów wymiotło. Nie było po nich ani śladu. Kilka kroków za nim zwalisty policjant mierzył do niego z rewolweru. Czarna policjantka chowała kluczyki od kajdanek.

— Idziemy. — Stanowczo ujęła go pod ramię. Przy wsiadaniu do auta osłoniła mu dłonią potylicę i powiedziała: — Uważaj na głowę.

Lekko pchnięty wylądował na tylnej kanapie.

Ruszyli. Kątem oka Bernard zauważył jeszcze znajomych Murzynów wypełzających spomiędzy zdekompletowanych aut, z całym spokojem przystępujących do przerwanych tak nagle czynności.

— Nie robiłem niczego złego. Chciałem tylko wymontować drzwi — spróbował wyjaśnień.

— Popełniłeś przestępstwo. — Policjantka wyrecytowała numer artykułu i paragrafu. Była młoda i bardzo gorliwa.

— Nie wiedziałem, że to przestępstwo. Dookoła było kilka rozebranych wozów. Myślałem, że tak można. Jak ktoś porzuca auto, to mu chyba na nim nie zależy.

— Każdy tak się tłumaczy.

— Kręciło się tam kilku czarnych chłopaków. Sądziłem, że jak im wolno, to ja też mogę...

— Oho, rasista. Nie zwalaj na czarnych — wrzasnęła cienko. — Fred, widziałeś tam jakichś czarnych? — Mężczyzna za kierownicą tylko wzruszył ramionami.

— Ja nie zwalam, tylko...

— Dobra, dobra. Każdy mówi, że chciał tylko obejrzeć.

— Ja nie mówię, że chciałem obejrzeć. Ja chciałem wymontować drzwi. Nie wiedziałem, że nie wolno.

— Na posterunku będziesz się tłumaczył. Teraz najlepiej zrobisz, jak się zamkniesz — poradził mu milczący dotąd policjant, nie podnosząc głosu i nie odwracając oczu od drogi, ale takim tonem, że Bernard uznał tę radę za całkiem dobrą i już nic nie mówił, dopóki nie zatrzymali się przed komisariatem.

Wprowadzono go do pomieszczenia przedzielonego sztachetkowatą barierką na dwie nierówne części. Po stronie gospodarzy stało kilka biurek, po stronie gości ustawiono wzdłuż ściany długą ławę. Jej drewniane siedzisko było lśniące, jakby wypolerowano je specjalnie.

Przy jednym z biurek siedział szpakowaty facet w cywilu. Podeszli do niego.

— Co jest? — spytał szpakowaty.

— Okradał samochód — wyjaśniła czarna policjantka.

— Bzdura — powiedział Bernard spokojnie. — Niczego nie kradłem.

— Kłamie — odparła policjantka.

Szpakowaty zmierzył całą trójkę badawczym spojrzeniem. Pokiwał głową, jakby podejmował jakąś decyzję.

— Rozkujcie go — rozkazał. Brzęknęły kluczyki, szczęknęły bransoletki. Bernard z ulgą wyciągnął przed siebie ręce. Poruszał przegubami, kilkakrotnie rozprostował i zacisnął zdrętwiałe dłonie.

— Dziękuję panu — powiedział.

— Nazwisko? — spytał szpakowaty.

Bernard przedstawił się z godnością.

Palce funkcjonariusza szybko wbiegły na klawiaturę. Nagle zatrzymały się niepewnie.

— Si, zi, ei, ar, dablju — pomógł mu Bernard. — Moje nazwisko wszystkim sprawia kłopoty — uśmiechnął się rozbrajająco.

— Okaj. Jedź dalej — głos piszącego był wyprany z wszelkich uczuć i emocji. Najwyraźniej jego właściciel miał za sobą całe wieki wypełnione tysiącem takich sytuacji. Zadał tysiące pytań, zapisał tony cierpliwej makulatury danymi nieskończonej ilości rozmaitych przypadków, wszystkich tych, których tyłki przez długie lata wyślizgały drewnianą ławę poczekalni.

— Uprzedzam cię, że od tej chwili każde twoje słowo może zostać użyte przeciwko tobie — padła sakramentalna formułka. — Masz prawo odmówić zeznań do czasu przybycia twego adwokata.

— Nie mam adwokata.

— Na rozprawę dostaniesz adwokata z urzędu. Będziesz zeznawał teraz?

— Tak. Nie mam nic do ukrycia.

* * *

Bernard starał się odpowiadać na zadawane pytania rzeczowo i wyraźnie.

Opowiedział dokładnie, co i dlaczego robił przy obcym samochodzie. Zapytany o miejsce zamieszkania podał adres Milady. Poniewczasie pożałował tego, ale nie chciał już niczego zmieniać, żeby nie być posądzonym o krętactwo. Powinien był podać adres Stana lub Rosalynn. Trudno, stało się.

Po przesłuchaniu zaprowadzono go do schludnej celi, w której znajdowało się już dwóch aresztantów. Bernard trochę się ich przestraszył, bo obaj byli czarni i nie rozumiał zbyt dobrze tego, co mówili. Szczególną zaś obawą napawała go perspektywa spędzenia z nimi nocy. Usiadł na brzegu najbliższej pryczy, nie wiedząc, co robić.

— Za co cię przymknęli? — spytał czarniejszy z więźniów. Był bardzo wysoki, bardzo chudy i sprawiał wrażenie silnego.

— Nie chcę o tym mówić — odparł Bernard, by go zniechęcić. — To jest poważna zbrodnia. Jutro przewiozą mnie do więzienia federalnego — zaryzykował.

Pomogło. Murzyni odsunęli się i nie pytali go już o nic więcej.

Pod wieczór przyszedł po niego jakiś policjant.

— Chodź — powiedział krótko.

Czarni spojrzeli po sobie porozumiewawczo. Mieli chmurne miny. Bernard na wszelki wypadek też przybrał ponury wyraz twarzy. Murzyni łypnęli jeszcze posępniej. Idąc korytarzem, zastanawiał się, czego od niego może jeszcze chcieć wymiar sprawiedliwości Wuja Sama. Nie spodziewał się niczego dobrego.

W poczekalni spotkała go miła niespodzianka. Za barierką stała Milady i mierzyła go tym swoim taksującym spojrzeniem. Dziś miała oczy modre niczym chabry. *Założyła szkła kontaktowe* — pomyślał Bernard.

— Coś ty zrobił najlepszego? — syknęła, gdy się zbliżył.

— Ja? Nic takiego. Pomagałem władzom miasta w usuwaniu złomu z ulicy. Niestety, nie zostałem doceniony.

— Czy ty wiesz, że to jest poważna sprawa?

— Już wiem. Jestem najlepszym przykładem na to, że gdy Pan Bóg chce ukarać jakiegoś głupca, to spełnia jego życzenia.

— Co ty pleciesz?

— Od dawna szukałem takiego wozu. Zwiedziłem wszystkie złomowiska, obejrzałem setki dziongów i nic. No i wreszcie znalazłem. Ucieszyłem się, jak nie wiem co, bo był niebieski, jak mój i...

— ...i uznałeś, że to prezent od Pana Boga. Tak?

— Tak jakby.

— Wariat z ciebie.

— Wiem o tym od dawna. Jak mnie znalazłaś?

— To oni mnie znaleźli. Dlaczego podałeś akurat mój adres?

— Tak wyszło. Przypomniał mi się jako pierwszy.

— Fucken. Gdyby się Graziani dowiedział...

— Nie wie?

— Nie było go w domu, jak zadzwonili. Nie pozwoliłby mi jechać, gdyby wiedział dokąd jadę.

— Dlaczego więc przyjechałaś?

— Pracujesz u mnie i dla mnie. Niech ci to wystarczy.

— Wyciągniesz mnie stąd?

— Nie od razu. Pogadam z moim adwokatem. To będzie kosztowało.

— Potrącisz mi z wypłaty.

— Jasne, że tak. Nieźle się wpakowałeś przez własną głupotę.

— Wiem. Nie rozumiem tylko, dlaczego nie przymknęli ze mną Murzynów grzebiących przy innych wozach. Gdyby nie oni, to i ja nie ruszyłbym tego cholernego MG. Zobaczyłem, że rozbierają jakiegoś grata, to sam wziąłem się za robotę. Chciałem tylko pozyskać drzwi. Jedne jedyne, głupie drzwi. Nic więcej.

— U nas czarnuchom wszystko wolno. Żaden policjant nie tknie czarnego, żeby nie być posądzony o rasizm. Z czarnuchami obchodzą się tu jak ze zgniłym jajem. Jeszcze nie zauważyłeś?

— Zauważyłem. Ale co będzie ze mną?

— Posiedzisz sobie ze dwa lata. A może nawet trzy?

— Cooooo?

— Nic. Żartuję. Załatwię ci zwolnienie nie dziś, to jutro.

— Wolałbym nie spędzić tu nocy.

— Dlaczego nie?

— Jakby ci tu powiedzieć. W mojej celi jest dwóch czarnych. Mają takie mordy, że...

— Jeśli chcesz, przyślę ci trochę wazelinki. Może się przydać — zaśmiała się szelmowsko.

— Koniec widzenia — oznajmił policjant i Milady musiała wyjść. Bernard wrócił do celi z mieszanymi uczuciami.

* * *

Mimo obaw noc przeszła spokojnie. Rano Murzynów gdzieś zabrano. Bernardowi przyniesiono śniadanie składające się z dwóch skąpo skropionych ketchupem parówek, chleba i kawy. Od razu życie wydało mu się piękniejsze. Opanował go nawet szczególny rodzaj złośliwej wesołości. Zjadł chleb, wypił kawę. Potem wezwał dyżurnego policjanta.

— Poproszę o musztardę do parówek — zażądał.

— Musztardę? — Policjant zrobił głupią minę.

— Co jest? Nigdy nie widziałeś musztardy?

— Widziałem, ale...

— ...ale nie macie w waszym pensjonacie takiego przysmaku jak musztarda, co?

— Nie mamy.

— To idź i kup. Zaraz za rogiem jest sklep.

— Nie mogę opuścić posterunku. — Policjant albo był bardzo cierpliwy, albo jeszcze nie zajarzył, że aresztant kpi sobie z niego ponad wszelkie granice przyzwoitości. — Masz ketchup. Jedz z ketchupem.

— Moja religia zabrania mi jedzenia krwi.

— Cooo? — Policjant kompletnie zbaraniał. — W ketchupie nie ma żadnej krwi. Ketchup robi się z pomidorów!

— Nieprawda. Ketchup robi się z krwi Branchinecta paludosa[3].

— Z czyjej? Z jakiej? — Policjant aż przyłożył dłoń do ucha, zwinąwszy ją w trąbkę.

— Z krwi Branchinecta paludosa. To są takie wijące się tłuste i ogromnie krwiste robale żyjące w bagnach dorzeczy wielkich rzek, na przykład Missisipi czy Amazonki. One żywią się trupami zdechłych krów, świń, psów, no padliną wszystkiego, co się w takim bagnie utopi. Poławia się je specjalnymi czerpakami o wąskich oczkach, żeby one przez te oczka nie powyłaziły. Bo te robale są przystosowane do włażenia w rozmaite szczeliny wewnątrz trupa. No wiesz, w głowie, w nosie, w dupie, jeśli już chcesz wiedzieć dokładnie. Do połowu wykorzystuje się niewolników murzyńskich albo koreańskich. Albo specjalnie przyuczonych nielegalnych imigrantów rosyjskich. A czasem robią to tresowane szympansy. Wtedy wychodzi taniej niż hodowla pomidorów. Zarówno ludziom, jak i szympansom, zakłada się specjalne zatyczki na nosy, bo te bagienne robale okropnie śmierdzą i oni by nie wytrzymali takiego potwornego smrodu. Aaa, zapomniałbym: Rosjanom nie trzeba zakładać żadnych zatyczek, bo Rosjanie są niezwykle odporni na wszelkie

---

[3] Branchinecta paludosa (łac.) — skrzelopływka północna, zadychra północna — gatunek słodkowodnego skorupiaka z podgromady skrzelonogów, żyje w Polsce w dwóch jeziorach tatrzańskich

smrody. Potem robale udeptuje się nogami w wielkich kadziach, aż się z nich zrobi czerwona krwawa i gęsta paciaja. Wielu niewolników mdleje przy tej robocie i ich się też wdeptuje w tę paciaję. — Bernard pogrywał sobie na całego. Policjant przełykał ślinę, aż mu grdyka latała w górę i w dół. Przybladł i miał wytrzeszczone oczy. — Potem się taką paciaję soli, pieprzy, doprawia do smaku i już masz ketchup. Aha, znów bym zapomniał: otrzymaną z bagiennych robali i padłych niewolników miksturę jeszcze się przez dwa lata marynuje na słonku, żeby sfermentowała i wysmrodziła się dostatecznie, bo przecież śmierdzącej nikt by do ust nie wziął. A ty to zajadasz ze smakiem. I mnie też poczęstowałeś tym świństwem — dodał z wyrzutem.

— Chrzanisz — mruknął policjant niepewnie. Wziął talerz z parówkami i pospiesznie wyszedł.

Bernard zaśmiał się, bardzo zadowolony z siebie. Jego radość trwała krótko: zaraz żal mu się zrobiło bezpowrotnie straconych parówek. Perspektywa spędzenia o głodzie nie wiadomo jak długiego czasu w celi aresztu śledczego wcale mu się nie uśmiechała.

Jednak najbliższa przyszłość okazała się lepsza niż oczekiwał. Tuż przed dwunastą wyprowadzono go z celi. W przedzielonym barierką pomieszczeniu czekał na niego adwokat państwa Grazianich i z daleka pokazywał mu wyprostowany w górę kciuk. Bernard uśmiechnął się do niego serdecznie. Przed oczami stanął mu jak żywy tragikomiczny incydent z obrzydliwą kuzynką w kąpieli. Policjant dyżurny podsunął mu jakiś papier. Bernard spojrzał pytająco na mecenasa. Ten poważnie skinął głową, podpisał więc dokument i odetchnął z ulgą.

— Gdzie cię podrzucić? — spytał adwokat, gdy wyszli na słoneczną ulicę.

— Dzięki, nie trzeba. — Bernard odczuł nieodpartą potrzebę swobodnego przespacerowania się. Nagle wydało mu się, że spędził w więzieniu cholernie dużo czasu.

— Jak uważasz. — Adwokat wsiadł do wozu. Bernard już miał odejść w swoją stronę, gdy sobie o czymś przypomniał.

— Stój, stój — wrzeszcząc, pognał za ruszającym autem, które posłusznie zwolniło i grzecznie zatrzymało się przy krawężniku. Bernard dopadł opuszczającej się powoli szyby. Zaleciał go zapach drogich perfum i nowiutkiej tapicerki. Wsadził całą głowę do wnętrza.

— Więc? — Głos mecenasa nosił znamiona leciutkiej, starannie skrywanej irytacji.

— Jak to załatwiłeś?

— Masz na myśli zwolnienie?

— Tak.

— To dla mnie drobnostka. Jest przepis, który mówi, że jeśli w ciągu czterdziestu ośmiu godzin nikt nie zgłosi kradzieży albo włamania do porzuconego samochodu, to należy wypuścić aresztowanego. Przypomniałem go policjantom.

— Zwolnili mnie dużo wcześniej.

— Tak. Dokładnie po osiemnastu i pół. Przekonałem kogo trzeba.

— Czy to było trudne?

— Raczej nie. Poręczyłem za ciebie. To wystarczyło. Państwu Grazianim musi na tobie bardzo zależeć. Przede wszystkim podziękuj swej chlebodawczyni. — Prawnik przybrał oficjalny ton. Bardzo dbał o to, by w jego słowach nie zabrzmiał choćby cień dwuznaczności.

— Istotnie. Wykonuję dla niej trudną i pilną pracę. To znaczy dla państwa Grazianich. Podziękuję jej, to znaczy podziękuję im. Jestem bardzo, ale to bardzo wdzięczny. Tymczasem dziękuję tobie. Serdecznie dziękuję. — Bernard zdał sobie sprawę, że dotychczas zachowywał się jak skończony cham. — Jeśli będę mógł coś dla ciebie zrobić, to...

— Już możesz.

— Tak? Co?

— Namalować mi portret. Widziałem portret Grazianich. Jesteś bardzo dobry. Mam nadzieję, że nie zedrzesz ze mnie skóry.

* * *

Stał na drabinie, uważnie badając detale fryzu. Milady wyszła, zaznaczając, że wróci za godzinę. Oznaczało to, że ma na nią czekać, toteż czekał, nudząc się trochę w opustoszałym mieszkaniu.

Wytworzył się pomiędzy nimi przedziwny układ, w którym pani Graziani dominowała we wszystkich dziedzinach niebędących malarstwem i seksem. Lecz za to w tych dwóch Bernard rekompensował sobie drobne upokorzenia, wynikające, jakby nie było, z zależności. Taka była prawda i musiał ją akceptować. Milady niekiedy przypominała sobie o swej roli wymagającej pryncypałowej, tym samym przypominając o podległej pozycji, którą on, Bernard, zajmował w jej świecie. Mówiła do niego wtedy per „człowieku" i wydawała dziesiątki bzdurnych poleceń dla samej przyjemności rozkazywania. Kapryśna i zepsuta potrafiła w ułamku sekundy zmienić front. Umiejętność tę stosowała niejako w obie strony. Bywało, że z rozpustnej do ostatnich granic kochanki przedzierzgała się w wyniosłą, chłodną, obcą. Ale zdarzało się też, że z chłodnej, wyniosłej, a nawet pogardliwej i drwiącej, zmieniała się w ciepłą, łaknącą pieszczot kotkę czy po prostu w ordynarną, nienasyconą kurew złaknioną li tylko potężnego rżnięcia. Bernarda intrygowała skala tych zmian oraz fakt, że zarówno w jedną, jak i drugą stronę następowały bez żadnego ostrzeżenia, nagle i niespodziewanie, kompletnie nie dając się przewidzieć. Niepokoiły go, ale i fascynowały.

A teraz czekał na nią i właściwie z nudów wlazł pod sam sufit, gdyż wydawało mu się, że zauważył drobne pęknięcie na gładkiej powierzchni ściennego malowidła. Z bliska oglądał świeżo wyschnięty tynk, wodząc po nim delikatnie opuszkami palców i nie dostrzegał żadnych rys, żadnych ubytków, żadnych nierówności. Odczuwał zadowolenie, jak zwykle, gdy ukończył jakąś trudną pracę. Był z siebie dumny.

— Żadnych niedoróbek, żadnych braków — mruczał pod nosem. — Jesteś świetny, kolego. Powiem więcej: jesteś doskonały.

Narcystyczne rozważania przerwał mu tak gwałtowny dzwonek do drzwi, że omal nie spadł z drabiny. Zlazł. Otworzył.

Doorman o mydłkowatej twarzy waleta treflowego właśnie szykował się do ponownego przyciśnięcia dzwonka.

— Czego? — warknął Bernard.

— To dla ciebie.

— Co to jest? — Bernard machinalnie przyjął owiniętą w szare płótno paczkę i nieufnie obracał ją w dłoniach.

— To dla ciebie — powtórzył portier. — Od niej. Kazała ci to przekazać, zanim umarła.

— Kto umarł?!!!

— Nie wrzeszcz tak. Codziennie ktoś umiera. Tysiące ludzi.

— Kto umarł?

— No ta, stara Chamsky. Nie wiedziałeś?

— Pomyślałem o kimś całkiem innym.

— To widać. Za to teraz ci ulżyło, jak już wiesz, co? Nie wrzeszczałbyś tak z powodu jakiejś Chamsky. Nikt by nie wrzeszczał.

— Kiedy umarła?

— Kilka dni temu. Nie było cię wtedy w robocie. Potem nie było mnie i dlatego oddaję ci to dopiero teraz.

— Jak to się stało?

— Normalnie. Była stara. Najpierw przyjechała karetka, potem policja, a potem ci tam, czarni od pogrzebów, no i ją zabrali do tego swojego „funeral home"[4].

— Co jest w środku? — Bernard nadal trzymał pakunek przed sobą w niezręcznie sztywnych palcach.

— A niby skąd ja to mam wiedzieć? — zniecierpliwił się posłaniec. — Kazali przekazać, to przekazuję. Nie wiedziałem, żeście się znali. — Popatrywał podejrzliwie.

---

[4] funeral home (ang.) — zakład pogrzebowy

— Nie znaliśmy się. Raz jej pomogłem nieść jakieś toboły i to wszystko. Zaprosiła mnie do siebie na herbatę. Była bardzo samotna — tłumaczył Bernard. Zaczynało mu być smutno. Zaczęła go też ogarniać złość na ulizanego fagasa.

— Fakt. Odkąd pamiętam nie miała nikogo. Nawet psa. Nawet kota. Nawet kanarka. Jak żyła, tak i umarła. I nikt jej nie żałuje, bo była wredna.

Bernard z trudem opanował nagłą chęć przydzwonienia co siły w niestosowny uśmiech odźwiernego.

— Ja jej żałuję — stwierdził lodowato. Uśmiech zgasł. — Zamierzam modlić się za nią. Dam na mszę za jej duszę.

— Szkoda się modlić. Ona nigdy nie chodziła do kościoła i zdaje się, że nie była katoliczką.

— To nie ma żadnego znaczenia. — Chęć huknięcia w bezmyślną, zadowoloną z siebie gębę stała się nieodparta. Głupota na oliwkowej twarzy była tak wyraźna, jakby naniesiono ją przy pomocy kopnięcia końskim kopytem. Bernard raptownie zamknął drzwi tuż przed wścibskim nosem starającego się zajrzeć do wnętrza Latynosa. Ostrożnie odłożył pakunek. Opanował ciekawość i poszedł umyć upaćkane ręce. Spłukując zmieszane z farbą mydliny, usiłował dociec, co zawiera nieoczekiwana przesyłka. Starannie wytarł dłonie. Nakazując sobie cierpliwość, wolniutko rozwijał warstwy płótna. Trwało to chwilę. Wreszcie jego oczom ukazał się oprawny w poplamioną skórę album. Ostrożnie odchylił okładkę. Z pożółkłych i wyblakłych fotografii patrzyły na niego pożółkłe i wyblakłe twarze. Było też kilka zdjęć plenerowych. Jakiś dom z ogrodem, jakiś dwór, nie, raczej dworek i wzniesione za nim zabudowania gospodarcze. Konie zaprzęgnięte do bryczki. Dziewczynka z psem.

Odczuł zawód. Nie tego się spodziewał. Bogiem a prawdą nie spodziewał się niczego.

Ale przecież musiała być jakaś przyczyna, dla której pani Chamsky pozostawiła mu taki spadek. Na razie jednak nie potrafił jej sobie nawet wyobrazić.

* * *

Prawnik Grazianich z zadowoleniem oglądał własny portret. Bernard przedstawił go w dwóch ujęciach. Na jednym z nich mecenas odziany był w ciemną togę, taką, jakiej w sądach zazwyczaj używają adwokaci. Na drugim otrzymał togę Rzymianina, a na głowę wieniec laurowy. Całość wyglądała tak, jakby człowiek współczesny przeglądał się w lustrze cofającym czas.

— Ile? — spytał, gdy już napatrzył się i nasycił wystarczająco.

— Ile bierzesz za godzinę swojej pracy?

— Trzysta pięćdziesiąt dolarów — odparł prawnik z godnością.

— Jak długo pracowałeś nad moją sprawą?

— Ooooch. — Mecenas skrzywił się lekceważąco.

— No, jak długo? — ton i wyraz twarzy Bernarda świadczyły, że nie żartuje.

— Przyznam ci się, że wcale nad nią nie pracowałem. Wsiadłem w auto i pojechałem na policję. Tak było.

— Godzinę?

— Niech będzie, że godzinę. Razem z dojazdem.

— W takim razie jesteś mi winien dwa tysiące sto pięćdziesiąt dolarów.

— Akurat tyle?

— Tak. Obraz jest wart dwa tysiące pięćset, ale byłem ci winien trzy i pół stówy.

— Nie ty, a pani Graziani. Pracowałem dla niej.

— Jej też nie chcę być nic winien. Nie lubię niczego nikomu zawdzięczać. To ogranicza moją wolność.

— Zawsze coś komuś zawdzięczamy.

— Dlatego zawsze jesteśmy czyimiś niewolnikami.

Mecenas obrzucił go przeciągłym spojrzeniem.

— A jak długo ty malowałeś ten obraz? — spytał chytrze.

— Ja nie biorę od godziny, tylko od metra. I od liczby namalowanych dłoni — uciął Bernard i prawnik już bez żadnych ceregieli wypełnił czek.

— Z dostawą do domu? — upewnił się.

— Z dostawą do domu za dwa tygodnie.

— Za dwa tygodnie?

— Obraz musi się trochę ustabilizować.

— Ustabilizować?

— Chodzi o przenikanie się wzajemne barw i odcieni, dyfuzję w ciałach półpłynnych i konwergencję całości, wspartą korelacją temperatury z wilgotnością powietrza. A także o związanie się laserunków z podkładem, a podkładu z gruntem.

— What? What? — zagdakał zaskoczony adwokat.

— Chodzi też o właściwe zrealizowanie się określonej lepkości warstwy przyściennej, mającej chronić obiekt przed niekorzystnymi czynnikami atmosferycznymi mogącymi zniweczyć korpuskularne efekty optowizualne wokół światłocienia faktury, przy której tworzą się mikrocząsteczki gamma i makrocząsteczki beta zmierzające spolegliwie i linearnie w kierunku samo-ustanowienia bazy dla... — Bernard plótł bohatersko, a pan mecenas słuchał z półotwartymi ustami tego nagłego potopu niezrozumiałej choć zaskakująco potoczystej elokwencji.

— Rozumiem — wykorzystał moment, gdy natchniony mówca musiał przerwać dla nabrania oddechu. — Obrazu nie należy transportować bezpośrednio po namalowaniu. Czy tak?

— Właśnie tak. — Bernard nie miał zamiaru tłumaczyć się przed obcym facetem, że chciałby jeszcze trochę nacieszyć się swym najnowszym dzieckiem.

* * *

Po raz nie wiadomo który przewracał karty albumu pani Chamsky. Przewertował go kilka razy, lecz nie doszukał się niczego, czego by już nie znał. Już odkładał album na miejsce, zniechęcony, gdy opuszki jego palców wyczuły jakąś minimalną nierówność pod powierzchnią okładki.

Dopiero teraz zauważył ślady klejenia. Nożem do tapet przesunął po napiętej powierzchni tuż przy samej krawędzi okładki i ciekawie zajrzał w utworzoną szczelinę. Tkwiła tam koperta. Wyciągnął ją z trudem. Otworzył. W kopercie znajdowała się tylko jedna kartka papieru pokryta nieczytelnymi wpółdziecinnymi bazgrołami. Pojedyncze słowa pisane były zarówno alfabetem łacińskim, jak i cyrylicą bez ładu i składu. Pani Chamsky chciała mu przekazać jakąś treść. Ta treść musiała być dla niej bardzo ważna. Lecz okazała się zbyt trudna. Staruszka albo nie potrafiła, albo nie chciała pisać po angielsku. Zaś język, którego usiłowała użyć, miał zapewne być polskim. Nie udało jej się jednak z przechowywanych gdzieś głęboko na samym dnie pamięci strzępków sklecić niczego sensownego, choćby częściowo zrozumiałego dla potencjalnego adresata.

Bernard zakłopotany obracał w palcach arkusik, przyglądając mu się to z tej, to znów z tamtej strony. Próbował czytać z prawej do lewej, a także do góry nogami. Wykazał mnóstwo dobrych chęci, by poznać treść przesłania. Niestety. Tajemnica została ukryta zbyt hermetycznie. Na drugiej stronie listu był rysunek. Wyglądało na to, że pani Chamsky napisała list na odwrocie jakichś bazgrołów, bo rysunek nie przedstawiał nic, oprócz plątaniny kresek.

— Co tam masz? — zainteresowała się Rosalynn.

— Nic — odparł, lecz ona już zaglądała mu przez ramię.

— List? A od kogo?

— Well. Raczej testament.

— Po kim?

— Po pani Chamsky.

— Kim była pani Chamsky?

— Jak by ci opowiedzieć...

— Opowiedz krótko.

— Pani Chamsky była bardzo stara. Parę razy jej pomogłem. Raz ona mi pomogła. Mieszkała tam, gdzie Milady. Tylko niżej. Miała malutkie mieszkanie. Była bardzo samotna. Co więcej? Chyba nic. Umierając, zostawiła mi ten album.

— Są tam stare zdjęcia. Wiem.

— Oglądałaś go?

— Jasne, że tak. Dlaczego miałam nie oglądać? Zostawiłeś go na wierzchu. Same stare pierdoły. Rabbish[5].

— Pewnie tak. Ale dla niej musiał być cenny. Dziś przeglądałem go sobie i znalazłem to — pokazał jej list.

— Przeglądałeś dokładnie. — Rosalynn wskazywała wzrokiem na rozcięcie.

— Wyczułem zgrubienie. Byłem ciekaw, skąd się wzięło, to rozciąłem.

— Zupełnie słusznie. Zrobiłabym to samo na twoim miejscu. Jeżeli ktoś obcy zostawia mi stary album, to nie tylko po to, żebym sobie obejrzała obrazki.

Bernard mimochodem spojrzał na nią z uznaniem. Nie spodziewał się po dziewczynie tego typu refleksji. Uważał ją za skończoną prostaczkę i w zasadzie lubił jej prostactwo. *Widocznie jednak się myliłem* — pomyślał.

— Daj no tę kartkę — wyciągnęła rękę. — Widzę, że masz kłopoty.

— Nie wiedziałem, że mnie obserwujesz.

— Nawet nie. Ale łazisz i stękasz nad tym świstkiem. Modlisz się do niego, czy co?

— Nie. Nie modlę się. Tylko nie wiem, co o tym sądzić. Nic nie rozumiem.

— Po jakiemu to? — zdziwiła się.

— No właśnie...

— Myślałam, że nie dajesz sobie rady z angielskim i dlatego tak marudzisz. Ale czekaj. Tu jest jakiś rysunek.

---

[5] rabbish (ang.) — śmieci, chłam

Ciekawe, co przedstawia? — Obracała kartkę podobnie jak czynił to on przed chwilą.

— Nie wiem — wzruszył ramionami. — Po prostu nie wiem. Pewnie nic.

— To nie jest nic. To jest coś. — Zmarszczyła brwi w głębokim zastanowieniu.

— Masz jakiś pomysł?

— Jedźmy tam.

— Gdzie?

— Do mieszkania tej starej.

— To niemożliwe. Mieszkanie jest zamknięte. Nikomu nie wolno wchodzić.

— My wejdziemy. Nikt nie musi o tym wiedzieć.

— W recepcji zawsze siedzi dwóch facetów.

— Nie będziemy wchodzić przez recepcję. Znam przejście techniczne. Przez piwnice. Nie pamiętasz? Tam spotkałeś mnie po raz pierwszy.

— Pamiętam. Dobrze pamiętam. Ale po co tam jechać akurat teraz. Dlaczego? Jest środek nocy.

— Nie wiem, dlaczego. Cholernie zachciało mi się tam jechać. Czyli jakiś powód musi być, no nie? Zresztą w nocy jest mniej ludzi. Nikt się tam nie kręci

— Pewnie tak — ustąpił przed taką logiką, widząc, że nie ma rady. — Pamiętaj tylko, że już raz miałem kłopoty z policją.

— Nie będzie kłopotów. W razie czego udawaj niemowę. Biorę wszystko na siebie.

* * *

Rosalynn zaparkowała kilka przecznic od celu wyprawy.

— Nie chcę, by ktoś widział mój wóz w pobliżu — wyjaśniła.

Szli pustymi ulicami. Miasto było jak wymarłe. Tylko od czasu do czasu przejeżdżała żółta taksówka.

— To tu. — Zatrzymała się przed metalowymi drzwiczkami w zagłębieniu muru.

— El Alameda jest z drugiej strony — zauważył.

— Nie gadaj tyle. Ja wiem lepiej. Właź. — Otworzyła drzwiczki uniwersalnym kluczem podobnym do wytrycha. — Te piwnice są połączone.

Wlazł więc posłusznie, a ona weszła za nim i starannie domknęła drzwi. Ogarnęła ich głęboka ciemność, w której jednak dziewczyna orientowała się bardzo dobrze. Bernard potknął się kilka razy na zupełnie równej posadzce.

— Dlaczego nie zapalisz latarki — warknął zły.

— Bo nie chcę, żeby mnie ktoś zobaczył — odparła. — Trafię i tak.

Rzeczywiście, po kilku minutach dotarli do skrzyżowania korytarzy. Zrobiło się jaśniej. Anemiczne światło pojedynczej żarówki docierało z jednego z rozgałęzień. Panowała cisza. Tylko elektryczność buczała jednostajnie. Z rur dobiegł nagły szum wody. Bernardowi nasunęło się skojarzenie z Jonaszem uwięzionym w brzuchu potwora.

— Ciężkie góvno. Pewnie ktoś spuścił wodę w sraczu. — Rosalynn zaśmiała się cichutko.

— Albo z wanny — dodał. Nie znajdowali się we wnętrznościach wieloryba, tylko w piwnicach wielkiego domu. Uczucie zamknięcia i zagrożenia minęło.

— Dalej w lewo jest dźwig towarowy. Chodź. — Pociągnął ją za rękaw.

— Wejdziemy schodami.

— Słusznie. Tam może spać któryś z doormanów — przypomniał sobie w porę. Tuż przy szybie okratowanej klatki na linach mieściło się maleńkie pomieszczenie z polową leżanką. Czasem podrzemywał na niej któryś z obsługi.

— Teraz ty prowadzisz. — Rosalynn przepuściła go przodem. Przed nimi widniała tabliczka z napisem „Crew Only"[6]. Zaraz zaczynały się strome schody dla personelu.

Nasłuchując, skradali się ostrożnie, gotowi do natychmiastowej ucieczki. Cały dom spowijała lepka cisza. Miękka wykładzina tłumiła odgłos ich kroków. Część lamp wygaszono i tylko kinkiety rzucały przyćmione, dyskretne światło, nie do końca rozpraszające półmrok długich korytarzy. Wreszcie stanęli przed pomalowanymi ciemną farbą drzwiami.

— Jesteśmy — szepnął Bernard.

— Masz klucz?

Nie odpowiedział. Pogrzebał w zamku „niezbędnikiem". Dało się słyszeć ciche szczęknięcie i drzwi uchyliły się same, jakby ktoś leciutko pociągnął je od środka. Spojrzeli po sobie i zawahali się.

Naraz zza węgła dobiegł odgłos zatrzymującej się windy, a zaraz potem fragment ożywionej rozmowy i kobiecy śmiech. Ktoś nadchodził. Nie było odwrotu.

---

[6] Crew Only (ang.) — Tylko dla personelu

Jednocześnie dali nura w ciemny niczym jaskinia przedpokój i szybko zamknęli drzwi, starając się nimi nie trzasnąć.

— W samą porę — szepnął Bernard. — Nie widzieli nas.

— Pewnie że nie. Wracają z balangi i są zajęci sobą. Spoko.

— Czy już wiesz, po co kazałaś mi tu przyjść?

— Nie. Rozejrzyjmy się.

Przez chwilę kręcili się po mieszkaniu, z którego usunięto wszelkie materialne ślady zmarłej. Jednak chyba pozostało po niej coś, co sprawiało, że czuli się nieswojo. Może to był zapach? A może co innego?

Zbadali kuchenkę i szczególnie dokładnie łazienkę, zaglądając we wszystkie możliwe dziury, świecąc daleko w głąb przewodów wentylacyjnych. Niczego nie znaleźli. Przenieśli się więc do pokoju. Z ulicy wpadało trochę światła, zgasili więc latarkę. Porozglądali się po pustych kątach. Wreszcie zniechęceni usiedli na podłodze oparci plecami o ścianę.

— Źle szukamy — Rosalynn przerwała ciszę. — Jeśli ona była stara i słaba, to nie mogła schować niczego wysoko. Pokaż tę kartkę.

Razem pochylili się nad wymiętoszonym arkusikiem.

— Nic nie widać. Poświeć. Ale ostrożnie.

Przysłaniając reflektor, jeszcze raz zbadali rysunek.

— Coś mi świta. Widzisz to?

— Co, co mam widzieć? — nie zrozumiał.

— Patrz na podłogę.

— No co? Wykładzina jak wykładzina. Tyle, że wystrzępiona i brudna.

— Ona narysowała jakiś fragment tej wykładziny — wyjaśniła Rosalynn. — To jest ten sam deseń. A te grubsze kreski to osnowa i wątek. Specjalnie narysowała zbyt dużo szczegółów. Żeby zamącić. Żeby było trudniej znaleźć. Coś mi to przypominało od początku. Tylko nie wiedziałam co. Teraz musimy tylko odszukać właściwy kawałek.

— Schowała coś pod wykładziną? — wreszcie zrozumiał.

— Na to wygląda.

Zaczęli więc szukać, łażąc na czworakach, gdyż obawiali się, że światło latarki odbite od szyby może zdradzić ich obecność w pustym przecież mieszkaniu. Wreszcie natrafili na fragment, który od biedy pasował do rysunku.

— Tu stał stół — przypomniał sobie Bernard. Z nosem przy samej podłodze badał szorstką, wytartą i sfilcowaną materię.

— Jest — szepnął. — Jest!

W tym miejscu wykładzinę przybito do podłogi czterema gwoździami. Niecierpliwie wyrwał je nożem, ryzykując złamanie ostrza. Jednolity materiał był rozcięty tak, że tworzył coś w rodzaju klapy. Dopóki był na dobre przymocowany do podłoża, nie było tego widać. Zresztą za życia pani Chamsky stół całkowicie maskował uszkodzenie. Bernard z ciekawością uniósł brzeżek wykładziny. Jednej z klepek brakowało. Pozostałą po niej lukę wypełniono nieco krótszą od klepki deseczką.

Bernard znów posłużył się nożem. Wydłubana deseczka okazała się szkatułką podobną do archaicznego drewnianego piórnika.

— Jest. Jest — powtórzył. Szkatułka była ciężka.

— Nie otwieraj — powiedziała Rosalynn.

— Nie jesteś ciekawa?

— Otworzysz w domu. Teraz spływajmy stąd.

— Dobra.

Wsadził znalezisko do kieszeni na piersi. Wyjrzał przez judasza. Korytarz był pusty. Uchylił drzwi, nadstawił ucha: wszędzie panował spokój i cisza. Wyszli znaną już drogą przez piwnice.

* * *

W szkatułce znajdowały się cztery ciasno opakowane w płótno ruloniki złotych carskich monet i duży herbowy sygnet. Bernard próbował dociekać, jaką drogę przebyły te przedmioty, lecz nic mądrego nie przychodziło mu do głowy. Przede wszystkim dziwił się tym, że pani Chamsky nie spieniężyła cennego depozytu. Nie była zamożna.

— Nie myśl tyle. — Dla Rosalynn jak zwykle wszystko było jasne i proste. — Stara chowała to na czarną godzinę, ale żadna z godzin nie wydawała jej się wystarczająco czarna. Ciekawe, ile to warte.

— Zależy, czy wziąć pod uwagę wartość kruszcu, czy numizmatyczną wartość monet.

— Chromolę tę, jakże jej tam, numizmatyczną wartość. Tu są ze dwa funty złota.

— Wartość numizmatyczna może być większa.

— Chcesz to opylić?

— Nie wiem.

— W razie czego pamiętaj, że należy mi się połowa. Beze mnie stękałbyś nad tym świstkiem jeszcze ze sto lat.

— Sure. Ale zrobimy inaczej.

— Tylko uważaj. Nie dam się wyrolować. Nawet tobie.

— Wiem. Zostawię ci wszystkie monety.

— Mówisz serio?

— Tak.

— Dlaczego?

— Zarobiłem ostatnio sporo forsy i parę dolców w tę, parę w tamtą nie robi mi różnicy.

— Ładnych parę dolców. Toż to warte z tysiąc. Albo ze dwa?

— Pewnie tak. Akurat w tej chwili nie ma to dla mnie znaczenia.

— Coś kręcisz?

— Nie.

— A co chcesz w zamian?

— Pierścień.

— Pierścień? Weź go sobie. Na mnie i tak za duży. No i wcale mi się nie podoba. Co ci tak na nim zależy? Nie wydaje mi się specjalnie cenny.

— Z pewnością jest mniej wart niż kilka takich „świnek".

— Że jak?

— „Świnki". U nas, w Polsce, ruskie złote imperiały nazywają się „świnki". Nie pytaj dlaczego, bo tego nie wiem.

— Chcesz mi zostawić całą forsę za ten pierścio-
nek? — upewniła się.

— Tak.

— W porząsiu. To był najlepszy deal[7], jaki zrobiłam
w życiu.

---

[7] deal (ang.) — interes, transakcja

Rozdział czwarty

To przyszło zupełnie nagle. Właśnie wyszedł do łazienki na papierosa. Nie palił w mieszkaniu. Ostatnio wcale nie palił. Ale ten wieczór był jakiś inny i Bernard nie mógł znaleźć sobie miejsca. Rosalynn od godziny siedziała przed telewizorem i oglądała jakiś program, który zapewne bawił ją ogromnie, bo co chwilę wybuchała głośnym śmiechem. On sam nie widział w nim niczego zabawnego. Nie potrafił się skoncentrować na tyle, by rozumieć dowcipy i słowne kalambury cholernie zadowolonego z siebie konferansjera: nie znał amerykańskiego wystarczająco dobrze, by rozumiały mu się same przez się.

W łazience było cicho. Jedyne niewielkie okno wychodziło na ciasną studnię szybu wentylacyjnego. Bernard palił i bezmyślnie patrzył na przelewający się przez parapet dym. Jego pasma na tle odległego zaledwie o metr, półtora ceglanego muru po stronie przeciwnej, zdawały się układać w jakieś sensowne kształty. Wytężył wzrok. Serce zabiło mu szybciej. Z przeciwległej ściany patrzyła na niego twarz Maríi. Ta twarz falowała

w ciepłym powietrzu, polatywała, rozmywała się i two-
rzyła od nowa, jakby poszczególne cząsteczki tytonio-
wego dymu przyciągały się wzajemnie niczym mikro-
skopijne opiłki jakiegoś pomalowanego na sinobłękitny
kolor mocno namagnesowanego metalu.

— Czy to już? — spytał bezgłośnie.

Dymna maska powoli opuściła powieki.

— Czy to znaczy, że umarłaś? — spytał naiwnie, łu-
dząc się, że otrzyma odpowiedź przeczącą.

Tym razem po twarzy Maríi przebiegł skurcz znie-
cierpliwienia. Zaraz dym rozwiał się, porwany nagłym
powiewem ciepłego powietrza wznoszącego się ku nie-
widocznemu niebu. Bernard opanował pierwszy impuls,
każący mu natychmiast podążyć tam, gdzie czekała na
niego martwa czarownica. Zgasił papierosa, wziął zim-
ny prysznic. Eteryczny obraz, który tak łatwo rozmył się
w powietrzu, za nic nie chciał się rozmyć w jego umyśle, zniknąć.

— Trzeba będzie pojechać — pomyślał z lękiem. —
Trzeba. Słowo kozacze nie dym — przypomniał sobie
powiedzonko swego dziadka.

— Słuchaj — powiedział do Rosalynn. Nie zwracała
na niego uwagi. — Słuchaj... — powtórzył.

— Co? — Nawet nie oderwała wzroku od ekranu.

— Nic takiego. Nie przeszkadzaj sobie. Wychodzę.

— Czekać na ciebie?

— Nie. Wrócę późno. Przypomniałem sobie, że obie-
całem wpaść po robocie do Stana, żeby mu pomóc z jedną rzeczą, no i muszę tam pojechać natychmiast.

— W porządku. Weź mój wóz. Twój jest już kompletnie do niczego. No i nie zalejcie pały.

— Nie zalejemy — zapewnił i już go nie było.

* * *

Nie wiedział, jak i kiedy dotarł na Hill Top. Zupełnie nie pamiętał drogi, którą jakoś niepostrzeżenie nawinął na koła. Czuł się tak, jakby niewidzialna siła w jednym ułamku sekundy przeniosła go z mieszkania Rosalynn wprost pod mroczny dom Maríi. Jednak wskazówki na fosforyzującej tarczy zegarka nie kłamały. Od momentu wyjazdu minęły trzy pełne godziny. Trzy godziny kompletnej pustki w mózgu. Trzy godziny totalnej amnezji.

Była głęboka, głucha noc.

Podszedł do furtki, przeżegnał się szeroko i otworzył ją. Odezwała się swoim zwykłym, dobrze znanym zgrzytnięciem, które nie dodało mu otuchy. Jeszcze przyzwyczajał wzrok do ciemności, ociągał się, zwlekał. Wreszcie wszedł do wnętrza.

María spoczywała na bujanym fotelu. Bernard na wszelki wypadek schwycił ją za nadgarstek. Nie wyczuł pulsu. Stara czarownica była martwa absolutnie i nieodwołalnie. Bransolety, którymi przyozdobiła przeguby, były bardzo zimne. Lecz sama jej ręka jeszcze nie ostygła całkowicie. Podobnie jak i czoło, na którym położył dłoń.

Podszedł do stołu. Znalazł na nim szklankę wypełnioną jakimś płynem. Wychylił ją jednym haustem skrajnie spragnionego alkoholika. Z trudem zapanował nad wywracającym mu trzewia odruchem. Skurcze trwały minutę, może dwie. Wreszcie ustały. Zastąpiła je narastająca jasność w mózgu.

— Jestem — powiedział półgłosem. — Wzywałaś mnie, więc jestem.

— Siadaj — usłyszał i wcale się nie zdziwił.

Posłusznie usiadł na krześle, które zdawało się czekać na niego, ustawione nie za daleko, ale i nie za blisko, naprzeciwko fotela Maríi. Wiedźma, czując zbliżającą się śmierć, przygotowała wszystko starannie. Starannie przygotowała też i siebie. Ubrana była w staroświecką suknię z koronkami. Na jej palcach połyskiwały pierścienie. Z jej szyi zwieszał się gruby łańcuch zakończony bogato oprawionym rubinem. Na głowie miała diadem z wielkich pereł. Ten diadem spływał na czoło, skronie, kark i ramiona. Bernard widział wszystko dokładnie. Jego wzrok przywykł już do ciemności i dobrze rozróżniał nawet drobne szczegóły. Mogło to być zasługą wstrętnego płynu.

— Za życia nigdy się tak nie stroiłam — powiedziała María. — To klejnoty i suknia po mej matce i babce. Trzymałam je w ukryciu przed mężami. Kazaliby mi je sprzedać. Śmieszni, mali frajerzy. One są warte fortunę i można się było za nie nieźle urządzić. Tylko jednemu z nich pokazałam się tak jak tobie teraz. Wrażenie było silne. Możesz mi wierzyć, chłopcze.

— Pewnie Jędrasowi pokazałaś się w pełnej gali?

— A jakże. Ale tylko raz. Skąd wiedziałeś?

— Powiedziałaś kiedyś, że był twoim ulubionym mężem. Znam cię trochę.

— Taak. Endias. Być może niedługo spotkam się z nim. Ucieszy się na mój widok. A wtedy, jak mnie zobaczył w tej sukni, w tych klejnotach, to padł przede mną na kolana. I nie kazał mi ich sprzedawać, choć żyliśmy biednie. Powiedział, że wyglądam jak Matka Boska. Dasz wiarę? Ja, jak Matka Boska! Potem często mówił do mnie „moja ty królowo niebiańska". Albo „królowo Marysieńko". W ogóle Endias był fajny.

Bernard słuchał. Nie czuł zdziwienia, strachu ani nawet powagi śmierci, którą powinien był przecież odczuwać. Był absolutnie obojętny emocjonalnie. Ogarnęło go natomiast zrozumienie wszystkiego połączone z poczuciem intensywnej normalności. Jednocześnie jego zmysły były wyostrzone do ostatnich granic. Chłonęły i zapamiętywały wszystko. Każdy detal ubioru, każde lśnienie księżycowej poświaty, każdy szelest gorącej nocy, wpadający przez otwarte na oścież drzwi, każde słowo zmarłej.

— Wezwałam cię nie po to, by wspominać — María zmieniła ton. — Za chwilę oddasz mi ostatnią posługę.

— Czy mogłabyś mi przedtem odpowiedzieć na parę pytań?

— To zależy od pytań. Nie wszystko mogę powiedzieć wprost.

— Czy istnieje przeznaczenie?

— Tak.

— Czy to znaczy, że nie możemy niczego zmienić?

— Rozmaite zdarzenia rodzą następne zdarzenia. Gdyby nie było jednych zdarzeń, nie byłoby następnych.

— Niezupełnie rozumiem.

— Zmieniając zdarzenia, zmieniamy drogę do celu, ale nie cel.

— Czyli nie warto się starać? Nie warto próbować niczego zmieniać?

— Można próbować i trzeba się starać. Ale też trzeba wiedzieć jak. Mało kto to potrafi.

— Co więc pozostaje?

— Trwanie. Wszystkie zdarzenia, które mają nas spotkać w życiu, przyjdą same. Każdy ma do przeżycia określoną ilość zdarzeń. Nie należy ich przyspieszać. Tylko czasem trzeba wyjść im naprzeciw. Niewiele. Pół kroku. Aby ich nie płoszyć, jeśli mają być dobre. Nie wolno niczego robić na siłę. Nie należy uprzedzać zdarzeń złymi decyzjami podjętymi pod wpływem chwili, kaprysu, fałszywych doradców. Ja tak robiłam i dlatego żyłam długo.

— Ja nie mogę tylko czekać.

— Nikt ci nie każe tylko czekać. Ale gdy nie wiesz, co robić, to nie rób nic. Jeśli nie zrobisz pewnych rzeczy, pewne zdarzenia nie przyjdą do ciebie. Zamiast nich przyjdą inne, lepsze. Nie szarp się. Czekaj na znak. Może właśnie wtedy przyjdzie do ciebie to dobre zdarzenie, które ominąłbyś, biegnąc. Rozwiązanie znajdzie się samo.

— Nie zawsze jest możliwość czekania. Czasem trzeba działać szybko.

— Ale często nie wiesz, co robić i, działając pochopnie, robisz rozmaite idiotyzmy, które potem musisz odkręcać, prawda?

— Prawda.

— Dlatego zastanów się, czy aby moja rada nie jest najlepszą ze wszystkich możliwych.

— Nadal nie wiem, czego mam się wystrzegać, a do czego dążyć. Za życia łatwiej cię było zrozumieć. Oczekuję bardziej jasnych odpowiedzi.

— Za życia wiedziałam mniej, a mówiłam więcej. Teraz jest odwrotnie. Pociesz się, że gdybym nawet powiedziała ci o wszystkich zdarzeniach, które powinieneś ominąć, to i tak one by się stały. Tylko byś się namęczył. Nie unikniesz przeznaczenia, bo nikt go nie uniknie. Tak było zawsze. Ze wszystkimi. Od początku świata. Nie należy go tylko prowokować. Po co zwalać sobie na głowę dom, który i tak kiedyś się zawali? Ale niech ci będzie. Zadaj mi trzy pytania. Zobaczymy, co z tego wyniknie. Ja już zresztą znam te pytania.

— Tak? To powiedz, jakie jest pierwsze?

— Chciałeś spytać, jak długo będziesz żył.

— Zgadłaś.

— Nie zgadłam. Wiedziałam.

— No to odpowiedz, jak długo?

— Sam kiedyś uznasz, że zbyt długo. To nie było dobre pytanie.

— W porządku. Czy długo będę zdrowy i sprawny?

— Do końca życia zachowasz zdrowie. To też nie było dobre pytanie.

— Czy będę bogaty?

— Zależy, czy sam uznasz się za bogatego. Trzy pytania, a każde głupie — zniecierpliwiła się.

— Miałem wiele pytań, które całkiem wyleciały mi z głowy. Nie co dzień rozmawia się z umarłą.

— No dobra. Powiem ci o paru ważnych sprawach. Każda z nich będzie dotyczyć ciebie. Ale tylko od ciebie będzie zależało, jaki użytek zrobisz ze swej wiedzy. Pierwsza z tych spraw, to twój przyjaciel Hornet. On leży w baraku obok i jest martwy. Nieprędko go znajdą. Zmarł na serce. Ze strachu. Chciał za dużo naraz i udławił się własną chciwością. Nikt go nie ścigał, choć on sam tak uważał.

— Witek nie żyje?

— Przejąłeś się tym?

— Jeszcze nie. Ale jak przestanie działać ta wstrętna mikstura, którą mnie poczęstowałaś, to pewnie się przejmę.

— Zrobił ci świństwo. Oszukał cię. Nie masz powodu, by go żałować.

— Niby tak. Ale znaliśmy się od bardzo dawna i pamiętam go jako fajnego kompana. Dopiero tu się zmienił. Widać mu odbiło. Gdyby nie on, nie wyrwałbym się do Stanów. Zarobiłem tu sporo forsy. Gdyby nie Witek, nie rozmawialibyśmy teraz. Było warto.

— Można i tak. Łatwo ci przeszło. Ja nie zapominałam nigdy, jak mi ktoś nadepnął na odcisk.

— Nie zapomniałem. Pamiętam bardzo dobrze. Tylko że mu wybaczyłem.

— Aha, może i dobrze zrobiłeś... A teraz sprawa druga: ta twoja Milady jest w ciąży. Jeszcze o tym nie wie. Nie mogła mieć dziecka z Grazianim, to zrobiła sobie z tobą. Użyła cię jak buhaja albo ogiera.

— Faktycznie, mówiła do mnie: „mój ty ogierze". Cała przyjemność po mojej stronie.

— Jedyne sensowne podejście. Chciała, to ma. No i dobrze. Teraz pora dać szansę przeznaczeniu.

— Proszę jaśniej.

— Za dużo wymagasz. Powiem ci tylko, że możesz wiele zyskać. Możesz i stracić przez to, że nie zyskasz.

— Jak?

— Rusz głową. Aby zyskać, musisz uruchomić tę część swej natury, która niekoniecznie jest dobrą, więc się zastanów. Bądź silny. Bądź ostrożny z jasnowłosą kobietą. Bądź ostrożny z kobietami. Te, które cię pociągają, nie są dla ciebie odpowiednie. Nie dadzą ci szczęścia.

— No, ale...

— Dość.

— Nie jestem mądrzejszy niż byłem.

— Trudno. Nigdy nie będziesz. Następna rzecz dotyczy pani Chamsky.

— Sądziłem, że dowiem się czegoś więcej o sobie, o swojej przyszłości.

— Wszystko, co mówię, jest związane z twoją przyszłością. Jeszcze się o tym przekonasz. Pamiętasz, jak ci kiedyś powiedziałam, że stara kobieta zostawi ci jakiś dziwny przedmiot? To miała być pani Chamsky i pierścień. Wtedy tego nie wiedziałam. Teraz wiem.

— Opowiesz mi o niej?

— Ona by tego nie chciała. Obawiała się swej przeszłości. Dlaczego zachowałeś dla siebie ten pierścień?

— To stary polski sygnet herbowy. Pomyślałem, że powinien należeć do Polaka.

— Pieniądze oddałeś dziewczynie.

— Oddałem. Chciałem się jakoś odwdzięczyć. Rosalynn nie jest bogata.

— Nikt i nigdy nie wie do końca, co jest dla niego dobre — wymamrotała.

— Czy to znaczy, że postąpiłem niewłaściwie? Że powinienem jej był zostawić wszystko? Czy może nic? — spytał, lecz nie mógł doczekać się odpowiedzi.

— Tylko Endias był mniej chciwy od ciebie — odezwała się wreszcie, gdy myślał, że to już koniec dziwacznej rozmowy i zastanawiał się, co powinien zrobić.

— Zaraz podpalisz mój dom — zażądała niespodziewanie i stanowczo.

— Czy to będzie właśnie ostatnia posługa?

— Tak.

— Czy jesteś pewna, że tego chcesz?

— Tak. Chcę spłonąć razem z nim.

— Zrobię, jak zechcesz.

— Podpalisz go od środka, żeby długo nie było nic widać. Zanim przyjadą gasić, znajdziesz się daleko stąd. W każdym kącie zostawiłam stare gazety. Dużo starych gazet. Wystarczy podłożyć ogień. Zamknij drzwi. Wtedy rozpali się wolniej. Zapałki leżą na stole.

— Tak. Są tam.

— Jak już podpalisz co trzeba, to przyjdź do mnie. Chcę cię pożegnać, zanim odejdę na dobre.

— Przyjdę.

* * *

Pierwsza z zapałek złamała mu się w palcach. Druga też. Dopiero trzecia przekazała swój płomyk kupie papierów w kącie pokoju. Z następnymi poszło lepiej. Po małej chwili czerwono-żółte języory lizały ściany, pełznąc coraz wyżej i wyżej po skręcających się z sykiem tapetach. Bernard raz jeszcze rzucił okiem na swe dzieło. Sprawdził, czy nie zaniedbał niczego. Potem podszedł do fotela, na którym spoczywała stara wiedźma. Wokół było pełno dymu.

— Zrobione — powiedział, bo nie wiedział, co powiedzieć.

— Dziękuję. Zdejmij mi z głowy diadem i weź go sobie. Przyda ci się, gdy dopadnie cię bieda. Tylko pamiętaj. Nie wolno ci go ofiarować żadnej kochanej kobiecie, bo może jej przynieść nieszczęście. Daję ci go, bo ani przez chwilę nie pomyślałeś o tym, by mnie ograbić. A mogłeś.

— Jakoś nie przyszło mi to do głowy. Dziękuję. — Schował klejnot do kieszeni kurtki i ukłonił się jak sztubak.

— Weź też naszyjnik. Przekaż go José. Powiedz mu, że jest dobrym człowiekiem i że jestem mu wdzięczna.

— Powiem. Powiem mu wszystko.

— No, pora na mnie. Jeszcze tylko dam ci jedną dobrą radę. Pamiętaj, że na pomoc Pana Boga należy zasłużyć i poczekać. Pan Bóg pomaga tylko wtedy, gdy sam wie, że taka pomoc jest potrzebna. Za to diabła zawsze masz pod ręką. I wcale nie musisz go wzywać. Czasem wystarczy, że celowo zrobisz coś złego. Lub coś, co ma prowadzić do złego i potem już czynisz zło, nawet jeśli myślisz, że czynisz dobro. Bywa, że masz złe myśli, a już zjawia się on. Diabeł. Wszystko zależy od tego, co robimy i o czym myślimy. Sęk w tym, że diabeł, w przeciwieństwie do Pana Boga pomaga wtedy, kiedy ty uważasz, że pomoc jest potrzebna, no i wtedy, kiedy sam ma w tym jakiś swój cel. On nic nie robi za darmo. Idź przed siebie zawsze prostą drogą. Nie porzucaj jej. Niestety, masz zwyczaj psuć wszystko tuż przed osiągnięciem sukcesu. Dlatego powtarzam: nie zbaczaj z raz obranej drogi. I uważaj na pierścień. Jest na nim krew.

— Mam go nie nosić?

— Krew przyciąga krew. Nie wolno ci go zgubić. Nigdy. Uważaj na umarłych. Pamiętaj. Idź prostą drogą. Żegnaj...

Nagle w umyśle Bernarda pojawiło się bardzo wiele pytań, których María być może wcale nie uznałaby za głupie. Lecz było już za późno.

— Żegnaj — chciał odpowiedzieć. Dym wtłoczył mu słowa z powrotem do gardła. Zakaszlał gwałtownie. Wycofując się ku drzwiom, widział jeszcze płonący fotel i spowite w płomienie ciało.

Ruszył, nie zapalając świateł. Wolniutko zjeżdżał ze wzgórza. Silnik basowo pomrukiwał na niskich obrotach. Było pusto. Dotarł do autostrady i dopiero włączył reflektory. Spojrzał za siebie przez ramię. Jeszcze nie zobaczył tego, co spodziewał się ujrzeć. Dopiero po przejechaniu dobrych pięciu mil lusterko wsteczne rozbłysło krwawą łuną pożaru. Zaraz gdzieś z daleka, z tyłu, dobiegły go charakterystyczne wycia syren. Zatrzymał wóz na poboczu i patrzył jak stara czarownica María Inez de Sotomayor, po jednym ze swych licznych mężów Jędras, odchodzi w niebyt lub przechodzi do innego wymiaru z własnego świata, który stworzyła sobie tu na ziemi, w miejscu zwanym Hill Top.

* * *

W domu nie zastał już Rosalynn. W ubraniu padł na wyrko i natychmiast zapadł w kamienny, podobny do letargu sen.

Obudził się po południu. Z przyzwyczajenia zjadł śniadanie. Nic mu nie smakowało. Jedząc bez apetytu, układał sobie w głowie zdarzenia ostatnich kilkunastu godzin.

Wszystko, co się zdarzyło, było niepojęte, ale przecież zdarzyło się na pewno. Miał na to całkowicie realny i w pełni namacalny dowód. Diadem był piękny. Doskonale dobrane wielkością i barwą perły składały się na klejnot wielkiej wartości. Emanowały tajemniczym czarem, mimo iż leżały na przedwczorajszej wymiętoszonej i poplamionej gazecie. Bernard pomyślał coś o rzucaniu pereł przed wieprze. Pogrzebał w swoich rzeczach, znalazł spory kawałek zagruntowanego płótna, zwinął je w rurkę i wpuścił diadem do środka. Następnie zagiął rulonik z obu stron i schował go do skrzynki z malarskimi przyborami.

— Teraz jest dobrze — mruknął i dokładniej niż zazwyczaj umył ręce.

* * *

Wieczorem zatelefonował do José i poinformował go o śmierci Maríi. Umówili się w dobrze znanym barze. Tam pili tequilę, a Bernard opowiadał wszystko po kolei. José tylko słuchał, w milczeniu gładząc się po wąsach. Długo oglądał ogromny rubin pozostawiony mu przez zmarłą. Unosił go ku światłu, przybliżał do oczu, sycąc się jego migotliwymi lśnieniami.

— Przysięgam, że nigdy go nie sprzedam, choć jest wart fortunę. Ten kamień pozostanie w mojej rodzinie i będzie przechodził na najstarszą córkę w każdym kolejnym pokoleniu. Teraz wypijmy za pamięć Maríi.

Wypili więc jeszcze jedną i jeszcze jedną kolejkę. Potem uścisnęli sobie prawice i rozstali się na zawsze.

* * *

Bernard zastanawiał się, jak wykorzystać wiedzę, której udzieliła mu María.

Zakładał, że jeśli mu ją przekazała, to nie tylko dla pochwalenia się swymi możliwościami.

Albo mnie przed czymś ostrzegała, albo sugerowała, bym zrobił z niej jakiś użytek — rozmyślał. Nie potrafił jednak tymczasem wyobrazić sobie, jakie korzyści może odnieść z ciąży Milady czy ze śmierci Witka. Nie potrafił też zrozumieć tego, co María powiedziała o pierścieniu po zdziwaczałej staruszce o swojsko brzmiącym nazwisku.

Zgodnie z radą Maríi postanowił trochę przeczekać i dać szansę losowi. Chwilami podejrzewał, że czarownica, nie mogąc lub nie potrafiąc udzielić mu wyraźnych wskazówek i zrozumiałych przestróg, wykręciła się sianem. Świadomie okłamała albo tylko zażartowała, zgodnie ze swoim specyficznym poczuciem humoru. *Stara wiedźma sprzedała mi kit* — pomyślał nawet kiedyś i natychmiast przeprosił ją za określenie „stara wiedźma".

Witek żyje. Ukrył się gdzieś przed wierzycielami, ale żyje — łudził się nadzieją. Nie życzył źle „temu pierdolonemu Szerszeniowi", jak go w duchu nazywał. Przynajmniej nie aż tak źle. *Milady nie jest w ciąży, a nawet jeśli, to niekoniecznie ze mną. Przecież Królik Buggs też ją bzykał do upadu* — przypomniał sobie odgłosy nie raz i nie dwa dobiegające z małżeńskiej sypialni Grazianich. *Swoją drogą ciekawe, skąd Marysieńka wiedziała o pierścieniu pani Chamsky?* — zastanawiał się. I czekał.

* * *

Milady zachowywała się inaczej niż zwykle. Zrobiła się jeszcze bardziej kapryśna i marudna. Zdradzała też oznaki szczególnego niepokoju. To nie było nic konkretnego. Nic rzucającego się w oczy. Lecz pewne gesty, spojrzenia i słowa dawały Bernardowi do myślenia. Wątpliwości rozwiał Graziani, zlecając mu zaprojektowanie wystroju sypialni dziecinnej.

— Spodziewacie się dziecka? — spytał na wszelki wypadek.

— Jeszcze za wcześnie o tym mówić... ale, ale... wszystko na to wskazuje. — Graziani zatarł ręce. — Najwyraźniej to mieszkanie jest dla nas szczęśliwe.

— Pewnie tak — odparł Bernard obojętnie. — Są takie miejsca, w których pewne rzeczy wychodzą lepiej niż gdzie indziej. — Pomyślał, że jeśli ta część przepowiedni się spełniła, to prawdą okaże się również śmierć jego byłego kolegi zwanego Szerszeniem. Zaraz zrobiło mu się markotno.

— Od kiedy możesz wziąć się za robotę?

— Od zaraz. Właśnie skończyłem portret waszego prawnika. Jestem wolny. Usunę graty i pojadę po „szitraki". Trzeba je wymienić, by wyrównać ściany. Potem zacznę malować.

— Masz już jakiś plan?

— Będę miał, zanim sprzątnę. Możliwe, że trochę poimprowizuję...

— Nie improwizuj. Zrób projekt. Ocenimy, czy jest dobry i dopiero wtedy maluj.

— Nie masz do mnie zaufania? Spójrz na swój salon.

— Wiem, wiemy oboje, że jesteś profesjonalistą. Ale pokój tego dziecka musi być lepszy niż wszystko, co zrobiłeś do tej pory.

— Rozumiem, panie Graziani. To będzie najważniejsze dziecko na świecie.

— Dobrze mnie zrozumiałeś.

* * *

Projekt przypadł do gustu obojgu małżonkom. Tylko z początku Milady trochę wybrzydzała dla zasady.

Spokojne błękitne płaszczyzny urozmaicone kolorowymi rybkami na jednej i kilkoma równie kolorowymi ptaszkami na drugiej z dłuższych ścian, nie mogły się nie podobać. Sufit, jasnobłękitny przy oknie, ciemniał nieco nad miejscem, gdzie miało stanąć łóżeczko maleństwa. Tam Bernard naniósł kilka gwiazdek układających się w znak zodiaku.

— Co to jest? — zainteresowała się Milady, przyglądając się z bliska złotym punkcikom zaznaczonym na projekcie.

— Skorpion.

— Dlaczego akurat Skorpion?

— Dziecko urodzi się w listopadzie. W drugiej połowie.

— Czyżby to mój gadatliwy małżonek raczył cię poinformować tak dokładnie? Wydawało mi się zawsze, że to są sprawy osobiste. Intymne — zauważyła obłudnie.

— Nikt mnie nie informował.

— Skąd więc akurat ty możesz to wiedzieć? — przybrała wyniosły ton.

— Akurat ja najlepiej wiem, skąd wiem. — Popatrzył jej w oczy wyzywająco. Nie wytrzymała. Opuściła wzrok i wyszła z pokoju.

Od tamtej pory unikała go, jak mogła, a gdy wbrew woli znajdowała się w jego towarzystwie, bo już zupełnie nie dało się inaczej, ostentacyjnie okazywała mu niechęć i lekceważenie graniczące z pogardą. Postępowanie takie Bernard ocenił jako paskudne i nędzne. Nie czuł się dotknięty, ale bywał wkurzony. Próbom poniżania przeciwstawił stoicki spokój i chłodną uprzejmość, czym doprowadzał kobietę do z trudem maskowanej wściekłości.

Graziani nie dostrzegał toczącej się tuż pod jego nosem bitwy. Był szczęśliwy. Gdy zaś badania wykazały, że dziecko będzie chłopcem, jego stan emocjonalny zaczął przypominać niezbyt głębokie, za to permanentne, upojenie lekkim białym winem.

Spełniał wszystkie, nawet najbardziej niedorzeczne, kaprysy kompletnie rozbisurmanionej kobiety i najwyraźniej sprawiało mu to kolosalną frajdę.

Bernard pracował powoli, systematycznie, choć czasami musiał mocno zaciskać zęby, żeby nie wybuchnąć. Zastanawiał się, czym sobie zasłużył na takie traktowanie, lecz nie potrafił wymyślić nic mądrego. *Przecież sama chciała. Sama podkładała się pod rżnięcie. Roz-*

kładała nogi przy każdej okazji. Od początku leciała na mnie. O co, do kurwy nędzy, ma teraz pretensje?

Milady nigdy nie była dla niego tak niedobra jak ostatnio. Nawet kiedyś, przed kilkoma miesiącami, gdy prowokowała go bezustannie, uważając, że jej arogancja spłynie po głupim, prostackim mięśniaku jak woda po kaczce. Wtedy potrafił przekonać ją, jak bardzo się myliła. Dziś nie mógł sobie na to pozwolić. To znaczy w zasadzie mógł i wiedział, jak wyrównać jej pod sufitem. Powstrzymywał go trochę jej stan, a trochę przestrogi i rady Maríi.

Pokój dziecinny był pomalowany. Wyglądał bardzo ładnie. Bernard wpadł na pomysł zamontowania dodatkowego dyskretnego oświetlenia poprowadzonego za szerokimi listwami przy samej podłodze. Zasugerował Grazianim takie rozwiązanie i uzyskał ich akceptację.

— Chodzi mi o to, żeby nie razić dziecka i nie narażać go na stres. Proszę wyobrazić sobie, że w nocy wchodzi pani do jego pokoiku i nagle zapala jaskrawe światło. Malutkie dziecko boi się nagłych zmian. Po co je przerażać? Taka łagodna, płynąca z dołu poświata nie powinna być z jego łóżeczka dostrzegalna.

Graziani nawet nie pytał o koszty. Zgodził się od razu. Milady nie oponowała. Bernard montował więc kable, prowadząc je i zabezpieczając tak, by nie były dostępne dla wszędobylskich łapek raczkującego niemowlęcia. Była to mało efektowna dłubanina, gdyż jej skutki pozostawały niewidoczne.

Czuł zmęczenie i głód. Marzył o tym, by wstać z kolan, rozprostować przygięty grzbiet, a jeszcze lepiej odłożyć robotę do jutra. Jednak nie lubił zostawiać rozgrzebanej pracy tuż przed jej zakończeniem. Jeszcze kilka, kilkanaście minut, najwyżej pół godziny i będzie wolny. Jeszcze trochę i poskłada narzędzia, umyje ręce, wsiądzie w subway, a po godzinie będzie w domu, gdzie czeka na niego Rosalynn i zimne piwo.

Właśnie wtedy do pokoiku wpadła Milady. Zaatakowała z marszu. Trudno się było zorientować, o co jej chodzi, ale ton nie pozostawiał złudzeń. To nie były ani pochwały, ani gratulacje. Ona wrzeszczała mu nad głową, on pracował nisko na podłodze i udawał, że nie zwraca na nią uwagi. Tuż przed oczami miał jej tupiące stopy. Te stopy przywodziły na myśl małą dziewczynkę domagającą się cukierków i były bardzo śmieszne w swej bezradnej złości. Zaśmiał się więc głośno. Kopnęła go w udo. Zaśmiał się znów. Za to Milady chwyciła się za duży palec u nogi. Była bosa, a Bernard zdążył mocno napiąć mięśnie.

— Spróbuj jeszcze raz — powiedział flegmatycznie, a gdy spróbowała, schwycił ją za nogę w kostce, przytrzymał jak przyklejoną do podłogi.

— Co dalej? — spytał.

Usiłowała go kopać drugą nogą, ale i tę unieruchomił mocnym chwytem.

— Puszczaj, puszczaj — syczała i piszczała na przemian. Na próżno. Ani myślał puścić. Wytrzymał jeszcze trochę.

— Puszczę, pod warunkiem, że już nie będziesz mnie kopać — zaproponował. Nie było mu wygodnie w tej pozycji.

— Okay — obiecała i kopnęła go, jak tylko okazało się to wykonalne.

Stracił cierpliwość. Wstał, wytarł dłonie o portki. Milady przypominała mu Dorotę z najgorszego okresu ich małżeńskiej gehenny. To było wyjątkowo niedobre skojarzenie. Miał cholerną ochotę na odlew, po chłopsku strzelić ją w pysk. Nie zrobił tego.

— Jeżeli chcesz, żebym cię solidnie wypierdolił, to możesz mi to powiedzieć wprost, kwiateczku. Nie musisz używać tak specyficznych środków wyrazu — warknął drwiąco.

— Co, co? Ty do mnie tak, głupku. Jak śmiesz? — zawyła i próbowała go uderzyć.

Bez trudu uniknął ciosu. Milady uderzyła tylko powietrze. Pragnienie mocnego odciśnięcia pięciu palców na jej policzku stało się trudne do powstrzymania. Nagle przed oczami stanęła mu María. „Pewne zdarzenia powodują inne zdarzenia" — zabrzmiało mu w uszach. „Weź, co ci się należy". „Będziesz musiał uruchomić tę część swej natury, która niekoniecznie jest dobra".

Uspokoił się momentalnie. Ta rozwścieczona nie wiadomo czym kobieta nie istniała. Istniał natomiast cel, do którego mogła się okazać przydatna jej wściekłość, jej arogancja, głupota, zakłamanie.

— Powinnaś mi dziękować, zamiast mnie obrażać — stwierdził chłodno. Nie czekał, aż Milady odzyska mowę. Wyszedł do salonu. Pobiegła za nim, miotając obelgi, które już go nie obchodziły. Podniósł słuchawkę telefonu.

Zamilkła i obserwowała go nieufnie.

— Co robisz? — spytała całkiem spokojnie, gdy wykręcał numer.

— Za chwilę stracisz wszystko — wyjaśnił uprzejmie.

— To ty stracisz wszystko. — Jeszcze nie do końca rozumiała, co zamierza zrobić, lecz jego pewność wydała jej się podejrzana.

— Ja nie mam nic do stracenia — tym razem zaśmiał się prawie wesoło.

— Zostaw. — Przycisnęła widełki. Odłożył słuchawkę.

— Więc?

— Co chciałeś zrobić?

— Zamierzałem zatelefonować do twego męża i opowiedzieć mu pewną historię. To nie byłaby miła niespodzianka — odpowiedział wprost.

— Oskarżyłabym cię o gwałt.

— A co by ci to dało?

— Wsadziliby cię do paki.

— Może tak, może nie. Takie oskarżenie po kilku miesiącach od chwili, ha, ha, ha, gwałtu, byłoby mało przekonujące, nie sądzisz? Zresztą potrafiłbym je obalić.

— Niby jak?

— To nie byłoby trudne dla kogoś, kto tak dobrze jak ja poznał rozmaite detale twej anatomii. Nie poznałbym ich, gdybym cię pospiesznie zgwałcił. A ja przestudiowałem je sobie dokładnie. I zapamiętałem. Nikt nie uwierzyłby w gwałt, za to również nikt nie miałby wątpliwości, że uprawialiśmy seks niejeden raz, na wiele sposobów, uporczywie, konsekwentnie i nie bez wprawy. To byłaby bardzo ciekawa opowieść. Nie tylko dla Grazianiego. That's it. Dlatego więc ponawiam swoje pytanie:

co by ci dało oskarżenie mnie? Co byś na tym zyskała? Bo Graziani rozwiódłby się z tobą na pewno. To dziecko jest dla niego ważne, bo uważa je za swoje. Ty jesteś dla niego ważna TYLKO dlatego, że jesteś matką JEGO dziecka. Gdyby się okazało, że jest inaczej... Cóż...

Na twarzy kobiety pojawił się wyraz zastanowienia. Bernard z satysfakcją zauważył, że osiągnął swój cel. Głupie uwolnione spod kontroli emocje można było zastąpić racjonalnymi argumentami. *María była genialna* — pomyślał. — *Powodujemy jedno zdarzenie, a ono powoduje inne. Doigrałaś się, siostro. Spowodowałaś niewłaściwe zdarzenie.*

— Czy jesteś w stanie normalnie rozmawiać? — spytał.

Kiwnęła głową.

* * *

Milady rozpłakała się już po pierwszych kilku słowach. Potem mówiła i płakała jednocześnie. Płacząc, uspokajała się. Napięcie opadało. Bernard cierpliwie słuchał bełkotliwych wywodów, dumając nad pokrętną i niestabilną naturą kobiety. Gdy skończyła, podał jej chusteczkę. Jeszcze długo ocierała oczy i nos, smarkała i pochlipywała.

— Nie mogę być jednocześnie Grazianim i sobą. A zdaje się, że o to ci chodzi — powiedział.

— Ja wcale nie, wcale nie to. Nie dlatego...

— Dlatego. Właśnie dlatego. Tylko dlatego. Nie masz co się okłamywać, nie masz co okłamywać mnie. Sprawa jest jasna. Wolałabyś, abym to ja był na miejscu twego męża, zachowując jego pozycję, prestiż, pieniążki. Graziani nie ma przy mnie szans pod żadnym względem. Przynajmniej jako mężczyzna. Sama wiesz to najlepiej. Ale jest bardzo wygodny. Daje dobrobyt, stabilizację. Poza tym znów cię kocha.

— A ty?

— Co ja? — żachnął się. Dobrze wiedział, o co jej chodzi.

— A ty mnie kochasz? Czy choć przez chwilę...?

— Kpisz sobie ze mnie? — przerwał szorstko. — Chwilami niemal nienawidziłem cię, szczególnie na początku. Wystawiałaś mnie na ciężką próbę. Ale potem miałem dla ciebie dużo czułości — uznał, że nie powinien być zbyt okrutny. — Istniał między nami pewien związek emocjonalny. Niestety, zepsułaś wszystko. A mogliśmy zachować piękne wspomnienia.

Milady rozpłakała się znowu. Tym razem atak był mniej gwałtowny i krótszy niż poprzednio. Najwyraźniej brakowało jej amunicji.

— Co będzie teraz? — spytała.

— Nic. Niedługo wyjadę. Do Polski. Tam czeka na mnie moja żona i syn. Miało mnie nie być dwa – trzy miesiące. Nie ma od roku.

— Tu też zostawisz swoje dziecko...

— Emocjonalnie to nie jest moje dziecko. Spełniłem określoną rolę. Powiedzmy, że była to rola inseminatora, ogiera, dawcy, nazwij ją, jak chcesz. Ty wybrałaś mnie do tej roli. Nie możesz mieć o to do nikogo pretensji. A już najmniej do mnie. Z zadania wywiązałem się dobrze. Masz mi coś do zarzucenia? Zwabiłaś mnie, sprowokowałaś. Opierałem się długo. Wykorzystywałaś mnie, a gdy spełniłem swoje zadanie, pomiatasz mną, obrażasz mnie, usiłujesz poniżać. Murzyn zrobił swoje, Murzyn może odejść. Wszystko jasne...

— Ja nie tak. Źle mnie rozumiesz. Ja chciałabym cię zatrzymać, ale...

— Ale mściłaś się na mnie za to, że nie ma takiej możliwości. I że jestem niezależny, prawda? Chciałabyś i zjeść ciastko, i mieć ciastko. To nie jest możliwe, bo nigdy nie można mieć wszystkiego naraz. Zawsze jest „albo – albo" i zawsze jest „coś za coś".

— Czujesz się wykorzystany?

— W każdym razie oddałem wam przysługę.

— Wam?

— A jakże. Gdyby nie ja, wasze małżeństwo rozpadłoby się. Graziani znalazłby sobie inną kobietę. W głębi swej włoskiej natury w ogóle nie uważa małżeństwa bezdzietnego za małżeństwo.

— Ależ to on nie może mieć dzieci, nie ja. Jak zresztą widać.

— Tak. Ale miałby nadzieję, że z inną kobietą okaże się to możliwe. Zresztą kto wie, czy nie miałby racji. Znam przypadek, że wieloletnie małżeństwo rozpadło się z tej samej przyczyny. Potem każde z małżonków osobno zafundowało sobie bobasa z kimś innym. Dlatego, gdyby nie to dziecko, on rzuciłby cię raczej prędzej niż później. Straciłabyś wygodne gniazdko, wysoką pozycję i możliwości, które dziś dają ci jego naprawdę spore pieniążki.

— Musiałby mi płacić alimenty.

— Gdyby nie było dziecka, tylko przez pierwsze dwa lata po rozwodzie płaciłby ci, bo takie jest prawo faworyzujące kobietę w tym waszym przedziwnym kraju. Potem źródełko by wyschło. Natomiast gdyby wyszło na jaw, że to nie jest jego dziecko, nie musiałby ci płacić wcale, bo niby z jakiej racji? I co? Poszłabyś do jakiejś pracy? Potrafisz robić coś sensownego?

— Ty byś musiał płacić.

— Aha, już płacę. Szukaj wiatru w polu. Niedługo wracam do siebie i nikt mnie nie znajdzie. Powiedzmy jednak, że zostałbym w Stanach i że zaskarżyłabyś mnie o alimenty. Jak to sobie wyobrażasz? Przecież inicjatywa leżała wyłącznie po twojej stronie, a ja potrafiłbym to udowodnić. Nie wiem nawet, czy to nie powinienem oskarżyć cię o molestowanie i w efekcie o wykorzystywanie seksualne. Jeśliby do tego dołożyć obrazę mych uczuć religijnych, to wcale nie jestem pewien, kto komu by płacił. Ale załóżmy, że kazaliby mi płacić alimenty. W porządku. Tylko że to nie byłyby duże pieniądze. Nie łudź się. Przywykłaś do luksusu. Do tego, że stać cię na wszystko. W sumie skórka za wyprawkę i siekierka za kijek.

— Co takiego?

— Straciłabyś rzecz cenną, nie zyskując nic w zamian.

— Znalazłabym sobie coś lub kogoś. — Dumnie uniosła głowę. Wyglądała okropnie. Miała maleńkie zapuchnięte oczka i wielki czerwony nos.

— Albo tak, albo nie. Jednak z pewnością nie byłby to ktoś kalibru Grazianiego. Większość bogatych mężczyzn po trzydziestce jest już pozajmowana. Byłoby ci trudno upolować frajera, który ochoczo spełniałby twoje raczej wygórowane wymagania.

— Kogoś bym znalazła.

— To jest akademicka dyskusja. Droga donikąd. Tymczasem masz i Grazianiego przywiązanego do ciebie bardziej niż kiedykolwiek dotychczas i dziecko, na punkcie którego on już dostał kompletnego fioła. A wszystko to razem dzięki pospolitemu robolowi z Polski.

— Nie jesteś pospolitym robolem. Z prostym robolem ja bym nigdy nie...

— Hipokrytka — przerwał jej oschle. — Oddałem wam poważną przysługę — powtórzył. — W zamian otrzymałem tylko wzgardę i poniżenia. Żądam rekompensaty.

— Mówisz poważnie? — Wpatrywała się w niego szeroko otwartymi oczami.

— Najpoważniej. Nigdy nie mówiłem bardziej poważnie.

— Jakiej rekompensaty? Czyżbyś chciał... — Uśmiechnęła się kokieteryjnie i wykonała niesprecyzowany i niedokończony, ale wszystko mówiący gest.

— Nie tym razem.

— Czego więc żądasz?

— Dziesięciu tysięcy dolarów.

— Co? Za to, że byłam twoją kochanką, prostaku, żądasz jeszcze fury szmalu?

— Nie byłaś moją kochanką. To ja byłem twoim kochankiem, wykonawcą, narzędziem, powiedzmy zakraplaczem. Nie żądam rekompensaty za to, lecz za straty moralne, które poniosłem.

— Jakie straty?

— MO-RAL-NE — przesylabizował dobitnie i wyraźnie. — Czy wiesz, co znaczy słowo „moralne"?

— A jeśli nie?

— Jeśli nie, to w ciągu pięciu minut Graziani dowie się o wszystkim.

— Mówisz serio?

— Zawsze mówię serio. Jeśli w ciągu pięciu minut nie otrzymam tego, czego żądam, dzwonię do niego.

— A jeśli się zgodzę?

— To po zakończeniu roboty znikam z waszego życia.

Milady zagryzła wargi i opuściła głowę. Coś do niej docierało. To coś było zupełnie bezlitosne i nazywało się „kompletny brak wyboru”.

— Dziesięć tysięcy? — upewniła się.

— Chyba nie uważasz, że to jest zbyt wiele za święty spokój, stabilizację i szeroko pojęte szczęście rodzinne.

— W porządku — powiedziała wreszcie. — Zaraz wypiszę czek.

* * *

Bernard zrealizował czek. Pieniądze natychmiast przekazał na konto do Polski. Tak jak prawie wszystko, co zarobił do tej pory. Żył skromnie. Nawet więcej niż skromnie, a zarobił dużo i wciąż zarabiał nieźle. Ostatnio bardzo dobrze. Nigdy nie spodziewał się, że w tak krótkim czasie zdobędzie taką forsę. Pomógł mu przypadek. Albo nie przypadek.

Witek miał rację — myślał niejeden raz. — *Nawet jeśli pieniądze nie leżą tu na ulicy, to jest ich znacznie więcej niż w Polsce. Tylko trzeba wiedzieć jak, gdzie i u kogo je zbierać.*

Wspomnienie Witka sprawiło, że po raz nie wiadomo który zastanowił się nad słowami Maríi. Nie wiedział, co robić. Wreszcie zwierzył się Rosalynn. Nie powiedział jej wszystkiego. Tylko tyle, by nie uznała go za wariata. Napomknął, że niepokoi się o przyjaciela, który gdzieś zniknął i nie daje znaku życia. Opowiedział o jego siedzibie w baraku i o kłopotach, w które Szerszeń się wpakował.

— Mam przeczucie, że on się tam ukrywa. Może jest chory? Może potrzebuje pomocy?

— Taki dziwny facet jak ty, musi mieć dziwnych kumpli — zauważyła. — Trzeba by się tam kiedy ruszyć. Może jutro? Albo nie, nie jutro. Jedźmy dziś.

— Chcesz jechać ze mną? Po co?

— Pamiętasz, jak wybraliśmy się do mieszkania tej starej? Też nam wyszło na dobre, że byliśmy we dwójkę.

— Fakt. Fajnie wszystko wymyśliłaś. Sam bym na to nie wpadł.

— A pewnie. Dlatego teraz też pojadę z tobą. Wolę cię mieć na oku, jakby co...

— Niby co, jakby co?

— Wszystko jedno. — Wyjęła z nocnej szafki mały rewolwer, zakręciła nim na wskazującym palcu niczym rewolwerowiec ze starego westernu.

— Ładna rzecz. Nie wiedziałem...

— Tradycja rodzinna. W domu zawsze było sporo broni. Co sobota urządzaliśmy z ojcem, braćmi i sąsiadami zawody w strzelaniu do celu, do rzutków. Albo polowania na króliki. Zawsze byłam w tym lepsza od wielu innych. Mama mówiła, że to po pradziadku. — Obró-

ciła bębenek i wcisnęła do komór cztery krępe beczuł-
kowate cylinderki. — Zostały mi tylko cztery naboje —
odpowiedziała na jego pytające spojrzenie.

— Po co bierzesz broń? Tam nie trzeba będzie do
nikogo strzelać.

— Nigdy nic nie wiadomo. Ta sprawa śmierdzi. Lepiej być przygotowanym na wszystko. No i jedźmy, jak
mamy jechać. Dobrze by było mieć to już za sobą.

* * *

Sprawa śmierdziała znacznie bardziej niż Rosalynn mogła sobie wyobrazić. Przekonali się o tym, jak tylko pod-
jechali pod barak. Za budynkiem stała wiśniowa półciężarówka Witka. Woń spalenizny wciąż unosząca się nad
uprzątniętym już pogorzeliskiem po domu Maríi mie-
szała się z innym trudnym do zniesienia zapachem. Ten
zapach nie był zbyt silny, ale budził jednoznaczne skojarzenia. Spojrzeli po sobie i pomyśleli o tym samym.

Drzwi główne były zamknięte od zewnątrz na solidną kłódkę, skutecznie zniechęcającą do jej sforsowa-
nia siłą. Natomiast małe, umieszczone na tyłach baraku,
zagłębione w ziemi drzwiczki do „basementu"[1], zostały
zamknięte od wewnątrz tylko na słaby haczyk. Bernard
podważył go, wsadzając w szczelinę ostrze noża.

Otworzyli. Buchnęło smrodem. Z wnętrza piwnicy
zaczęły z wielkim bzyczeniem wylatywać muchy.

— Kiedy widziałeś go ostatni raz? — spytała Rosalynn.

---

[1] basement (ang.) — piwnica

— Z miesiąc temu. Może trochę więcej.

— Wszystko jasne — mruknęła. — Wzywam policję.

— Nie. Zaczekaj. Muszę odebrać swoją własność.

— Co?

— Być może w środku są moje obrazy, za które Witek mi nie zapłacił.

— Chcesz tam wejść?

— Tak.

— Weź maskę.

— A ty?

— Tam na pewno nie ma nic mojego — odparła.

W bagażniku znalazł starą maseczkę przeciwpyłową i założył ją. Pomogło bardzo niewiele, ale jednak.

Wszedł. Kierując się trochę natężeniem fetoru, a trochę instynktem, posuwał się naprzód. Piwnica była pusta. Pomieszczenie, w którym mieszkał tuż po przyjeździe do Stanów, również. Tylko much było tu znacznie więcej niż w piwnicy. Pod ścianą stało opartych o ścianę pięć obrazów. Trzy dalsze znalazł w skrzyni. Tej samej, w której przyleciały z Polski. Na stole leżała otwarta saszetka. Bernard zerknął do środka, nie dotykając jej. Zauważył notes, klucze, dokumenty i trochę banknotów.

Po drzwiach prowadzących do pomieszczenia prysznicowców łaziło mnóstwo spasionych i tłustych złotozielonych much. Łokciem nacisnął klamkę. Ustąpiły tylko odrobinę. Były zabarykadowane od środka. Nie miał ochoty ani potrzeby mocować się z nimi. Z wnętrza dobiegało silne ciągłe brzęczenie, jakby pracował tam duży transformator. Bił trudny do opisania smród, muchy przeciskały się przez szparę i wylatywały całymi chmarami. Już nie musiał się niczego domyślać. Wiedział wszystko, co chciał wiedzieć. Nie było co się łudzić. María nie myliła się i tym razem.

Wziął cztery obrazy i z trudem, zawadzając stale o ściany, przeciskał się stromymi, wąskimi schodami do piwnicy. Zanim wyniósł zdobycz na powietrze, myślał, że się udusi.

— Zanieś je do auta — rozkazał.

Rosalynn bez pytania wykonała polecenie.

Nabrał tyle powietrza, ile tylko mógł i wrócił po resztę. Nie była to dobra metoda, gdyż zaraz musiał je wypuścić i odetchnąć tym głębiej. Lepiej było oddychać płyciej, a częściej. Zabrał pozostałe obrazy i szybciej niż poprzednio pokonał znaną drogę. Rosalynn już czekała.

— Zostało coś jeszcze? — spytała.

Nie miał siły odpowiedzieć. Dyszał jak po ogromnym wysiłku. Oczyszczał płuca. Dochodził do siebie.

— On tam jest — odpowiedział wreszcie.

— Widziałeś go?

— Nie. Zamknął się w łazience. Nie wchodziłem...

— Zabierajmy stąd dupę...

— Tak zabierajmy. Zaraz, zaraz. Jeszcze moment. —
Zawrócił i pokonując obrzydzenie, po raz trzeci zanurzył się w trupi zaduch. Tym razem uwinął się naprawdę błyskawicznie. Wystarczyły dwa oddechy w jedną stronę i trzy w drodze powrotnej. Pędem wybiegł z baraku i padł na rachityczną trawę, walcząc z podchodzącym do gardła żołądkiem. W ręku trzymał saszetkę Witka.

* * *

— Nie chodziło mi o tych parę dolców. Nie mogłem jej tam zostawić, bo były na niej moje odciski palców — tłumaczył niezadowolonej Rosalynn. — Otworzyłem ją, co było błędem, przyznaję — skłamał. — Ale działałem w stresie. Wtedy myśli się inaczej.

— Albo się nie myśli.

— Okay. Pewnie masz rację. Ale tego już nie zmienię. Prędzej czy później zjawi się tu policja. Nie chciałem, by skojarzyła mnie ze sprawą.

— I tak nigdy by cię nie namierzyli.

— Nie wiem. Teraz są rozmaite metody. A moje odciski byłyby tym, co nie jest mi potrzebne do szczęścia.

— Domyślą się, że ktoś tam był. Lepiej było zostawić to gówno. — Jakoś nie docierały do niej sensowne w końcu argumenty.

— Ale teraz nie będą wiedzieć kto.

— Na cholerę ci to było? — złościła się, prowadząc nieuważnie.

Nie odpowiedział. Liczył, że dziewczyna się zniechęci i da mu spokój. Jednak wcale się na to nie zanosiło. Rosalynn była uparta.

— Ogłuchłeś? — wrzasnęła mu w ucho.

134

— Nie — odparł. — Nie ogłuchłem. Ale nie chce mi się gadać. I zwolnij trochę. Jeszcze tylko tego brakuje, żeby nas namierzyli.

— Jadę jak trzeba — zaklęła brzydko, ale trochę cofnęła nogę z gazu. Przestała go też zadręczać i przez jakiś czas jechali w milczeniu.

Bernard rozmyślał nad impulsem, który kazał mu porwać ze stołu saszetkę. Nie chodziło mu wcale o odciski palców. Nie dotykał jej przecież. Niczego nie dotykał dłońmi. Nawet klamkę naciskał łokciem. Nie chodziło mu też o pieniądze.

— Jeśli wróciłem po nią, to musi istnieć ku temu jakaś przyczyna — rozumował. — Tylko, że jeszcze jej nie znam. Jeśli ona jednak jest, to pewnie ją poznam, bo gdybym nie miał poznać, to bym się nie pchał po raz trzeci w to śmierdzące szambo.

* * *

Olśnienie przyszło w nocy. Rosalynn wciąż była na niego zła i kazała mu się położyć na rozkładanej kanapce w kuchni. Nie było mu wygodnie, no i dręczyły go koszmary.

Nagle, pośrodku płytkiej drzemki, w którą zapadł nad ranem, usłyszał jedno, jedyne, wypowiedziane nie wiadomo przez kogo słowo. To słowo brzmiało: „klucz". Od razu domyślił się, o jaki klucz chodzi.

Rano jeszcze raz obejrzał obrazy. Na wszystkich widniała sygnatura Wernera pracowicie i z fantazją nabazgrana przez Witka. Z saszetki wyjął pęczek kluczy i uważnie je obejrzał. Dwa z nich powinny były pasować do drzwi starej hali fabrycznej zamienionej na pracownię przez sfiksowanego rzeźbiarza. Nie czekając ani chwili, pojechał tam. Bez problemu otworzył furtkę w murze, a potem żelazne wrota budynku. Wniósł obrazy do środka. Obficie obsypał je kurzem i pyłem z pokruszonego tynku. Potem zatelefonował do Grazianiego i poinformował go o ważnym odkryciu, którego właśnie dokonał. Tym razem nie musiał go przekonywać. „Ostatnie" dzieła Wernera zostały kupione na pniu.

— Nie mogę za nie żądać więcej, gdyż nie są w najlepszym stanie — wyjaśnił Bernard ich śmiesznie niską cenę. W dwie godziny później był posiadaczem czeku na jedenaście tysięcy dolarów.

* * *

Przejęcie prawa własności do polskiej pracowni Witka trwało trochę dłużej i wiązało się z paroma niezupełnie legalnymi posunięciami. Przede wszystkim należało znaleźć złaknionego gotówki rodaka, który za jedyne sto dolców podjąłby się roli figuranta. To nie było trudne. Gorzej poszło z przekonaniem go, by na jakiś czas zapomniał o goleniu. Ale kolejna stówa załatwiła i tę sprawę. Reszty miał dokonać czas.

Po upływie dwóch tygodni Bernard przystrzygł i wymodelował niesforny świeży zarost delikwenta, nadając mu kształt słabej bródki. Na drobne zmiany, korekty i retusze w paszporcie poświęcił całe popołudnie intensywnej pracy. Gdy skończył, miał odciski na oczach. Lecz efekt przeszedł oczekiwania. Bezrobotny pijaczek z Greenpointu niczym nie różnił się od Witka z paszportowej fotografii. Do kompletu wystarczyło tylko dodać małe okularki, „lennonówki" w drucianej oprawie. Kosztowały trzy dolary.

Notariusz okazał się zażywnym polskim księdzem koło sześćdziesiątki. Nazywał się Emil Bajor i nie robił problemów. Paszporty obu interesantów były przecież w porządku. Wypisał dokument, przybił na nim pieczątkę, całość opatrzył pięknym, podobnym do słoneczka złotym emblematem z tłoczonym napisem „No-

tary Public, State of New York"[2], zainkasował należność
i powiedział „z Bogiem".

* * *

Długo odwlekał termin wyjazdu. Miał parę rzeczy do
zrobienia, jednak nie one były przyczyną wahania, lecz
myśl o tym, że pewnie już nigdy więcej tu nie wróci.
Że moment wejścia na pokład samolotu odlatującego
do Polski będzie ostatecznym zakończeniem pewnego
rozdziału w jego życiu. Rozdziału w sumie dobrego nie
tylko ze względu na całkowicie materialne i dokładnie
obliczalne korzyści, które mu przyniósł. Właśnie owa
nieodwracalność powstrzymywała go jeszcze i jeszcze,
choć na dobrą sprawę nie trzymało go już nic. Chciało
mu się wracać, ale nie chciał wracać.

Namalował dwa kolejne portrety dwóm kolejnym
przyjaciołom Grazianich i zainkasował za nie prawie
sześć tysięcy dolców.

Ukończył nieco cukierkowaty portret Rosalynn
i pięknie go oprawił.

— Zrobiłeś ze mnie Miss Universum. Nie jestem za
bardzo podobna do siebie — zauważyła skromnie.

— Tak cię widzę.

— Pewnie masz jakieś kłopoty z oczami — burknęła, nieskutecznie starając się ukryć zadowolenie. Zaraz też powiesiła obraz na honorowym miejscu nad telewizorem.

---

[2] Notary Public, State of New York — Notariusz, Stan Nowy
Jork

W końcu jednak podjął decyzję i niechętnie, z ociąganiem poinformował o niej dziewczynę.

— Up to you[3] — odparła z pozoru obojętnie, lecz mówiąc to, odwróciła głowę, by ukryć twarz.

Już jakiś czas temu zauważył u niej skrzętnie ukrywane objawy przywiązania. Rosalynn chwilami zapominała, że należy się wstydzić ciepłych słów i gestów. Stała się milsza, niekiedy prawie czuła. Wykonał więc słabiutką próbę usprawiedliwienia się przed nią, głównie dla uspokojenia własnego sumienia.

— Przecież umawialiśmy się na samym początku. Sama powiedziałaś, że nie lubisz długotrwałych nudnych znajomości.

— Z tobą się nie nudziłam. Ale w porządku. Musisz wracać, to wracaj. Mężczyźni przychodzą i odchodzą. Po nich przychodzą następni.

Bernard zastanawiał się jeszcze, czy na osłodę nie powinien wyrecytować jakiegoś banału w rodzaju: „Będziesz najpiękniejszą różą w ogrodzie mych wspomnień" lub czegoś podobnego, lecz Rosalynn była zbyt konkretna, by ruszały ją teksty tego rodzaju, więc dał spokój.

O tym, że „po nich przychodzą następni" miał się przekonać bardzo niedługo, gdy Rosalynn przyprowadziła wysokiego, szczupłego faceta i przedstawiła go jako swego nowego przyjaciela.

— You know, Ben Roth — powiedziała, gdy „nowy" wyszedł po krótkiej, niezobowiązującej pogawędce okraszonej dwiema szklaneczkami whisky — nie chciałam, żebyś pomyślał, żeś mnie totalnie zdołował. Musiałam

---

[3] up to you (ang.) — zależy od ciebie

sobie szybko znaleźć kogoś na twoje miejsce. Akurat jeden się nawinął. Jest dość miły. Myślę, że za parę dni ściągnę go do siebie na stałe.

— Klina klinem?

— Co?

Wytłumaczył jej sens praktycznego powiedzonka, jak potrafił najlepiej. Dziewczyna zrozumiała je po swojemu, zupełnie dosłownie i nazwała go wielkim świntuchem. Zaraz spakował manatki, choć go nie poganiała, i po krótkim pożegnaniu wyemigrował do Stana. Stary stolarz przywitał go z otwartymi rękami i otwartą butelką.

* * *

Do odlotu pozostało zaledwie kilka dni. Bernard miał już w kieszeni bilet, a do roboty literalnie nic. Godzinami więc włóczył się bez celu. Żegnał się z miastem, które z początku przerażało go swym ogromem i rozmachem, a później zafascynowało i fascynowało nadal, coraz bardziej, w miarę jak poznawał je coraz lepiej. *Nie przypominasz wielkiego jabłka, tylko wielkiego smoka* — myślał o nim jak o żywej istocie. *— Jesteś zbyt dziwne, zbyt duże, zbyt fantastyczne. Można buntować się przeciwko tobie, nie zgadzać się z tobą i regułami, które narzucasz, nie akceptować twej dziwacznej natury i urody. Można z tobą walczyć tylko po to, by przegrać. Lepiej więc cię oswoić, zarazem oswajając się z tobą. Można cię znienawidzić i bać się ciebie, ale dużo lepiej cię poznać i polubić.*

Wciąż miał przeświadczenie, że czegoś nie ukończył, że o czymś zapomniał.

To było bardzo denerwujące. Uwierało jak kamyk w bucie. Doskwierało jak pypeć na języku. Kupił Krzysiowi tor wyścigowy dla samochodzików i nieprzemakalną kurtkę. Większość zamówień zrealizował wcześniej i wysłał do Polski w dwóch wielkich pakach. Rozglądał się jeszcze za czymś oryginalnym dla Doroty. Wreszcie znalazł u ulicznego sprzedawcy bransoletę z kutego srebra. Ciężki, nieregularnie powyginany i topornie obrobiony kawał metalu inkrustowany onyksami. Bransoleta spodobała mu się do tego stopnia, że postanowił zachować ją dla siebie, gdyby żona nie doceniła jej barbarzyńskiego piękna. Na wszelki wypadek kupił więc bardziej konwencjonalny, za to sporo droższy naszyjnik w renomowanym sklepie.

Nawet nie zauważył, że łażąc tu i tam, przemieszczając się po znajomych i nieznajomych miejscach, układa sobie tekst inny od wszystkiego, co napisał do tej pory.

Wieczorem miał gotowy poemat o mieście szczurów i zapachu trawki w subwayu przed czwartą nad ranem, o mieście szarych wiewiórek w Central Parku, o mieście, które jest piękne i wstrętne zarazem, a które przez swą wielkość wydaje się bliskie upadku. W wierszu znalazło się miejsce dla pewnej zdziwaczałej staruszki starającej się żyć w samym sercu drapieżnej metropolii tak, jakby żyła przed stu laty w najmniejszej i najbardziej zadupiastej dziurze, gdzieś hen daleko, na samym krańcu świata.

Nazajutrz postanowił odszukać grób pani Chamsky. Dowiedział się, na którym cmentarzu ją pochowano i pojechał tam. Dość długo błądził po szerokich, schludnych, krzyżujących się pod kątem prostym alej-

kach. Amerykański cmentarz był czysty, zadbany i bez-
duszny. Tu nie było takich grobów, jakie znał z Polski.
Na płaskiej, trawiastej niby murawa boiska powierzchni stały rzędy kamiennych nieróżniących się od siebie
płyt. Bernard był jedynym pieszym. Amerykanie przy-
bywali w odwiedziny do swych zmarłych samochodami.
Wielkie auta dostojnie toczyły się po cmentarnych uliczkach. Zatrzymywały się przy białych kamiennych tabli-
cach wyrastających z równiutko przystrzyżonej zieleni.
Czasami wysiadali z nich ludzie. Ci ludzie stawali obok
swych wozów, a jak już się nastali i uznali, że wystarczy,
wsiadali z powrotem i odjeżdżali. Niektórzy wcale nie
ruszali się z samochodów.

Grób pani Chamsky znajdował się w miejscu, gdzie
niezamożnych zmarłych grzebano na koszt miasta.
Była to odległa i mało uczęszczana przez odwiedzają-
cych część nekropolii. Jednak podobnie jak wszędzie
i tu panował ład i porządek. Bernard trzykrotnie odmówił „Wieczne odpoczywanie", wpatrując się w gładką
betonową taflę, na której nie było ani krzyża, ani sym-
bolu żadnej innej religii. Nie było też nazwiska zmarłej.
Usiadł przy grobie i w pięć minut wymyślił zgrabne epi-
tafium. Zaraz zapisał je na kartce. Opuszczając cmentarz,
zostawił w administracji stosowną dyspozycję i dwa stu-
dolarowe banknoty.

Uczucie niespełnienia, niedokończenia czegoś minęło. Zrobił wszystko, co miał do zrobienia tu i teraz.
Mógł już spokojnie wracać do kraju.

CZĘŚĆ TRZECIA

Powrót

Rozdział pierwszy

N a lotnisku przywitała go Dorota. Krzyś był w szkole. Wsiedli w taksówkę i pojechali do domu. Po drodze próbowali rozmawiać. Chcieli sobie powiedzieć zbyt wiele naraz. Razem zaczynali mówić, razem milkli, zaczynali znów.

Bernard zauważał zmiany, które zaszły podczas jego nieobecności w kraju. Wyrosło sporo nowych domów, pojawiło się sporo nowych aut dobrych marek. Zrobiło się też czyściej.

Zajechali pod samą bramę, wtaszczyli na piętro walizy i gwałtownie przypadli do siebie. Dopóki nie znaleźli się sami, Bernard odczuwał coś w rodzaju tremy. Dorota również sprawiała wrażenie skrępowanej. Jednak gdy już na dobre zatrzasnęły się za nimi solidne grube drzwi mieszkania, niecierpliwie zdarli z siebie ubrania i rzucili się na tapczan. Nie miał wątpliwości, że żona pozostała mu wierna. Była bardzo spragniona miłości. Więcej: była straszliwie wyposzczona. Starał się więc jak nigdy, a starając się, kontemplował jej i własną wzajemną na siebie zachłanność. Ani Milady, ani Rosalynn nie dawały mu tego, co teraz dawała Dorota. Akurat pod tym względem zawsze do siebie pasowali. „Te rzeczy" zawsze wychodziły im dobrze. Dziś miały wyjść chyba lepiej niż za najlepszych czasów.

Akurat zaspokoili pierwszy iście wilczy głód, gdy ze szkoły przyszedł Krzyś i nie wiedział, czy ma się bardziej cieszyć z przyjazdu ojca, czy ze wspaniałego toru, na którym można było urządzać wyścigi jaskrawo pomalowanych samochodzików.

Przez całe popołudnie dziecinny pokój wypełniony był brzęczącym dźwiękiem ścigających się autek. Przez całe popołudnie dżojstiki były w robocie, a po całym mieszkaniu snuł się zapach rozgrzanych szybkim tarciem metalowych szyn: z toru wręcz dymiło. Ojciec i syn walczyli z zapałem i ze zmiennym szczęściem. Krzyś okazał się pojętnym uczniem. Raz po raz jego czerwony samochodzik wychodził na prowadzenie. Wieczorem zemocjonowany chłopiec długo nie mógł zasnąć. Bernard usiadł więc na brzegu łóżka i opowiadał mu o Ameryce. O strzelistych wieżowcach, ruchliwych ulicach i milionach samochodów. O jastrzębiach nad wielopasmową autostradą, o ogromnych przestrzeniach, dalekim horyzoncie, wysokim niebie, o pięknie nieskażonej i czystej przyrody. Nie opowiadał synowi tylko o nędzy. Bo nędza na dobrą sprawę wszędzie jest taka sama. Kiedy milkł na chwilkę, syn ponaglał go. A gdy wreszcie Krzyś zasnął, położyli się z żoną jak przystało statecznemu małżeństwu po długiej rozłące i kochali się, kochali, a potem zasnęli znużeni miłością i spali dobrze.

* * *

Pierwszy po powrocie wernisaż Bernarda został dobrze przyjęty przez krytykę i lepiej niż dobrze przez publiczność. Ekspozycja nowojorskich fotogramów przyciągała nie tylko tematyką, ale i sposobem jej przedstawienia. Prace ułożono bowiem tak, by jak najlepiej uwidocznić kontrasty wielkiego miasta. By dobrze było widać, że — w zależności od tego, jak i skąd na nie patrzeć — może ono być równie dobrze sercem, jak i kloaką całego świata. Sąsiadowały więc ze sobą zdjęcia najbogatszych i najbardziej nędznych fragmentów metropolii. Jej chłodne, wzniosłe piękno i odpychająca brzydota. Byli też ludzie. Ludzie najrozmaitsi. Wszystkich ras i kondycji. Ci ze szczytów, biznesmeni z okolic Wall Street. Ci ze środka, całe stada spoconych, dobrze odżywionych urzędasów w białych koszulach wylewające się z aluminiowo-szklanych biurowców porą lunchu. Byli tak zwani zwyczajni obywatele na zwyczajnych ulicach podczas załatwiania swoich zwykłych, codziennych spraw. Byli też odrażający i brudni „homelessi", wstrętne „bumy", kompletne dno ludzkie na ławkach, na skwerach, na śmietnikach, w ruinach, ruderach i podziemiach. Pomiędzy zdjęciami pojawiały się — wydrukowane na wielkich płachtach — fragmenty poematu. Nad całością górował, zawieszony w błękicie niby Oko Opatrzności, śmigłowiec miliardera Donalda Trumpa. To robiło wrażenie. To było to.

W wystawę Bernard wpakował sporo forsy, wcale nie licząc, że prędko mu się zwróci. Chciał przypomnieć o sobie, zwrócić na siebie uwagę prasy, ponownie i mocno zaistnieć na rynku sztuki. Dlatego nie żałował grosza na oprawę. Otwarcie wypadło efektownie. Pojawiło się kilku z kilkunastu zaproszonych luminarzy, dwóch krytyków i dwóch dziennikarzy z dwóch różnych czasopism o artystycznej proweniencji. Wpadł też ktoś z telewizji. Pod koniec, gdy przestały błyskać flesze, wywiady zostały udzielone, a zadowolony twórca rozdawał autografy grupce młodocianych fanek, podeszła do niego jeszcze jedna osoba. Osoba ta dotychczas skromnie trzymała się na uboczu. Bernard drgnął, gdy tuż obok siebie usłyszał charakterystyczny, trudny do zapomnienia głos.

— Dzień dobry. Czy ja również mogę prosić o autograf?

Uniósł wzrok znad kartki, którą akurat podsunęła mu postawna pannica o trochę kostropatym obliczu. Przed nim stała Krystyna. Patrzyła po swojemu, spokojnie, trochę smutno.

— Czy mogę prosić o autograf? — powtórzyła.

— Tak. Oczywiście — wystękał z trudem i wyszczerzył do niej zęby w grymasie, który miał imitować szczery uśmiech. Krystyna obserwowała go bez jednego mrugnięcia spod tych swoich rozłożystych rzęs.

— Proszę. — Podała mu notesik. Wziął go, starając się zapanować nad drżeniem rąk. Prawie mu się udało. Pod czaszką czuł pustkę tak doskonałą, jakby nigdy nie zagościła tam w ogóle żadna myśl. Skoncentrował się iście nadludzkim wysiłkiem i próbował coś napisać. Długopis wysunął mu się spomiędzy nieposłusznych palców.

— Sorry — bąknął, schylając się. Poczuł zawrót głowy i coś, czego nie potrafiłby nazwać, nawet jakby się bardzo mocno postarał. To coś było znacznie gorsze od uczucia, którego doznał, odbierając jej zdjęcia z brooklyńskiej trafiki. Bo teraz Krystyna była całkiem blisko. Owionął go zapach jej perfum, wydało mu się, że poczuł ciepło jej ciała.

— Pani nie jest tu mile widzianym gościem — usłyszał chłodny głos Doroty. Ratunek przyszedł w samą porę.

— Ależ ja... Każdy ma prawo...

— Czy mam panią wyprowadzić?

— No wie pani... Ależ...

— Tu nie ma żadnego „ależ".

Bernard z niedowierzaniem gapił się, jak jego własna żona ujmuje pod ramię słabo opierającą się Krystynę i prowadzi ją do wyjścia. Wróciła zaraz, otrzepując ręce.

— Jak ci się podobało? — Miała wyraz twarzy, jakiego nigdy jeszcze u niej nie widział. Trochę przypominała Rosalynn, była jednak od niej znacznie ładniejsza.

— Podobało się — odzyskał mowę. — Nawet nie wiesz, jak bardzo się podobało. — Objął ją mocno i ucałował z dubeltówki.

Drobny incydent nie uszedł uwagi bystrych oczu wścibskich dziennikarzy. Przy okazji Bernard miał się przekonać, że jego dawno miniony romans z Krystyną nigdy nie był li tylko jego własną, prywatną sprawą. Nazajutrz przeczytali w rubryce towarzysko-kulturalnej o małym skandaliku, który jakoby wydarzył się podczas prezentacji. Krótki, ale soczysty artykulik ilustrowany był kilkoma zdjęciami. Na ostatnim z nich rosła brunetka prowadziła pod rękę kruchą blondyneczkę o nieobecnym spojrzeniu dziecinnych oczu. Dziennikarz nazwał ją eufemistycznie „byłą muzą mistrza".

— W zasadzie mógłbyś go pozwać do sądu, ale nie wiem, czy warto. Głupi pismak sprezentował ci najlepszą reklamę, jaką można wymyślić — zauważyła Dorota. Potem śmiali się trochę z „byłej muzy", lecz nie był to śmiech całkiem szczery.

* * *

Pozyskanie pracowni po Witku sprawiło, że zamiana mieszkania na większe przestała być rzeczą pilną. Postanowili pozostać na starych śmieciach, w starym domu, gdzie wszyscy wszystkich znali. Okolica była spokojna. Krzyś miał blisko do szkoły. Nie było potrzeby zmieniania czegokolwiek. W Polsce formalności związane z przejęciem pracowni okazały się trudniejsze niż „za wodą". Bernard zupełnie skołowany pętał się po długich korytarzach wypełnionych tłumem pokornie czekających petentów. Odsyłano go z pokoju do pokoju, zbywano, spławiano, stosując sprawdzoną spychotechnikę. Wreszcie trafił gdzie trzeba. Pani urzędniczka, zasiadająca za zawalonym stertami makulatury biureczkiem, długo oglądała amerykański dokument, obracając go na wszystkie strony. Potem jeszcze pokazywała go dwóm koleżankom spoza dwóch podobnie zaśmieconych biureczek. Trzy jakże światłe niewiasty naradzały się przez dłuższą chwilę, strojąc arcymądre miny mające znamionować zarówno wynikającą z głębokiej wiedzy powagę, jak równie głęboki namysł, stosowny do głębi i wagi problemu.

Bernard cierpliwie słuchał ich gdakania.

— To musi potrwać — oznajmiła wreszcie pierwsza. — Odeślę pana wyżej.

Owo „wyżej" znajdowało się w tym samym korytarzu, trzy pokoiki dalej. W widnym, przestronnym gabinecie stało jedno nobliwe, rozłożyste biurko, lśniące orzechowym wypolerowanym fornirem. Przykucnęły na nim aż cztery telefony, nie było natomiast żadnych papierów. Za biurkiem siedział zażywny, lecz nie tłusty facet w okularach. Miał wygląd dobrodusznego, zadowolonego z siebie bardzo cwanego cwaniaka, który dobrze wie, jak kamuflować własne cwaniactwo.

Bernard znał zasadę pod tytułem: „jak się da, to się zrobi". Dlatego dał. Od razu położył na blacie ładną kopertę o słusznym wyglądzie. Urzędnik zignorował ten gest, jakby go wcale nie było. Przyjął dokument, rzucił nań okiem i powiedział: — Proszę dołączyć znaczki skarbowe za pięćdziesiąt cztery złote i kserokopię paszportu donatora.

Bernard był na to przygotowany. Wyciągnął z kieszeni kserokopię paszportu Witka i położył ją na kopercie. Po znaczki skoczył piętro niżej, do kiosku. Gdy wrócił przed jowialne panaurzędnicze oblicze, kopertki już nie było.

— Decyzję otrzyma pan za dwa tygodnie — usłyszał.

Wychodząc, wiedział, że będzie to decyzja pozytywna.

* * *

Rozumne przewidywania Doroty miały się sprawdzić już wkrótce. Zupełnie nagle i niespodziewanie na Bernarda spłynął deszcz propozycji. Na podobną do każdej z nich dawniej musiałby czekać miesiącami, nie mając żadnej pewności, że się doczeka. Albo zaciekle walczyć o nie z konkurencją. A teraz przychodziły do niego same, przecząc swą mnogością przysłowiu, że od przybytku głowa nie boli. Po długich rozterkach i wielkim namyśle wybrał dwie i podpisał dwa wyjątkowo korzystne kontrakty. Miał spokój na pół roku albo i na dłużej. Nie musiał nawet naruszać przywiezionego kapitału. Śliczne zielone pieniążki rosły sobie powolutku, lecz pewnie i nieustająco, ulokowane na wysoki procent w dobrym banku.

Życie toczyło się bez wstrząsów, bez zgrzytów. Gdy Bernard — coraz rzadziej — wspominał czas zły, lecz przeszły, wydawało mu się, że wtedy, dawniej, śnił pogrążony w jakimś koszmarnym śnie. Metamorfoza, której uległo wszystko, co go otaczało, cały jego mały prywatny światek, wydawała mu się nieprawdopodobna. Jeśli jednak nie była możliwa, to może i czas przeszły nie był aż tak zły, jakim go zapamiętał. Dziś omal nie chciało mu się wierzyć, że minione awantury były faktem. Ale on nie zmyślił ich sobie. Miał je na kasetach. Nie wszystkie, o nie. Tylko kilka z nich. Niepostrzeżenie nastawił dyktafon i ukrył go pod półką na buty w przedpokoju. Planował rozwód i chciał mieć przekonujące dowody dla sądu. Dowody, bez których nikt o zdrowych zmysłach nie uwierzyłby w gehennę, którą przeżywał codziennie od wielu już lat. Czyli były. Istniały nie tylko w jego bujnej i nadwrażliwej wyobraźni. Działy się kiedyś, jeszcze nie tak dawno, zarazem bardzo dawno temu.

To była inna epoka. Może i dobrze, że była, bo bez niej dziś nie doceniałbym tego, co jest teraz — filozofował. —

Tak musiało być — upewniał się w swym przekonaniu. — *Dostałem nieźle po dupie, ale było warto. Jestem szczęśliwy* — myślał. — *Osiągnąłem niejedno. Wiele osiągnę jeszcze. Tak można żyć. Tak jest po co żyć.* Ogarniał go optymizm, wiara we własne siły i w szczęśliwą gwiazdę. W dobry los, który się odmienił. Miał atrakcyjną żonę, udanego syna, pieniądze i perspektywy na przyszłość. Miał pracę, która sprawiała mu radość. Miał więc wszystko to, o czym kiedyś, zgorzkniały i sfrustrowany, przestał nawet marzyć. A przecież nie zmienił niczego. Jego żona była tą samą Dorotą, która ongiś, regularnie, z uporem godnym lepszej sprawy, ciosała mu kołki na łbie. Praca była tą samą pracą, którą wykonywał kiedyś, a która wówczas rzadko przynosiła spodziewane efekty. Najczęściej cienko przędli. Taka była prawda.

Widać „to samo" nie zawsze oznacza „tak samo" — rozmyślał. — *Wszystko to, co robiłem przedtem, robię i dziś ani lepiej, ani gorzej niż wtedy. Dlaczego więc jest tak jak jest?* — pytał sam siebie. — *Nie wiem* — odpowiadał. — *Po prostu nie wiem. A może ona rzeczywiście zrozumiała?* — Nadal przechowywał pamiętny list, którym żona zachęciła go do powrotu po niefortunnym epizodzie z Krystyną. — *Niefortunnym?* — zastanawiał się. — *Właściwie dlaczego niefortunnym? Jeżeli okazał się skutecznym lekarstwem na moją francowatą sytuację, to tak całkiem niefortunnym nie był. Nawet odwrotnie. Zupełnie odwrotnie. Taaak. To musiało nią potężnie potrząsnąć* — rozmyślał. — *To był punkt zwrotny.*

Jednak wciąż wydawało mu się, że w tej układance brakuje jakiegoś ważnego elementu. Przygoda, romans — nie wiedział, jak nazywać to, co przydarzyło mu się z Krystyną — z pewnością był czymś, co zmusiło Dorotę do myślenia. Jednak fakt, że pomyślała w tym, a nie innym kierunku, nadal wydawał mu się zastanawiający.

Teoretycznie rzecz biorąc, powinna była chcieć się odegrać. Dołożyć mi dodatkowo, dokopać. Poczuć do mnie żal, większą jeszcze złość, odrazę. To byłoby zrozumiałe, normalne i... pospolite. Tak zareagowałaby znakomita większość kobiet. Czyżby więc moja żona była... bardziej niepospolita niż myślałem? Może jest mądrzejsza i lepsza od innych? No i dobrze. Jeśli jednak jest taka, to dlaczego taka głupia i niedobra była kiedyś? I co sprawiło, że zmądrzała? — Nie potrafił znaleźć odpowiedzi, choć mocno się wysilał.

Czasem ogarniał go strach. *To jest zbyt piękne, aby było prawdziwe. Albo zbyt piękne, by trwało długo* — myślał. — *Prędzej czy później szlag trafi sielankę.*

Lecz czas płynął wartkim, czystym strumykiem, życie toczyło się gładką ścieżką i nic nie zapowiadało katastrofy.

* * *

Dawno nie miał tak idiotycznego snu. Przyśniło mu się oto, że przemawia na nasiadówce pezetpeeru. Kiedyś istotnie splamił się oraz — jak sam określał — upodlił i pokajał. Nie, nie wstąpił do partii. Przynależność do partii byłaby zdradą zasad, które wyznawał, ostatecznym skurwieniem się. Ale raz udekorował salę na taką nasiadówkę. Zrobił to. Przycisnęła go bieda, więc przyjął zamówienie, które po protekcji załatwił mu Szerszeń.

Bo Szerszeń miał chody wszędzie. Nawet tam. W miejscu, które nazywano „Pagodą dla bogaczy", a które naprawdę nazywało się Komitetem Wojewódzkim Polskiej Zjednoczonej Partii Robotniczej, choć z żadnymi robotnikami nie miało nic wspólnego. Robotnicy i w ogóle wszyscy tak zwani szarzy obywatele nie mieli do owego Komitetu wstępu.

Dostępu do bandy urzędolących tam sekretarzy, całej tej zakłamanej sfory sowieckich piesków, liżyłapów i dupowłazów, bronili odziani w czarne skórzane płaszcze, spasieni, rośli, wytresowani i dobrze uzbrojeni milicjanci. Elita. Wybrani z wybranych.

Wręczający stosowny papier towarzysz mocno uścisnął mu dłoń i, patrząc głęboko w oczy, powiedział chyba przez omyłkę, z przyzwyczajenia i rozpędu: — Idźcie, towarzyszu, czynić swą misję. Partia wam zaufała.

Bernard przełknął „towarzysza", przyjął zlecenie i pojechał na głuchą prowincję, by w jakiejś zasranej pipidówie przyoblekać zielonym suknem surowe mury remizy strażackiej. Tego wymagała mająca się tam odbyć bardzo nie byle jaka uroczystość pod dumnym tytułem na wyrost. Bo na tę uroczystość miał przybyć nie byle kto.

„Trzydziestolecie Czynu Partyjnego" w Gnojowicy Górnej zaszczycić miał swą obecnością urodzony w owej Gnojowicy jeden z najbardziej towarzyskich towarzyszy i najbardziej sekretarskich sekretarzy. Ktoś z samej góry. Z samego świecznika. Ktoś, z kim najbardziej towarzyscy towarzysze i najbardziej braterscy bracia z bratniej partii ludu radzieckiego witali się na misia i dawali sobie karpia. Jego obecność wymagała stosownej oprawy. No i właśnie Bernard taką oprawę stworzył. Zjadł potem suty (wliczony w koszty owej „misji") obiad w miejscowej gospodzie i zainkasował gotówkę. Przez kilka godzin zarobił miesięczną pensję wiejskiego nauczyciela, a wstydził się po dziś dzień, choć, prawdę rzekłszy, coraz słabiej.

A teraz, w tym śnie sam przemawiał na zebraniu partyjnym, stojąc na mównicy gestykulował, robił miny do zebranych towarzyszy, których w myślach nigdy nie nazywał inaczej, jak tylko bandą skurwysyńskich kolaborantów i karierowiczów. Jego usta szczelnie wypełniała groteskowa nowomowa, towarzysze szczelnie wypełniali salę, trwał show z Włodzimierzem Iljiczem i polsko-sowieckim braterstwem w tle.

Nagle rozległ się huk, sala zafalowała, ktoś wrzasnął.

— Prowokatory bombu brosiliiiii — zawył po rusku jakiś damski głos. — To zamach reakcjonistyczno-rewizjonistyczny — ryknął głos męski. — Ratujmy się, towarzysze. Zaraz spadną następne bomby.

Bernard nie czekał na ciąg dalszy. Dał nura z trybuny za kulisy, prosto w jakiś ciemny korytarz. Na jego końcu ujrzał zaśniedziałe ze starości metalowe drzwi. Te z pewnością od dawien dawna nieotwierane drzwi same otwierały się teraz przed nim, w miarę jak wielkim pędem zbliżał się do nich. Wpadł do maleńkiego pomieszczenia, które nagle stało się ogromną salą o karmazynowych pokrytych złoceniami ścianach. Pośrodku sali stał wyniosły tron, a obok niego nieco mniejszy ozdobny podobny do tronu fotel. W tym fotelu siedziała María Inez de Sotomayor. Była młoda i bardzo piękna. Uśmiechała się do niego życzliwie.

— Witaj — powiedziała, gdy zdyszany, nie wiadomo dlaczego padł przed nią na kolana.

— Czy to na pewno ty? — upewnił się.

— Ja — odpowiedziała rozbawiona, błyskając wspaniałymi zębami w szerokim uśmiechu. — Cieszę się, że cię widzę.

— Ja też się cieszę. Co ty tutaj robisz? — wysapał skołowany.

— Ja tu jestem — odparła, nadal uśmiechając się szeroko.

— Dlaczego akurat tu?

— Ja jestem wszędzie.

— Wszędzie?

— Wszędzie i zawsze jestem z tobą.

— Czyżbyś...? — nie musiał kończyć. Rozumieli się bez słów.

— Tak, tak, chłopcze. Pomagam ci, lekko popycham tam, gdzie sam nie potrafiłbyś się popchnąć.

— Dziękuję. Robisz dla mnie bardzo wiele.

— Drobiazg. — María uśmiechnęła się tym razem łaskawie. — Zasłużyłeś sobie.

— Ooooch, bardzo mi miło. A kto... Czyj jest ten tron? — spytał i wystraszył się czegoś.

— On ma zbyt wiele imion, bym mogła je wszystkie wymówić. Tymczasem jednak możesz sobie na nim posiedzieć. Jesteś zmęczony. — Zachęciła go gestem i najpiękniejszym ze swych dawno umarłych uśmiechów. Bernard wdrapał się więc na podwyższenie i wlazł na tron. Ujrzał z niego wszystko, co było, jest i będzie. Cały świat, cały wszechświat. Nagle zrozumiał, jak był żałosny i marny, wygłupiając się na partyjnej trybunie, która wydawała mu się szczytem szczytów, zaspokojeniem wszelkich ambicji. Jak marne, płaskie i żałośnie nędzne były ambicje tamtych ludzi oklaskujących go pełnymi zawiści oklaskami na tamtej trybunie wtedy, przed chwilą.

— No tak. Jeśli już zasiadłeś na tym tronie, to nie będziesz mógł z niego zejść.

— Dlaczego nie powiedziałaś mi wcześniej? — spytał, jeszcze nie do końca zdając sobie sprawę z tego, co oznaczają jej słowa.

— Mam sklerozę. Albo jeszcze lepiej alzheimera z parkinsonem. Czasami zdarza mi się zapomnieć to czy owo — zaśmiała się głośno skrzeczącym śmiechem. Znów była starą czarownicą, taką, jaką zapamiętał z wizyt na Hill Top. Znów przypominała dobrze wysuszonego trupa. — Teraz będziemy ze sobą na zawsze. Ty i ja. Stąd nie ma wyjścia — zarechotała szkaradnie.

— To jakaś pomyłka. Przecież ja nigdy nie należałem do partii — zaprotestował bez sensu.

— Partia nie ma tu nic do rzeczy — oschle oświadczyła María. — Zostaniemy razem na wieki wieków, amen.

— Nie, nie — chciał wrzasnąć, ale tylko wydał cichy cienki pisk. Zaczął się miotać i szarpać, lecz nie mógł za nic w świecie opuścić straszliwego fotela, od którego zaczynało go palić całe ciało.

María przyglądała mu się z politowaniem.

— Jesteś głupi — powiedziała. — Nie znasz się na żartach. Wszystko bierzesz zbyt dosłownie. I na dodatek zawsze skręcasz w niewłaściwą stronę. Pamiętasz naszą rozmowę w moim starym domu? Nie powiedziałam ci wtedy, że sen o białym koniu może oznaczać śmierć. Przemyśl sprawę, a tymczasem spadaj. — Pstryknęła palcami. Niewidzialne więzy puściły. Bernard poczuł, że leci. Trwało to dłuższą chwilę wypełnioną rosnącym przerażeniem. Wreszcie gruchnął o coś organizmem i obudził się. Leżał na podłodze w swej własnej sypialni. Obok, na szerokim małżeńskim łożu pochrapywała przez sen Dorota.

* * *

Popołudniami zachodził do pracowni. Miał trochę niezbyt pilnej roboty, która dawała mu pretekst do przebywania w miejscu, gdzie nikt go nie krępował. Tu był u siebie. Kilkadziesiąt metrów kwadratowych strychu stanowiło jego własne nienaruszalne terytorium. Więcej: cała przestrzeń zawarta pomiędzy czterema ścianami, podłogą a pochyłym stropem była jego prywatną własnością. Wypełniał więc tę przestrzeń własnymi przedmiotami, własnymi głosami, odgłosami i zapachami, ulotnymi fluidami własnych myśli, strzępami planów, pragnień i intencji. Wypełniał ją sobą.

Pewnego wieczoru w wielkim skupieniu dopieszczał detale projektu kalendarza ściennego dla wielkiej, znanej, a co najważniejsze — bogatej instytucji. Dom już spał. Tylko u niego paliło się światło. W ciszy przerywanej mysim chrobotaniem, usłyszał poskrzypywanie schodów. Ktoś szedł. Na samą górę. Na poddaszu nie było mieszkań. Był tylko strych i oddzielona od niego niezbyt grubą ścianą pracownia.

Ktoś się skradał. Nie spieszył się specjalnie. Szedł powoli, lecz stale. Już pokonał schody. Już wszedł w korytarzyk, niebacznie i nieświadomie nastąpił na obluzowaną deskę. Tę trzecią od lewej strony. Tę, z której wystawał zadzierżysty gwóźdź. Zgrzytnęło. Ktoś się zatrzymał. Czekał. Czego mógł chcieć? Kim był? Czy tylko nocnym rabusiem strychów? Nie, z pewnością nie. Tego typu „gołębiarze"[1] nigdy nie działali w pojedynkę. Bernard cichutko zdjął ze ściany toporek strażacki, zaczerpnął głęboki oddech, doskoczył do drzwi i otworzył je jednym szarpnięciem. W smudze nagle rozbłysłego światła stała Krystyna, osłaniając dłonią oczy. Toporek stuknął o podłogę.

— Nie gniewasz się? — spytała dziecinnie. — Przyszłam po autograf.

* * *

Zupełnie nie potrafił powiedzieć, co było dalej. Jak stało się to, co się stało. W momencie, gdy ujrzał Krystynę, przestało się liczyć wszystko, co wydawało mu się ważne do tej pory. A teraz leżeli nadzy, przytuleni, przyklejeni do siebie szczelnie. Nie rozmawiali, nie zadawali sobie żadnych pytań. Wszystko i tak zostało powiedziane.

Zegar na ratuszowej wieży dawno wybił północ. Echo jego uderzeń długo niosło się ponad dachami starych kamieniczek. Potem bił jeszcze wiele razy, a oni kochali się, odpoczywali, nie odrywając się od siebie i znów kochali, wreszcie zdrzemnęli się i obudził ich dopiero

[1] gołębiarze — złodzieje okradający strychy

słaby wczesny brzask, który mglistym świtem rozjaśnił okna pracowni.

* * *

Bernard miał kaca. Nie, nie po przepiciu. Od dawna nie pił alkoholu w ilościach, które mogłyby spowodować zbyt dobrze znane dolegliwości. Nie ciągnęło go do gorzały.

Prawdę powiedziawszy, uczucie, które nazywał kacem moralnym, było znacznie gorsze od najgorszego prawdziwego, to jest normalnego kaca po najgorszym ochlaju. Czuł się całkiem ohydnie z powodu Krystyny. Musiał kłamać, kręcić, oszukiwać. Niby nikt go do tego nie zmuszał. Krystyna nie sugerowała mu dokonywania żadnych zmian, nie nalegała, nie żądała nawet deklaracji. Jednak było mu coraz trudniej żyć z przeświadczeniem, że postępuje jak ostatnia szuja.

Dorota stała się żoną idealną. Włożyła wiele wysiłku, dobrej woli, samozaparcia w ratowanie małżeństwa. Zrobiła to w ostatniej chwili. Późno, ale nie za późno. Mnóstwo zdrowia musiało ją kosztować poskromienie własnych narowów. *Dokonała rzeczy niemożliwej. Przemodelowała swą psychikę* — myślał nieraz. Gdyby pozostała taka, jaką była kiedyś, po prostu powiedziałby jej, że odchodzi i odszedłby na dobre. Dokładnie tak samo, jak zrobił wtedy. Przed prawie dwoma laty. Dobrze sobie zapamiętał tę scenę, każde słowo, każdy gest.

Dorota długo nie chciała uwierzyć, że to nie kaprys, czy chęć zrobienia jej na złość. Gdy jednak stało się oczywiste, że Bernard rzeczywiście odchodzi od niej, rzuciła się na niego z pięściami. Nawet się nie bronił. Stał nieruchomo, a ona okładała go gdzie popadnie, piszcząc przy tym przeraźliwie i wywrzaskując mu w twarz głupie, wyimaginowane pretensje i żale. Wreszcie, widząc, że nie robi to na nim żadnego wrażenie, klapnęła na podłogę i rozbeczała się ze złości.

— Znalazł sobie jakąś wstrętną, obcą babę i porzuca dla niej prawowitą żonę. Don Juan od siedmiu boleści, ueeeee — chlipała i siorbała nosem.

— Ja nie porzucam żony dla innej kobiety — odpowiedział spokojnie. — Ja odchodzę od ciebie, by ratować sobie życie. Zwlekałem zbyt długo. Powinienem był to zrobić już dawno. Wielokrotnie, przez lata ostrzegałem, że tak będzie, jeśli nie zmienisz swego postępowania — przypomniał.

— Ja zawsze myślałam, że sobie żartujesz, ueeeee — zalewała się łzami.

— Nie mam zwyczaju żartować z poważnych spraw — odparł, zarzucił na ramię plecak i zostawił ją na tej podłodze, rozryczaną i zasmarkaną.

Dziś nie mógłby tak postąpić. Nie miał prawa. To byłoby z jego strony ostatnie świństwo. Zawsze cenił lojalność bardziej niż wiele innych cech. Dorota była wobec niego lojalna. On wobec niej — nie. Dlatego męczył się okropnie. Uciekał z domu, unikał jej, tłumacząc się nadmiarem pilnej pracy. Wielokrotnie przymierzał się do poważnej rozmowy z Krystyną. Chciał przerwać zabawę w ciuciubabkę-kopulatkę: nie starczało mu siły. Wielekroć, jadąc na spotkanie z kochanką, planował zerwać z nią ostatecznie.

Wszystko na nic.

Albo był za słaby, albo nie chciał tego wystarczająco mocno. Wystarczyło, że spojrzała na niego, że wzięła go za rękę, przytuliła się, a zapominał o swych mocnych postanowieniach, zapominał o całym świecie. Próbował załatwić sprawę przez telefon: nic z tego. Gdy tylko słyszał jej głos, przestawały istnieć wszelkie mądre i rozsądne argumenty i zasady. A potem przychodziło opamiętanie i niesmak do samego siebie.

Stał się ponury i zgryźliwy. Nawet dla syna. Dorota ze stoickim spokojem znosiła jego humory.

* * *

Rozwiązanie przyszło samo. Dosłownie. Nie tak, jak by je sobie zaplanował, gdyby choć raz zdobył się na próbę ostatecznego rozcięcia węzła. Było nieodwołalne i ostateczne. Zjawiło się w sytuacji więcej niż jednoznacznej, niewymagającej żadnych domysłów, uniemożliwiającej jakikolwiek wybieg, jakiekolwiek tłumaczenie, kłamstwo, unik.

Nie wiedział, jak długo Dorota, stojąc w progu, przypatrywała się swoistemu peep-show[2] w jego i Krystyny wykonaniu. Pochłonięci sobą, nawet nie zauważyli jej pojawienia się w drzwiach pracowni. Bernard pierwszy dostrzegł, że nie są sami. Zwinął się jak sprężyna i jak sprężyna wyprysnął spomiędzy wysoko uniesionych nóg kochanki.

163

---

[2] peep-show (ang.) — przedstawienie o treści erotycznej, widzowie oglądają je (podglądają) z zaciemnionych kabin niewidoczni ze sceny i dla siebie nawzajem

Rzucił się w kąt pracowni i osłonił swą pospiesznie wiotczejącą męskość porwanym na chybił trafił blejtramem. Nie zorientował się tylko, że na blejtram nie naciągnięto jeszcze płótna, toteż nie od razu zrozumiał, czego dotyczy głośny i złośliwy śmiech Doroty. A ona wyciągnęła oskarżycielsko palec w kierunku tego, czego nie mogła osłonić pusta rama i śmiała się, śmiała do rozpuku, do utraty tchu. Na skuloną pod kocem Krystynę zupełnie nie zwracała uwagi. Nieszczęsny golas odrzucił blejtram i dłońmi zasłaniał przed nią to, co było jej dobrze i od dawna znane, a co teraz skurczyło się ze wstydu do iście zabawnych rozmiarów.

Spoważniała.

— Ty idioto — powiedziała lodowato. — Głupi, pieprzony gówniarzu. Czy ty naprawdę nie rozumiesz, że to wredne półkurwie da ci kopa, jakiego świat nie widział i już nigdy nie zobaczy? Ale chciałeś, to masz. Tymczasem przyjemności życzę. Nie będę już państwu przeszkadzać. — Odwróciła się na pięcie i zbiegła po schodach z szybkością lukstorpedy. Dudnienie jej kroków i trzaśnięcie bramy, zwielokrotnione głuchym pogłosem w pustej przestrzeni klatki schodowej, skojarzyło się Bernardowi z odgłosem wbijania gwoździ do trumny.

164

* * *

Mieszkanie zastał puste, z wszelkimi śladami świadczącymi o tym, że opuszczono je w pośpiechu. Szafy były pootwierane, a z antresoli zniknęła duża walizka. Na stole leżała kartka z krótkim, lecz treściwym przesłaniem nasmarowanym najgrubszym z możliwych pisaków. „Wynoś się do tej swojej małej kurewki! Spotkamy się w sądzie, kanalio!" — przeczytał dwa razy i zagryzł wargi. Czegóż innego, do diabła starego, mógł się spodziewać?

Pakując do plecaka najbardziej potrzebne rzeczy, czuł żal, gniew na siebie, ale i niespodziewaną ulgę. Stało się to, co miało się stać. Tak musiało być. Od dawna oszukiwał się, udawał przed sobą, że odpowiada mu małżeństwo po renowacji, że wszystko jest w porządku. Bo też nie było się na co uskarżać. Przynajmniej teoretycznie. Lecz gdzieś w sercu czy mózgu dalej nosił tę zadrę, tę cholerną drzazgę. Powrót do Doroty był kompromisem. Kompromisem w imię dobra syna, ale i w imię wygody własnej. Nieudane, choć podreperowane małżeństwo pozostawało nieudanym małżeństwem po liftingu. To się czuło na każdym kroku. Zarówno on, jak i Dorota musieli się stale pilnować, mieć na baczności. To było jak życie pod drutami wysokiego napięcia, które nie dotykają skóry, nie rażą bezpośrednio, ale których niepokojąca obecność nad samą głową jest stale wyczuwalna. To było nieustające czuwanie i stałe oczekiwanie. Oczekiwanie na coś, co kiedyś z pewnością nastąpi i będzie cholernie nieprzyjemne.

Spakował trochę najbardziej potrzebnych rzeczy, rozejrzał się wokół. W tym mieszkaniu przeżył kawał życia. Zrobiło mu się markotno. Wiedział, że nigdy już tu nie wróci. Dorota pod wpływem impulsu ambitnie wyniosła się „do mamusi". Bernard jednak aż nazbyt dobrze wiedział, że nie zostawi mu mieszkania. Że nie odpuści. Wiedział też, że każdy sąd przyzna jej rację i wysokie alimenty. Ani myślał wykręcać się, sknerzyć. Był gotów łożyć na syna tyle, ile trzeba. Nawet więcej. Dzięki Bogu miał z czego.

Zarzucił plecak na ramiona. Na pozostawionej przez żonę kartce dopisał: „wybacz".

Nic więcej nie przyszło mu do głowy. Zresztą nie miał zamiaru się tłumaczyć, choć — poniekąd z nawyku — odczuwał wyrzuty sumienia. Jednak spod owych wyrzutów coraz śmielej, coraz silniej przebijała się radość. Teraz był wolny naprawdę.

Rozdział drugi

Zaczynały się wakacje. Kasia z Jackiem wyjechali na wieś do dziadków. Bernard całe dnie spędzał z Krystyną. Włóczyli się razem po rozmaitych wertepach i chaszczach, po nadrzecznych łęgach, po podmiejskich skałkach, dolinkach, wąwozach i lasach. Łazili po różnych zakazanych dziurach w najbardziej zakazanych częściach miasta, gdzie spotykali ludzi, których lepiej było nie spotykać, a z którymi Bernard witał się jak ze starymi przyjaciółmi. Dorota nigdy nie przejawiała zainteresowania pasjami, fascynacjami czy choćby tylko kolejnymi źródłami inspiracji swego męża. A te bywały bardzo rozmaite. Nie rozumiała ich i nie starała się rozumieć. Niektórymi z nich gardziła, okazywała to i próbowała mu je obrzydzać. Z Krystyną było inaczej.

— Twój świat jest bardzo wielki — powiedziała kiedyś. — Masz cholernie szerokie spectrum. Jeszcze nigdy nie spotkałam kogoś takiego jak ty. Ani nawet podobnego do ciebie.

Jej słowa sprawiły Bernardowi nieoczekiwanie głęboką radość. Od zawsze brakowało mu poczucia akceptacji. W domu rodzinnym już jako dziecko uważany był za odmieńca. Później życie nauczyło go przystosowywać się do rozmaitego otoczenia i rozmaitych warunków. Zdolność mimikry opanował więc do perfekcji. Wciąż musiał przed kimś grać kogoś, za kogo niekoniecznie chciał uchodzić.

A teraz był akceptowany. Bez bajerów, pozoranctwa, gry. Krystyna nie próbowała zmieniać jego przyzwyczajeń ani preferencji. Nigdy też nie podnosiła głosu. Lubili podobne rzeczy, sprawy, miejsca, ludzi i zwierzęta. Podobnych rzeczy, spraw, miejsc, ludzi i zwierząt nie lubili. Zgadzali się co do kolorów, smaku i rodzaju potraw, natężenia światła i dźwięków. Byli do siebie podobni tak, że bardziej się nie dało. Żaden mężczyzna i żadna kobieta nie mogli być do siebie bardziej podobni. Mieli podobne myśli, skojarzenia, upodobania, instynkty i reakcje. Rozumieli się bez słów, z każdym dniem coraz lepiej. Odkrywając jakiś nowy element świata, który zaczynał być ich wspólnym światem, z reguły mieli na jego temat podobne poglądy i artykułowali je w podobny sposób. Coraz bardziej zafascynowani sobą i poznawaniem kolejnych podobieństw, jednocześnie dziwili się i cieszyli nimi. Było im dobrze ze sobą, żyjąc trochę razem, trochę osobno, a cokolwiek obok siebie. Nigdy nie musieli niczego uzgadniać. Wykonując drobne domowe prace, uzupełniali się doskonale i wszystko wychodziło im jakoś tak samo z siebie. Nie przeszkadzali sobie i to było bodaj najważniejsze.

* * *

O przyszłości rozmawiali kilka razy. To znaczy właściwie nie rozmawiali, tylko Bernard mówił, a Krystyna odzywała się z rzadka, uśmiechała się, kiwała główką i robiła wdzięczne minki, mające zapewne świadczyć o tym, jak bardzo podoba jej się to, o czym on opowiada. Planował początkowo wynajęcie, a później, po załatwieniu wszystkich spraw związanych z rozwodem, kupno wspólnego dużego mieszkania lub niewielkiego domku na wsi.

— Utrzymanie takiego domku nie może być drogie — mówił. — Na wsi życie jest tańsze niż w mieście. Pracownię miałbym na miejscu. Ty nie musiałabyś pracować. Nie tracilibyśmy czasu ani pieniędzy na dojazdy. Żylibyśmy sobie spokojnie, z dala od ludzi, od gwaru, zgiełku. Moglibyśmy stale być razem — marzył.

— A dzieci?— spytała.

— Mieszkałyby z nami. To oczywiste. Sądy zazwyczaj przyznają dzieci matkom. Nie bardzo rozumiem dlaczego, bo przecież jest szereg ojców, którzy lepiej radzą sobie z wychowaniem, szczególnie synów. Mam na myśli nie tylko siebie — zaznaczył.

— A gdzie by się uczyły?

— A gdzie uczą się wiejskie dzieci? Na wsiach też są szkoły. Sam chodziłem do wiejskiej szkółki, a nie zauważyłem, żeby mi to zaszkodziło.

— A za rok, za dwa?

— Za rok, za dwa będzie szkoła średnia, potem pewnie jakaś wyższa. Wtedy mogłyby mieszkać z ojcem. Piętnasto-, szesnastolatkom matka nie jest już tak bardzo potrzebna.

— Nie wiem, czy on się na to zgodzi.

— Zgodzi się. Powiem więcej: będzie zadowolony z takiego obrotu sprawy. Omówimy tę kwestię przy rozprawie rozwodowej. Zostawimy mu duże mieszkanie, więc powinien się ucieszyć.

— Myślisz, że powinniśmy?

— Tak. Mam dość forsy, by nie musieć się z nim użerać. Za to on powinien pójść z nami na ugodę. Tak to widzę. Tak to powinno wyglądać, na logikę rzecz biorąc.

— Ale może wyjść inaczej?

— Może.

— Co wtedy?

— Wtedy pomyślimy, co wtedy.

* * *

Chodzili do kina, do teatru. Bywali z wizytami. Wzajemnie chwalili się sobą przed swymi przyjaciółmi i znajomymi i obojgu sprawiało to frajdę. Dawniej, gdy spotykali się po kryjomu, kradnąc każdą chwilę, nie mieli czasu na nic oprócz zbyt pospiesznych zbliżeń. Dziś mogli cieszyć się sobą do woli.

Krystyna przychodziła do pracowni popołudniami, a potem byli razem aż do późnej nocy. Bywali i u niej, jedli kolację, oglądali telewizję albo po prostu nic nie robili, przy cichej asyście nasłuchującego zza ściany Zdzisława, który do niczego się nie wtrącał. Czasem, gdy przychodzili razem, ostentacyjnie wychodził z mieszkania. Ale raz Bernard zatrzymał go już w korytarzu.

— Zaczekaj — powiedział — nie robisz nam na złość, wychodząc. Zresztą mam z tobą do pogadania.

— O co chodzi?

— Chciałbym omówić z tobą parę ważnych spraw.

— Czyżby?

— Chcesz rozmawiać, stojąc na schodach?

— A jest o czym?

— Jest.

— No cóż, jeśli tak uważasz, to proszę. — Wrócili do mieszkania i odprowadzeni wzrokiem Krystyny zniknęli w pokoju za pomalowanymi na zielono drzwiami.

* * *

Rozmowa nie trwała długo. Bernard przedstawił konkretne warunki, zachęcając równie konkretnymi korzyściami płynącymi z szybko i bezboleśnie danego rozwodu. Zdzisław odrzucił je grzecznie, lecz stanowczo, zasłaniając się dobrem dzieci i paroma jeszcze detalami. Detale te, głównie zarzuty pod adresem Krystyny, nie wydały się Bernardowi ani istotne, ani przekonujące. Ani przede wszystkim prawdziwe. Nie komentował ich jednak, gdyż nie chciał zaogniać napiętej sytuacji. Zapytany o to, jak ma zamiar postępować dalej ze swoim synem, odpowiedział po prostu, że całej trójce jest w stanie zapewnić spokojne i dostatnie życie bez kłótni i stresów. *Lepsze w każdym razie niż mógłbyś zapewnić ty* — miał chętkę dodać, ale powstrzymał się od złośliwości, gratulując sobie rozsądku i opanowania.

Za to Zdzisław stracił nerwy. — Co ty wiesz o zapewnieniu dzieciom opieki i bezpieczeństwa? — podniósł głos. — Co może o wychowaniu dzieci wiedzieć ktoś taki jak ty? Ciebie wychowała ulica i poprawczak... — umilkł, czując, że się zagalopował.

— Istotnie — Bernard przytaknął flegmatycznie. — Przynajmniej do pewnego stopnia. Widzę, że ktoś życzliwy udzielił ci wyczerpujących informacji na mój temat. Nieźle, całkiem nieźle. Zaś wracając do dzieci, to wychowałeś własne tak, że cię nie cierpią. Jak ci się to udało i czy jest to twój największy sukces pedagogiczny? Taaak — kontynuował bezlitośnie, a Zdzisław wpatrywał się w niego wzrokiem bazyliszka. — To się widzi na każdym kroku. Do tego nie trzeba aż mojej bystrości. Własne dzieci cię nie znoszą. Natomiast kochają swoją matkę, co też widać na każdym kroku. Czy dlatego że, jak usiłujesz mi wmówić, ona je zaniedbuje, bije i jest dla nich ogólnie niedobra? Czy może dla jakiejś innej, bliżej mi nieznanej przyczyny? Pewnych zachowań nie można udawać.

— Ona izoluje je ode mnie. Ona je indoktrynuje. To wszystko dlatego... — Zdzisław z bezsilnej wściekłości zaczął sobie wyłamywać palce.

— Wymyśl coś lepszego. Nie można skutecznie izolować i indoktrynować, mieszkając stale razem w M4. To się kupy nie trzyma, kolego.

— One walczą o jej miłość.

— Uuuuuchhhhh, ten znowu swoje. Lepiej jeszcze raz odpowiedz, czy zgadzasz się na moje warunki. Czy dasz jej rozwód?

— Nie.

— Tak myślałem. Niedobry chłopiec. „Tylko zaznaczam, ot tak, mimochodem, że kto nie jest ze mną, ten jest moim wrogiem i sam za skutki tego sobie podziękuje. Teraz możecie dokonać wyboru". Co, opadła kopara, panie mądraliński? Cytat z Brechta w plugawej paszczęce ulicznika i kryminalisty? „Kariera Artura Ui", jakbyś nie wiedział dobrodzieju. A teraz kolejny cytacik. Tym razem krótszy: „Porzućcie wszelką nadzieję..."[1] i tak dalej, i tak dalej. Krysieńka będzie ze mną, czy ci się to podoba, czy nie. Masz tu, na — rzucił mu wizytówkę — numer mojej komórki. Zadzwoń, jak zmienisz zdanie.

— Kochanie — zawołał w głąb mieszkania najgłośniej, jak potrafił. — Przenosimy się do mnie. Spakuj najpotrzebniejsze rzeczy. Po resztę będziemy przyjeżdżać sukcesywnie. Zabierz psa i wynośmy się stąd. Potrzebna nam gruntowna zmiana powietrza.

* * *

Mieszkali ze sobą. Jedli posiłki przy jednym stole, spali w jednym łóżku, jeździli jednym autem. Byli szczęśliwi. Krystyna, dawniej zbyt często zestresowana, nastroszona, spięta, dziś wesoła, wyluzowana i lekka, kwitła. Promieniała. Przyszłość jawiła im się optymistycznie i świetliście. Żyli w stanie permanentnej euforii, jakiegoś kompletnie odrealnionego rozanielenia i obopólnego samozachwytu.

Mijały dni. Trzeba było coś postanowić. Nie mogli | 173 przez całe życie mieszkać na poddaszu, nawet w najbardziej wygodnej pracowni na świecie. Szczególnie z dziećmi. Razem wertowali więc gazetowe oferty, wciąż wahając się pomiędzy domkiem na wsi, a standardowym mieszkaniem w standardowym bloku. Mieli nawet na oku autentyczną okazję w postaci skromnej, lecz funk-

---

[1] cytat z „Boskiej komedii" Dantego Alighieri

cjonalnej willi na peryferiach. Lecz okazja przeszła im koło nosa, gdyż wcześniej przynajmniej jedno z nich musiało mieć rozwód. Ta prosta i brutalna prawda, kładąc się cieniem na ambitnych planach, sprawiła jednak, że w krótkiej chwili otrzeźwienia Bernard niechętnie poczłapał do banku, by sprawdzić stan konta. Wyciągi przychodziły na stary adres, a on nie miał ani ochoty, ani potrzeby tam bywać.

Wizyta w świątyni mamony okazała się czymś znacznie bardziej traumatycznym i dojmującym niż banalny lodowaty prysznic na rozpaloną głowę i całą resztę. Elegancka pani oznajmiła uprzejmie zza pancernej szyby, że jego konto zostało wyczyszczone prawie do zera. Została na nim tylko niewielka kwota, ot akurat tyle, żeby konto mogło nadal istnieć, żeby go jeszcze nie likwidować. Marne grosze. Sprawdziła to dwukrotnie i jako dowód sprezentowała mu komputerowy wydruk opatrzony podpisem Doroty.

* * *

— A co sobie myślałeś? Że zostawię ci mieszkanko i forsę. Niedoczekanie, frajerze. — Dorota nie pozostawiła mu najmniejszych złudzeń.

— Ale przecież to ja te pieniądze zarobiłem, należy mi się przynajmniej część z nich — próbował rozumnej perswazji. — Żaden sąd nie przyzna ci wszystkiego. Istnieje coś takiego jak podział majątku.

— Czniam na sądy. Jestem samotną porzuconą matką wychowującą syna i mam moralne prawo do wszystkiego. Zresztą teraz nie ma już czego dzielić. Mieszkanie było na mnie i wolno mi je było sprzedać, kiedy tylko mi się spodoba.

— A moje konto?

— Nie twoje, tylko nasze. Zapomniałeś? Wyparowało. Zlikwidowałam je. Do tego też miałam pełne prawo. Mieszkanie sprzedałam, konto zlikwidowałam, pieniądze przepiłam, dajmy na to. Albo zgubiłam. Albo mi je ukradli. W każdym razie nie ma ich. Nikt mi nie udowodni, że jest inaczej. Nie ma czego dzielić. Tymczasem przeniosłam się do rodziców.

— A Krzyś? — spytał kompletnie ogłupiały.

— Zostanie ze mną!

— Nie masz prawa...

— Mam. A już na pewno będę miała. Po rozprawie.

— Jak zamierzasz to przeforsować. Nawet najbardziej feministyczny sąd nie pozwoli ci mnie puścić w samych skarpetkach. Bez możliwości widywania się z synem. Są pewne granice... Prawo jest prawem.

— Zobaczymy. Z tego co wiem, dostanę rozwód z orzeczeniem o winie. Twojej.

— Okradłaś mnie ze wszystkiego.

— Zgadza się. Ty też mnie okradłeś. I też ze wszystkiego. A już na pewno z moich najlepszych lat. Coś muszę mieć za te lata z tobą, za tę harówę, za te wyrzeczenia. Poza tym będę się musiała od nowa urządzić. Muszę mieć za co.

— Ja też się będę musiał urządzić i też muszę mieć za co — próbował oponować.

— Ale ty sam tego chciałeś. A ja mam Krzysia i robię to dla niego. Nie pozwolę, żebyś roztrwonił wszystko na tę kurewkę.

— Nie mów tak o Krystynie.

— Niby dlaczego?

— Bo, bo... Bo ja ją kocham i... i... na to nie pozwalam.

— Ty palancie! Ty głupi, naiwny palancie! W życiu nie spotkałam tak głupiego faceta. Może wyjawisz mi, jak ona to zrobiła? Jak jej się udało tak cię omotać? Albo nie. Lepiej nie. Nie jestem ciekawa. Zawsze byłeś po prostu tępy.

Bernard słuchał wywodów żony z solennym i rzetelnym niedowierzaniem. Jego mózg nie nadążał. Najwyraźniej bronił się przed prawdą, jakże szczerze i bez ogródek przedstawianą przez połowicę. Nie wszystko do niego docierało. Nie w pełni. Może dlatego nie czuł gniewu, złości. Był spokojny. Zupełnie spokojny. Pewnie właśnie ten spokój sprawił, że Dorota zmieniła ton.

— Zrozum — mówiła. — Zostaję sama z synem, którego podobno kochasz. Muszę mu zapewnić przyszłość, w tym wykształcenie. Po tym, jak zdecydowałeś się odejść od nas, byłoby mi bardzo trudno to zrobić. Te pieniądze są potrzebne jemu, nie mnie. Ja sama doskonale dam sobie radę. Na moim miejscu postąpiłbyś podobnie. Czyż nie? Odpowiedz.

Nie wiedział, co odpowiedzieć. — Tak się nie robi — wystękał wreszcie.

— Jak? Jak się nie robi? — Dorota znów się nastroszyła, pokazała pazury. — Nie zostawia się z dnia na dzień żony z dzieckiem. Bez powodów. Bez dania racji. Postąpiłeś jak ostatnia świnia. To było z twojej strony okrutne, niesprawiedliwe i... wstrętne. Rozumiesz? I wstrętne. Ty i ta mała... ladacznica, wiercidupa, kurewka razem, w jednym łóżku, tfu — splunęła na podłogę. — Jak ty możesz się bzykać z taką paskudą. Ona nago wygląda jak odarty ze skóry szczur. Czy tego nie widzisz, ciemniaku? Obrzydliwość!!!

Bernard wstał i wyszedł. Nie miał nic więcej do powiedzenia.

* * *

Krystyna nie przejęła się niewesołymi nowinami. Zupełnie jakby jej nie dotyczyły. Albo jakby nie obchodziła jej wspólna przyszłość, którą planowali. Bernardowi udzieliła się jej niefrasobliwość i dalej żyli sobie na poddaszu szczęśliwi, beztroscy.

Trudno — myślał. — *Pieniądze, rzecz nabyta. Co się odwlecze, to nie uciecze. Krystyna wróci pod stary adres. W końcu to również jej mieszkanie. Jeśli dojdzie do rozwodu, to albo Zdzisław spłaci ją, albo my, powoli, razem spłacimy jego* — wracał do swego pierwotnego planu, z czasów przedamerykańskich. — *Zresztą być może coś niecoś uda mi się wytargować od Doroty. Nie będzie tego wiele, ale zawsze* — pozwalał sobie na ostrożny optymizm. — *A spotykać się z Krysieńką będziemy tu, w pracowni, jak dotychczas. Nie jestem w sytuacji gorszej niż byłem* — pocieszał się. — *Najważniejsze, że jesteśmy razem. Że będziemy razem* — umacniał się w tej wierze. — *Dobrze jest. A będzie jeszcze lepiej. Pokonamy trudności i kłopoty. Przynajmniej wiem, że nie leci*

na forsę. Że interesuję ją ja sam. Widać tak musiało być,
jak się stało, żebyśmy się mogli sprawdzić.

* * *

Kiedyś opowiedział o swych niedokończonych studiach
i o tym, jak wylali go z akademii. Krystyna lubiła takie
historyjki z przeszłości, więc opowiadał jej o swym dzie-
ciństwie, o ludziach spotkanych po drodze, o Ameryce,
o nartach, o górskich wyprawach, o kurniawach na gra-
ni, o popijawach i mordobiciach, o malarstwie, o wszystkim. On mówił, ona tylko słuchała. Czasem wtrącała
jakąś celną uwagę, czasem zadawała pytanie, które nigdy
nie wydawało mu się głupie. Jej pointy bywały krótkie
i celne. Nie lubiła natomiast opowiadać o sobie, toteż
nigdy na to nie nalegał.

— To była szkółka, w której panowała ogólnie spole-
gliwa atmosfera — mówił. — Luz i swoboda. Z profeso-
rami utrzymywaliśmy kontakty towarzysko-przyjaciel-
skie. Przynajmniej z niektórymi. Czasem urządzaliśmy
nawet wspólne kulturalne i wolnomyślicielskie mocno
zakrapiane imprezki w pracowniach. Po zajęciach, oczywiście. Fajnie było. Człowiek się niczym nie przejmował.
Dawne, dobre czasy, eeeeech...

Z premedytacją i konsekwencją lansowałem się na
krzyżówkę czerstwego wieśniaka z lekko tylko liźnię-
tym przez cywilizację półmenelem. Inaczej mówiłem,
inaczej się ubierałem, śmiałem się z czego innego niż
moi koledzy. Nawet wódkę piłem inaczej. Chętnie po-
pisywałem się znajomością rozmaitych dialektów ni-
zinnych, w tym grypsery. Byłem wielkim oryginałem

i cieszyłem się pewną popularnością. W związku z tym bywałem często zapraszany na rozmaite popijawy. Kiedyś zaprosili mnie do siebie rzeźbiarze. Oni mieli pracownię na parterze, a w tej pracowni wielkie skrzynie pełne gliny. Z tej gliny lepili swoje prace. No i kiedyś, właśnie u rzeźbiarzy, ze skromnej studenckiej wódencji zrobiła nam się impreza całą gębą. Nikt dziś nie dojdzie, komu pierwszemu strzeliło do głowy, by z garści gliny ulepić pigułę, taką jak ze śniegu i komuś tą pigułą przyfastrygować. A potem rozwinęła nam się regularna bitwa. Bractwo podzieliło się na dwa obozy i dalejże się naparzać. Glina jest cięższa od śniegu, no i nie tak czysta. Po chwili pracownia wyglądała jak nie wiem co, ale my tego nie widzieliśmy, szczęśliwi szczęściem pijaniutkich rozdokazywanych berbeci. Laliśmy się tą gliną, ile wlezie. Wreszcie zabawa nam się znudziła i postanowiliśmy opuścić czcigodne mury uczelni. Była głęboka noc. Zamknęliśmy pustą szkółkę od środka, a sami wyszliśmy przez okna. Tam był wysoki parter i okna otwierały się tak fikuśnie, że można było przez nie wypełznąć na ulicę, ale wpełznięcie było raczej niemożliwe. Bardzo zadowoleni z siebie powłóczyliśmy się jeszcze trochę, hałasując po uśpionych uliczkach i wreszcie rozeszliśmy się do domów.

Na drugi dzień nikt się nie mógł dostać do budy. Tak. Przecież myśmy klucz zostawili w zamku. Przekręcony dwa razy, jak Pan Bozia przykazał. Portierka, dobrotliwa niewiasta, która w świętej naiwności powierzyła nam ów klucz, tym samym niebacznie powierzając przybytek sztuki, stała teraz przed bramą i rwała rzadkie włosy ze swej starej, kokieteryjnie farbowanej na gniado głowy, tłumacząc się każdemu, kto chciał i kto nie chciał jej słuchać. Po kilku godzinach zebrał się tam niezły tłumek.

Wreszcie ktoś wpadł na pomysł, by zaatakować od tyłu, od podwórza, gdzie znajdowała się klapa zamykająca właz, którym do kotłowni zsypywano koks. Nikt jednak nie wiedział, gdzie mieszka palacz, tak że znowu trochę to trwało. Odnalezienie go i skłonienie do współpracy nie było łatwe, jako że tak zwany sezon grzewczy skończył się niedawno, a następny miał się zacząć za mniej więcej pół roku. Głupi i tępy pitekantrop podmiejski, typowy chłoporobotnik, za żadne skarby nie był w stanie tego pojąć. W końcu jednak jakoś się udało i podwoje akademii zostały uroczyście otwarte.

Oczywiście rozpoczęto intensywne śledztwo, które nie trwało długo. Myśmy się po prostu przyznali. Wyraziliśmy też skruchę i chęć naprawienia poczynionych szkód. Opiekun pracowni, kulturalny starszy pan, obiecał pomoc w uśmierzeniu burzy. Każdego z jej uczestników brał pod ramię i konspiracyjnym szeptem mówił: „Młody mistrzu, będę pańskim mediatorem. Ja wszystko rozumiem, młodość musi się wyszaleć". Awantura zmierzała ku szczęśliwemu zakończeniu. Niestety. Znalazł się wredny szuja, jeden jedyny student na całej uczelni, który należał do pezetpeeru. Facio przy każdej okazji powoływał się na bliskie pokrewieństwo z jedną z liderek rodzimej komuny, nawiasem mówiąc ewidentną zdrajczynią narodu, rusofilką i wielką kurwą. Tenże uświadomiony politycznie skurwysyn był łaskaw zwrócić komu trzeba uwagę na fakt, że w trakcie naszych swawoli wznoszono wywrotowe okrzyki, a nad głową peerelowskiego orła domalowano koronę. Tę koronę orzeł nosił już od wielu lat. Wszyscy udawali, że jej nie widzą i wszystkim było z tym dobrze. On też ją widział, ale oficjalnie udał, że zobaczył ją po raz pierwszy właśnie wtedy i wykorzystał tę koronę do swych plugawych knowań. Tak młodzieńczy wybryk stał się brzemienną w skutki aferą polityczną. Oczywiście wszystko skrupiło się na mnie, bo ja od niedawna polegiwałem z jego narzeczoną.

A tak. Odbiłem mu ją na jakiejś potańcówce. Facet miał słabą głowę i w ogóle był palant, więc jak starym dobrym sowieckim zwyczajem urżnął się do nieprzytomności już na wstępie, wziąłem jego gąskę pod swe opiekuńcze skrzydła i całą resztę. Z kolei ona chętnie kopnęła go w tę jego komunistyczną czerwoną dupę, gdy tylko na widnokręgu pojawił się bardziej atrakcyjny, a przede wszystkim mniej nudny samiec, czyli — nieskromnie stwierdzę — ja. Chciał się odegrać, no i odegrał się w stylu typowym dla swej proweniencji politycznej. Nie śmiałby wystąpić wprost. Gdzie tam? Potrafił tylko podłożyć świnię. To była ich metoda. Komuchów. Wiedział, gdzie mnie trafić, gnida, no i trafił. Wylali mnie z akademii. Koniec.

— Nie broniłeś się? Nie próbowałeś się odwoływać? Tłumaczyć? Przecież nigdzie nie było powiedziane, że to ty wznosiłeś okrzyki i malowałeś koronę.

— Próbowałem. Dziekan, do którego dotarła cała sprawa, w ogóle nie chciał o niczym słyszeć. Oświadczył, że w żadną politykę bawił się nie będzie. Rektor wyjechał na szkolenie. Do Moskwy oczywiście. Zacny profesor, który był skłonny mnie bronić, rozchorował się z tego wszystkiego na serce. W końcu sam go poprosiłem, żeby dał spokój i żeby się mną nie przejmował.

W wiele lat później dowiedziałem się, że przyczyną zajadłości i konsekwencji organów komuszych był strach. Bo tak się jakoś głupio złożyło, że akurat wtedy doszło do tak zwanych wypadków radomskich. Owe wypadki, czyli strajki, były oczywiście trzymane w ścisłej tajemnicy. Nic się nie mogło przedostać do prasy, radia czy telewizji. Więc nawet nie wiedzieliśmy o nich. Ale dla komuchów był to sygnał, że trzeba podwoić czujność rewolucyjną. No to zrobili się czujni na wszelkie przejawy pełzającej kontrrewolucji. W ten sposób niewinna studencka pijatyka została zakwalifikowana jako takiej pełzającej kontrrewolucji przejaw i forpoczta. Tak mnie załatwiła ta plugawa menda. Pokręcił, pointrygował, podesrał, że zostałem kontrrewolucjonistą, wrednym wrzodem na zdrowym ciele społeczności studenckiej.

— Nieźle.

— A nieźle.

— A potem?

— Z początku nie wiedziałem, co robić. Grunt usunął mi się spod nóg. Z czegoś trzeba było żyć, więc zostałem tramwajarzem. Jeszcze dziś potrafiłbym prowadzić tramwaj. Nadal jednak malowałem i wystawiałem swoje prace na murach. Przy okazji poznałem faceta, któremu spodobały się moje obrazki i zaproponował mi współpracę. Współpraca polegała na tym, że ja malowałem, a on to wywoził do Szwecji i tam sprzedawał. Zarabiałem po sto i więcej dolarów miesięcznie. To była fura szmalu, bo dolar kosztował około stu złotych. Nauczyciel zarabiał ze dwa tysiące złociszy, inżynier ze cztery – pięć. Trochę odkładałem, a z resztą rozmaicie bywało. Wesoło się żyło. Poznałem Dorotę. Zaczęło się żyć mniej wesoło, ale za to oszczędniej. Prawdę mówiąc ona mnie ustatkowała i ustabilizowała. Potrafiła łatwo wychodzić z sytuacji, które ja uznałem za bez wyjścia. Miała... to znaczy... ma wiele zalet.

— Całkiem ładnie o niej mówisz. Ja bym tak nie potrafiła.

— Staram się oddzielać od siebie pewne sprawy. No i próbuję być sprawiedliwy. To chyba nic złego?

— Pewnie że nie.

— Tylko że w pewnym momencie Dorota zaczęła mnie niszczyć. Trochę to trwało, były etapy, wzloty i upadki. Wreszcie rozleciało mi się małżeństwo i tylko tak wszystko dalej szło jakby z rozpędu. Potem poznałem ciebie. No i dalej to już wiesz.

— Wiem, wiem.

* * *

Najnowszy obraz był gotowy. Spokojna, półdziecinna twarz z ledwie dostrzegalnym uśmiechem błądzącym w kącikach ust i oczu, zatrzymywała wzrok widza. Ten portret namalowano szybko, lecz nie zbyt szybko, lekko, lecz nie zbyt lekko. Nie było w nim nic powierzchownego. Czuło się za to radość twórcy oraz jego kunszt, zaangażowanie i niesamowitą pewność ręki. *Najlepszy portret Milady nie sięga ci do pięt* — mruczał Bernard zadowolony z ukończonej pracy. — *Jednak chyba macie coś wspólnego* — zastanawiał się jeszcze, będąc właściwie pewien, że uchwycił to, co łączyło dwie obce sobie, jakże odległe i różne od siebie kobiety. Tym czymś był sposób ich patrzenia.

— Gdzie jesteś, gdy kochasz się ze mną? — pytał Krystynę w trakcie największych uniesień, widząc, że ona odpływa gdzieś hen, daleko, w kompletnie niedostępne dla niego strefy i obszary. Jej oczy, często zamyślone i trochę nieobecne, w chwilach ekstazy wpatrzone w coś bardzo odległego i bardzo pięknego, zawsze były oczami cholernie rozpustnego niewiniątka. Zarówno kamuflowały, jak i podkreślały jej prawdziwą naturę. Tak samo, jak szare oczy Milady, których spojrzenie sprawiało, że dostawał gęsiej skóry, gdy tylko zostawali sami.

Milady pewnie ma już całkiem spory brzuszek — pomyślał ciepło o swej byłej pryncypałowej. — *Ciekawe, czy Graziani kiedykolwiek dowie się prawdy? Jeżeli jest mądry, to nie będzie chciał jej znać. Chyba nas nie podejrzewał? No i jakie dla mnie teraz może to mieć znaczenie? Żyję w innym świecie. Zniknąłem z ich życia. A może to wszystko było snem? Może nigdy naprawdę nie spotkałem Grazianich? Może wcale nie byłem w Ameryce, tylko tak mi się zdawało?* — brnął dalej, przycinając listwy na ramę. Lubił takie rozważania, chociaż doskonale zdawał sobie sprawę z ich bezsensu. Przyszło mu też do głowy, że gdyby Milady w jakiś nie do końca uchwytny sposób nie przypominała Krystyny, to pewnie oparłby się nawet najbardziej kuszącym propozycjom i najbardziej przejrzystym awansom z jej strony. *Prowadziliśmy ryzykowną grę* — pomyślał. Oprawił obraz i ponownie ustawił go na sztalugach naprzeciwko drzwi. Krystyna powinna była zaraz wrócić. Wyszła rano. Chciał, żeby od razu zobaczyła portret. I żeby ucieszyła się po swojemu. Wyobrażał sobie jej radość i już czuł się szczęśliwy.

Dźwięk telefonu sprowadził go na ziemię.

— Kto tam? — odebrał niecierpliwie.

— Aaa, to ty — rozpoznał znajomy nosowy głos Zdzisława. Poczuł niepokój. — Krysieńka wyszła. Jeśli masz coś do niej, zadzwoń za dwie godziny.

— Wcale nie chcę z nią rozmawiać. Ja do ciebie.

— Do mnie? — Przez krótką chwilę Bernard miał nadzieję, że jego rozwodowe propozycje sprzed kilku tygodni zostały przyjęte.

— Moja żona poszła do fryzjera? Czy tak?

— Co cię to obchodzi?

— A więc nie pomyliłem się. Do fryzjera. Przyznaj! — mękolący głos dotychczas rozwlekle przeciągający sylaby stwardniał.

— Tak, istotnie. Czyżbyś ją śledził? Jeśli tak, to nie rozumiem, co chcesz osiągnąć.

— Śledzić? Nie potrzebuję. Mam to za sobą. Przez lata zdążyłem dobrze poznać schemat jej zachowań i harmonogram zajęć. Krystyna lub, jak wolisz, Krysieńka jest dość konsekwentna i dość pozbawiona fantazji. Powiela własne zachowania i jest wierna swoim nawykom.

— Chcesz mi popsuć humor? Jeśli tak, to prawie ci się udało. A teraz do rzeczy, do rzeczy.

— Moja żona ma zwyczaj o tej porze roku robić sobie pasemka na swej chorej głowie. Pamiętasz Artura?

— Pamiętam — Bernard nakazał sobie spokój.

— On zawsze na lato wyjeżdża do Szwecji, żeby dorobić. Ma tam jakąś sezonową fuchę. Lato się kończy. Artur wraca za trzy dni. Bardzo lubi pasemka. Kojarzysz fakty?

— Kanalijka z ciebie. Wiesz, że jesteś teraz wstrętny?

— Bernard! Znam cię, mimo wszystko szanuję i prawie lubię. Dziwne, ale prawdziwe. Opamiętaj się, człowieku! Ja nic nie zyskuję, ostrzegając cię teraz. Nie mam nic do zyskania, rozumiesz? Robię to tylko... Właściwie nie wiem, dlaczego to robię. Może mi cię żal? Może uważam to za swój humanitarny obowiązek? Nieważne. Czy ty nadal myślisz, że ona rzuci go dla ciebie? Przed tobą było wielu.

— Ale teraz będę ja. Będziemy już razem — oponuje zbyt słabo. Za to Zdzisław nabiera rozpędu.

— Przekonamy się. Ty nie wiesz, co robisz. Wydaje ci się, że ją zdobyłeś. Jesteś w błędzie. To ona schwytała cię w swe sidła. Używa cię w chwilowym braku czegoś lepszego, a potem zostawi. Jesteś jej zabawką. Niczym więcej. Nie obchodzi jej nic oprócz rżnięcia. Nie patrzy dalej niż między nogi. Jest nienormalna. Nie zauważyłeś, jak reaguje? Nigdy nie zastanowiło cię nic w jej zachowaniu?

Bernard milczy. Nie wie, co odpowiedzieć. Nie chce okazać irytacji. Gorszych już rzeczy dowiadywał się zarówno od Zdzisława, jak i od zionącego nienawiścią, kobiecego głosu w słuchawce starego stacjonarnego telefonu w starym mieszkaniu. Żona Artura z upodobaniem wylewała przed nim swe żale i bezsilną wściekłość. Pewnie trwałoby to w nieskończoność, gdyby — wykorzystując kobiecą ciekawość — nie umówił się z nią na neutralnym gruncie, w kawiarni, gdzie był miły do czasu. Najpierw dla zachęty rzucił kilka lukrowanych komplementów, które połknęła zadziwiająco gładko. Potem cierpliwie wysłuchał steku bredni, ordynarnych kalumni sprytnie pomieszanych z łatwo sprawdzalnymi faktami. Poił dobrym likierem tę tlenioną pulchną blondynę o pospolitej bezmyślnej twarzy i słuchał, uśmiechając się do niej przyjaźnie. Gdy wyczerpała repertuar i wygadała się wreszcie, sam zaatakował. Użył cholernie przekonujących argumentów i telefony ustały. Przyłapał ją na kłamstwie, na bezczelnym, choć sprytnym oszczerstwie, ośmieszył i zagroził tak, jak nie zagroził jeszcze nigdy nikomu.

Teraz ma konkret. Zdzisław mógł się niekiedy mylić w ocenie sytuacji, ale chyba świadomie nie kłamał. Dziś przedstawia mu proste równanie z jedną niewiadomą. Łatwe do sprawdzenia już niedługo. Krystyna plus fryzjer plus pasemka równają się Artur. Trzy dni.

Bernard bez słowa przerywa połączenie.

* * *

Krysieńka zalotnie potrząsa główką.

— Podobają ci się?

— Tak. Pewnie że tak. Miałaś takie same, gdy cię poznałem.

— To było bardzo dawno. — Dziewczyna zamyślona patrzy w okno. Bernard nie ma dziś odwagi spytać: „O czym myślisz kochanie?".

* * *

Po południu pojechali po dzieci, które wracały z koloni. Odczuł cień zawodu, gdy nie przywitały się z nim tak serdecznie jak dawniej. Ich powściągliwość tłumaczył sobie tym, że jednocześnie witały się z matką i babcią.

— Cóż, trudno — bronił się sarkazmem. — Jeśliby wierzyć memu pragmatycznemu informatorowi, to jestem tylko jednym z wielu ich tymczasowych wujaszków.

Od początku dbał o dobry kontakt z dziećmi. Starał się być dla nich starszym kolegą, dobrym przewodnikiem i wyrozumiałym instruktorem. Prowadził z nimi ciekawe rozmowy, chętnie i cierpliwie wyjaśniał, gdy o coś pytały, zawsze miał na wszystko sposób i dobrą radę. Jeździł z nimi na wycieczki do lasu, nad wodę. Lubiły go. Szczególnie Jacek był mu bliski. Powolutku wchodził w wiek, w którym młody człowiek poszukuje idola. Bernard nieraz zauważył echo własnych zachowań i gestów w jego wykonaniu. Odbył z nim kiedyś coś w rodzaju poważnej rozmowy. Naprawiali razem zamek w drzwiach i gawędzili.

— Nie jesteś czasem zazdrosny o mamę? — zapytał wtedy wprost.

— Chcę tylko, by mamusia (powiedział „mamusia") była szczęśliwa. — Taka odpowiedź w ustach dwunastolatka zaskoczyła go mądrością i dojrzałością.

— A co byś powiedział, gdyby wasza mama zechciała być ze mną na stałe? — nacisnął mocniej.

— Nie miałbym nic przeciwko temu.

— Jeśli Krysieńka zdecyduje się na to, będę dla was zupełnie niezłym starym.

— Wiem — odpowiedział chłopiec i popatrzył mu prosto w oczy. — Kaśka też wie — dodał.

Dlatego teraz jest mu więcej niż trochę przykro, gdy stoi na dworcu, z boku, niepotrzebny i niepasujący do nich, rozradowanych i hałaśliwych, prawie obcy, prawie odtrącony.

— Zostawcie już babcię. Nacieszycie się w domu. Przywitajcie się z wujkiem Bernardem. — Krystyna interweniuje w samą porę. Dzieci doskakują do niego i witają się serdecznie jak zawsze. Skrępowanie i poczucie zawodu mijają. Zarzuca sobie na ramiona plecak Jacka, bierze torbę Kasi i wszyscy razem idą do auta. Zjedzą razem obiad i kolację, a potem rozstaną się. Tę noc Bernard spędzi w pustej pracowni, sam na sam z paskudną i niedającą się w żaden sposób odpędzić ani zagłuszyć myślą: *Trzy dni. Zostały trzy dni.*

* * *

— Wracam do niego.
— Krysieńko najdroższa moja...
— Nie twoja. Już nie. Czy nie widziałeś, że tęsknię za nim?

Widział. Widział to wyraźnie. Widział na każdym kroku, stale. Podczas dnia i w nocy. Gdy byli w kinie, na spacerze, gdy robili cokolwiek, gdy kochali się. Krystyna zawsze myślała o tamtym. O nienawistnym mu Arturze. Bernard łudził się, że tylko porównuje ich ze sobą, by dokonać właściwego wyboru. Taki wybór mógł być tylko jeden. Przecież starał się jak nigdy dotąd. Nawet ostatnio Krystyna powiedziała mu: „nie musisz się już wykazywać". Ucieszył się naiwnie, gdyż uznał, że wy-

brała ostatecznie. Nie przestał jednak „wykazywać się".
Sprawiało mu to przyjemność. Utwierdzało w poczuciu
własnej wartości i sprawności. Dawno nie miał takiej
kondycji. Nie wierzył, że Krystyna odejdzie od niego.
To było niemożliwe nie tylko dlatego, że byłaby pierwszą kobietą, która go rzuciła. Dla innego! I to dwa razy!
Z kolei jeśli była tak wyrachowana, jak utrzymywał jej
mąż, to powinna się była zdecydować na niego, na Bernarda, który jest przecież znacznie lepszą lokatą i partią
nawet bez wielkiej amerykańskiej forsy.

„Nie twoja. Nie twoja już..." — te słowa bolą najbardziej. Są gorsze od wyrzutów, awantury, drwin. Są najgorszą drwiną. Najgorszym poniżeniem. Najgorszą znie-
wagą i największym rozczarowaniem. Jedyne, co w tej
sytuacji można zrobić, to zachować twarz.

— Szkoda. — Kiwa głową i przywołuje na twarz
smutny uśmiech. — Było pięknie — rzuca i odchodzi.
W szybie własnego auta widzi stojącą bez ruchu Krystynę, zapewne zaskoczoną jego chłodną, niemal aroganc-
ką reakcją. Ma ochotę paść przed nią na kolana i bła-
gać, by zastanowiła się jeszcze, by dała mu najmniejszą
choćby szansę. Albo przemocą wpakować ją do wozu
i wieźć jak najdłużej, jak najdalej, uciec. Albo jeszcze
lepiej porwać, zawlec do pracowni, brutalnie zedrzeć
z niej ten gustowny żakiecik i całą resztę, zgwałcić, ze-
rżnąć po chamsku, jak po raz pierwszy zerżnął Milady.
A potem niech się dzieje, co chce. Już się spręża. Już się
odwraca, by podbiec do niej i schwytać ją w swe łapska,
gdy Krystyna otrząsa się z zaskoczenia, szybko wsiada
do auta, zatrzaskując drzwi głośno, ze złością i ostro ru-

sza z niepotrzebnym rykiem silnika, z piskiem opon po mokrym asfalcie.

Bernard oddycha głęboko, jak po ogromnym wysiłku. Mięśnie ramion i karku wiotczeją. Samochód Krystyny dawno już zniknął mu z oczu. On jednak stoi, patrząc za nim bezmyślnym wzrokiem, niby pozbawiony rozumu i woli imbecyl. *Odeszła na dobre. Nie ma już nic* — kołacze mu się we łbie.

Rozdział trzeci

Po odejściu Krystyny popadł w stan permanentnego marazmu i niemocy. Nie potrafił o niczym myśleć, nic go nie obchodziło, nie potrafił się skupić na żadnej czynności. Wegetował, pogrążony w skrajnej apatii. Przez wiele dni prawie nie jadł. Wypalał za to mnóstwo papierosów. Brudny, wychudły i zarośnięty, z zapadniętymi i błyszczącymi gorączką oczami wyglądał jak wilkołak. Nie obchodziło go to, bo nie obchodziło go nic. Ludzie odsuwali się od niego ze wstrętem. Budził odrazę i lęk. Śmierdział. Gadał od rzeczy. Próbował sprzedać na murach jakiś stary zapomniany obraz, który wygrzebał spod sterty prehistorycznego chłamu spoczywającego w pracowni. Nic z tego nie wyszło. Wystawiający tam swe prace malarze przepędzili go. A że się stawiał, dali mu wycisk. Nie mogli postąpić inaczej. Psuł im interes. Płoszył potencjalnych klientów, turystów kupujących głupie seryjne monidełka, ulizane widoczki staromiejskie i cholernie cacane martwe naturki.

Prawie nie trzeźwiał. Alkohol nie przynosił mu całkowitego zapomnienia, sprawiał jednak, że wszystkie sprawy stawały się nieco odległe, tak jakby dotykał ich przez szybę lub jakby nie całkiem go dotyczyły. Dopiero gdy padał na swój barłóg nieprzytomny, z wyłączonym przez gorzałę mózgiem, zapominał naprawdę. Lecz przebudzenia były zawsze tak samo okrutne, gdyż pierwszą myślą po przyjściu do jako takiej przytomności była myśl o Krystynie.

Wielokrotnie telefonował do Artura, obrzucał go wyzwiskami i groźbami, których nie był w stanie spełnić, fizycznie niezdolny do tego, by pojechać na drugi koniec miasta, dokładnie tak samo jak nie byłby w stanie udźwignąć góry. Uruchomienie własnego auta i przejechanie nim kilkunastu kilometrów było barierą nie do pokonania, budziło przerażenie. Jeszcze większe przerażenie budziła perspektywa przebycia tej drogi dwoma najzwyklejszymi w świecie autobusami komunikacji miejskiej. Sama myśl o przesiadce i kilkuminutowym oczekiwaniu na przystanku wraz z innymi ludźmi napełniała Bernarda najprawdziwszą zgrozą.

Artur zdawał się doskonale wyczuwać ten stan i wykorzystywał go. Za każdym razem spokojnie i do końca wysłuchiwał bełkoczącą-charczącej tyrady, istnej erupcji bezsilnej wściekłości. Nie przerywał, nie oburzał się, nie złościł. Nigdy nie rzucił słuchawką. Cierpliwie milczał, dopóki Bernard nie zmęczył się lub nie wyczerpał repertuaru. Potem sam zaczynał mówić i mówił, mówił, mówił. Nie miał do przekazania żadnej treści. Jego słowa sięgały głębiej niż poziom świadomej percepcji, dużo, duuużo poniżej tego poziomu. Docierały tam, gdzie na samym dnie wszystkich pokładów składających się na świadomość człowieka jako homo sapiens, zakodowano najbardziej uniwersalne, jednocześnie najbardziej pierwotne doznania, uczucia i lęki. Nie bawił się w jałowe kłótnie, pyskówki, spory, w udowadnianie takich czy innych racji. Nie rozbierał budynku cegła po cegle, nie burzył go ściana po ścianie. Atakował fundament.

Po każdym takim seansie Bernard czuł się coraz bardziej bezsilny i upokorzony. Wreszcie zaprzestał jałowych telefonów, które nie mogły niczego zmienić. Tylko pogłębiały frustrację, złość, poczucie klęski.

* * *

Stale śniły mu się rzeczy straszne i wstrętne. Nie pamiętał po przebudzeniu, czym były i czego dotyczyły, lecz uciekał od nich w bezludną ciemność nocnych zaułków, zakamarków i zrujnowanych ruder, tam, gdzie nocą nie chodził nikt. Włóczył się po mieście coraz bardziej bezradny, coraz bardziej żałosny. Nocował po piwnicach i melinach. Przestał wracać na swoje poddasze. Tam czekało na niego wspomnienie o niej, o sobie, o dobrych dniach, które spędzili razem, o wszystkim, co na zbyt krótko stało się sensem jego życia. Teraz nie było już nic.

Na domiar złego diadem zniknął. Zniknął też sygnet pani Chamsky. Bernard szukał ich desperacko. Przewrócił do góry nogami całą pracownię. Bez skutku. Od dawna usiłował sprzedać precjoza, lecz nikt ich nie chciał kupić. Nawet za psie pieniądze. W nadziei, że znajdzie kupca, nosił je więc ze sobą stale, niepomny, że nosi skarb. Aż w końcu skarb diabli wzięli. Rozpłynął się. Zginął. Plastyczna wyobraźnia wizualizowała zgubę to za śmietnikiem w śmierdzącym kotami podwórku na Jagiellońskiej, to za skrzynią z piaskiem w głębokiej piwnicy starego domu na Wawrzyńca, gdzie kiedyś nocował, to w jakimś innym miejscu. Pędził tam i doznawał zawodu. Klejnoty przepadły. Zbyt odmóżdżony, by przeżywać stratę proporcjonalnie do jej wartości, przyjął ją jako coś w rodzaju dopustu, jeden z wielu ciosów, jedną z wielu, wcale nie najbardziej dolegliwą ze wszystkich walących w niego dolegliwości.

Kończyła mu się forsa, więc kradł żarcie. Byle tylko wydawać jak najmniej. Byle mieć na alkohol. Czasem udawało mu się zwędzić kilka piw, czasem jakieś wino. Nauczył się zalewać do nieprzytomności już pierwszymi łykami. Był bardzo chory, ale nie wiedział o tym.

* * *

Pewnego dnia cierpiał mocniej niż zwykle. Suszyło go okrutnie. W ustach miał wióry, w mózgu sieczkę. Czuł, że zaraz rozpadnie się na kawałki. Najchętniej umarłby natychmiast i na miejscu.

Kierując się bardziej instynktem niż świadomością, dolazł do dużego nowo otwartego supermarketu. Bliskość łupu wzbudzała w nim atawistyczne instynkty. Z trudem zapanował nad nimi resztką woli. Pod bacznym okiem ochroniarzy i kamer napełniał koszyk rozmaitymi niepotrzebnymi mu produktami, sterując w kierunku półek z tym, o co rzeczywiście mu chodziło. Ochrona, widząc, że po dziadowsku ubrany, zarośnięty jak nieboskie stworzenie osobnik zachowuje się normalnie i nie wadzi nikomu, odrobinę odpuściła, zmniejszyła czujność. Nadal jednak krok w krok za nim podążał młody barczysty mężczyzna w firmowym, niezbyt dobrze skrojonym garniturze. Bernard dla niepoznaki wpakował jeszcze do koszyka mydło, tubkę pasty do zębów i duże pudełko proszku do prania.

Bóg jest wielki — pomyślał, gdy siedzący mu na karku ochroniarz popędził gdzieś, wezwany przez krótkofalówkę. Na wszelki wypadek wyjrzał zza stoiska z detergentami. Przy kasach coś się działo. Dwóch bramkarzy szarpało się z jakimś młodzieńcem w workowatych portkach. Przez salę w sukurs pędził im trzeci. Bernard odstawił niepotrzebny mu już koszyk. Niespiesznie podszedł tam, gdzie czekało na niego wielkie mnóstwo wszystkiego dobrego.

Wysokie, sięgające aż pod niebo półki wabiły kolorowymi etykietkami na wielokształtnych butelkach zawierających wszelkiego rodzaju płyny z gatunku tych, które akurat jemu i akurat w tej chwili były niezbędne do życia bardziej niż powietrze.

Nie zastanawiając się dłużej, capnął największą z nich. Nie czytał etykiety, nie obchodziło go już nic. Miał w swym ręku obiekt najwyższego pożądania, wart największych poświęceń i najwyższego ryzyka. O metalowy kant półki odbił szyjkę. Eleganccy państwo, z pełnym aż po brzegi wózeczkiem, jednocześnie wydali okrzyk zaskoczenia, strachu i obrzydzenia.

— Państwa zdróweńko — wychrypiał, uśmiechnął się do nich promiennie i jednym tchem wytrąbił zawartość, tym razem nie zważając na to, że wraz z alkoholem może połknąć okruchy szkła. Kątem oka zauważył

nadbiegających ochroniarzy. Do nich również uśmiechnął się ostatkiem świadomości, zanim padł, zanim od-
płynął.

* * *

Pobyt w izbie wytrzeźwień wspominał dobrze. Przynajmniej to, co z niego zapamiętał. Bo początek spowity
był lepką magmą niepamięci. Wykąpali go, przenoco-
wali, wyprali mu odzież. Niczego nie ukradli, zresztą
nie miał przy sobie rzeczy, które można by było ukraść.
Najważniejsze jednak, że spotkał tam kogoś znajome-
go, właściwego człowieka na właściwym miejscu i we
właściwym czasie.

Marek pracował w „żłobku" na pół etatu i akurat był
na dyżurze, gdy przywieziono lecącego przez ręce delikwenta, w którym z trudem rozpoznał byłego pacjenta,
niedoszłego samobójcę, artystę po przejściach. Dlatego
Bernard był tam na specjalnych prawach. Obchodzono
się z nim jak z przysłowiowym zgniłym jajem.

Po pracy Marek zabrał go, wciąż jeszcze trzęsące-
go się okropnie, do siebie. Uraczył śniadaniem, postawił piwo. Potem pojechali do jego rodziców, na działkę.
Spędzili tam dwa dni na kopaniu grządek, na szczepie-
niu drzewek, umiarkowanym piciu piwa i rozmowach,
w trakcie których Bernard czuł, jak spod czaszki odpływa mu cały czad, cały nagromadzony tam smród. To
było niewiarygodne, ale prawdziwe. Marek o sprawach
drażliwych i trudnych potrafił mówić w sposób natural-
ny i prosty. Odzierał je ze szczególnego piętna niemożli-

wego do przezwyciężenia fatum. Bernard co chwila łapał się za głowę, słysząc, jak straszliwie był głupi. Marek nie starał się go pocieszać. Za to jego wyjaśnienia trafiały na podatny grunt.

— Wyobraź sobie — mówił — że świat nie jest umieszczony na zewnątrz, a wewnątrz głowy. Postrzegamy go przez filtr własnych zmysłów i przez pryzmat własnych pragnień, dążeń i doświadczeń. Nie mogłeś znaleźć rozwiązań, bo nie miałeś skąd wziąć schematu, bazy, na której mógłbyś budować własne rozwiązania pasujące do twej sytuacji. Nikt nie przekazał ci pewnych zachowań. Stopień komplikacji przekroczył wszystko, z czym się dotychczas zetknąłeś.

Zaproponował też Bernardowi kilkudniowy pobyt w szpitalu na obserwacji. Spotkał się z odmową. Nie nalegał. Wymógł jednak na nim stały kontakt, codzienną konsultację i sprezentował fiolkę różowych pigułeczek.

— Jeżeli przyjmiesz je wszystkie naraz i popijesz, dajmy na to symbolicznym pół litrem, to pewnie zejdziesz w stanie totalnej nirwany — zapowiedział zachęcająco. — Może się jednak zdarzyć, że nie zejdziesz, tylko mówiąc przystępnie, skretyniejesz i do usranej śmierci pozostaniesz półrośliną zdaną na łaskę i niełaskę raczej mniej niż bardziej życzliwego niższego personelu medycznego szpitala psychiatrycznego w Kobierzynie. Zaś w obu przypadkach wpakujesz mnie do pierdla.

— Dlaczego więc mi je dajesz wszystkie? Powinieneś wydzielać mi po jednej codziennie.

— Bez sensu. To mogłoby przynieść skutek odwrotny od zamierzonego. Wystarczyłoby, żebyś wytrzymał kilka dni, zachomikował sobie tyle ile trzeba, potem spożył wszystkie naraz i załatwił się nimi na cacy, dodatkowo szczęśliwy, że zrobiłeś mnie w konia.

— A tak muszę walczyć, no i podejmuję zobowiązanie. O to ci chodzi?

— Właśnie o to. Jesteś honorowy i masz kolejny cel. Nie zrobisz mi dziadostwa.

— Nie obiecuję.

— Nie zrobisz. Znam cię lepiej, niż ty siebie sam.

* * *

Podczas kolejnych spotkań dowiadywał się wielu ciekawych rzeczy. Przede wszystkim zrozumiał przyczynę zmian, którymi swego czasu tak zaskoczyła go Dorota.

— Zainteresowałem się twoim przypadkiem bardziej niż mogłoby to wynikać z mych lekarskich obowiązków — mówił Marek. — Jesteś czymś w rodzaju eksperymentu. Możliwe, że napiszę o tobie pracę doktorską. Chyba nie masz mi tego za złe.

— Nie mam. Ale dlaczego właściwie...?

— Dlaczego zainteresowałem się akurat tobą?

— No właśnie.

— Wydałeś mi się dobrym obiektem do obserwacji.

— Jak świnka morska? Albo szczur?

— Duuuuużo ciekawszym.

— Przepraszam. To była z mej strony prowokacja.

— Wiem. Interesowało mnie, rozumiesz, jak dalece obraz przedstawiony przez ciebie jest wierny oryginałowi. Zacząłem od żony. Kusiło mnie, by przekonać się, jaka naprawdę jest. To, co mi o niej opowiedziałeś, nie brzmiało zachęcająco.

— Ode mnie nie dowiedziałeś się zbyt wiele.

— Starałeś się nie powiedzieć zbyt wiele — sprostował Marek. — Ale ja i tak zorientowałem się, co jest grane. Pewnych rzeczy udawać nie można. Pewne stany emocjonalne widać jak na dłoni, nawet jeśli ktoś stara się je ukryć. Wyglądało to kiepsko.

— Znam ten ból. Wciąż pamiętam.

— Skontaktowałem się więc z nią. Poszło mi łatwiej niż się spodziewałem. Jej bardzo zależało na twoim powrocie. Udzieliłem paru rad i wskazówek, prowadziłem konsultacje, rzec można prowadziłem ją...

— I doprowadziłeś. Stała się innym człowiekiem. Kiedy wracałem do niej, do małżeństwa, nie sądziłem, że można zmienić się aż tak. Ciągle mi się wydawało, że śnię dobry sen, z którego obudzi mnie jej przeraźliwy wrzask. Że zaraz wydarzy się coś złego. Że wróci to, co było najgorsze. Nic takiego nie następowało i myślałem o tym coraz rzadziej. Coraz rzadziej, prawda... bałem się. Nawet nie to, żebym zapominał, bo pewnych rzeczy zapomnieć się nie da, ale jakoś tak się to wszystko oddalało, zacierało. Za to sto tysięcy razy główkowałem, jak udało jej się dokonać aż takich przeobrażeń. Nawet nazwałem je „przemodelowaniem psychiki". Metamorfoza Doroty wydawała mi się po prostu nienaturalna. Teraz rozumiem. To ty dokonałeś cudu.

— No, no, no, bez przesadyzmu. Gdyby twoja żona nie chciała się zmienić, to nie zmieniłbym jej za Chiny Ludowe. Ale ona chciała. Ja tylko poddałem kilka sposobów, podsunąłem parę rozwiązań, parę prostych schematów. Poza tym pomogła mi chemia. Chemia to potęga.

— Chemia?

— Powiedzmy ściślej — farmacja.

— Aaaach, taaak. Szprycowałeś ją czymś?

— Za dużo powiedziane. Niekiedy wystarczy odrobina takiego czy innego pierwiastka śladowego, byśmy mieli lepszy humor. Tylko tyle. Przede wszystkim jednak rozmawialiśmy. Bardzo dużo i na bardzo wiele tematów. Z psychiką można zrobić cudeńka, jeśli się wie, jak.

— Pewnie tak.

— Nawet list do ciebie pisaliśmy razem... — Marek zawiesił głos, spojrzał uważniej.

— O zdrajco — mruknął Bernard pogodnie. Nie było powodów do obaw.

— Twoja żona doskonale współpracowała. Jest bardzo inteligentna. Właśnie w inteligencji upatrywałem szansy uratowania was. Oczywiście pod pewnymi warunkami i przy pewnych staraniach z waszej strony. Jednak brałem pod uwagę i taki obrót sprawy, że moja, hm, misja się nie powiedzie. Że rozejdziecie się. Nie sądziłem tylko, że nastąpi to tak prędko i w tak dramatycznych okolicznościach. Może gdyby pani Krystyna wytrzymała jeszcze trochę i zaatakowała nieco później, gdybyście zdążyli się mocniej związać nowymi więzami, pożyć trochę dłużej na nowych zasadach, mogłoby się jej nie udać was rozbić.

— Myślisz, że zrobiła to celowo?

— Nie wykluczam takiej możliwości. Powiem więcej: jestem prawie pewien, że tak.

— Rozmawiałeś i z nią?

— Trudno to nazwać rozmową. Powiedziała mi, że pakuję się z ubłoconymi butami w cudzą pościel. Cóż, poniekąd miała rację. Nie powinienem i nie mam prawa do tak głębokiej ingerencji, ale bardzo chciałem ci pomóc, to raz. Poza tym, o czym już wspomniałem, kierowała mną nie tylko zawodowa ciekawość. Poczyniłem pewne spostrzeżenia na jej, to znaczy pani Krystyny, temat. Zauważyłem, że jest bardzo skryta nawet wtedy, gdy sytuacja wcale tego nie wymaga. I że potrafi dobrze ukryć to, że jest skryta.

— Majster z ciebie.

— W niej jest coś bardzo niepokojącego. Coś, co pociąga jak jasna cholera, a jednocześnie przestrzega, by się nie dać pociągnąć. Zauważyłeś? — zaryzykował.

— Tak. Z nią nigdy nie wiadomo, co jest grane — odparł Bernard. Jego nagle zdrewniały głos aż nazbyt wyraźnie sygnalizował, że najwyższa pora uciekać z wciąż jeszcze parzącego tematu. Ten lód był zbyt cienki, by spacerować po nim bezkarnie.

— Poznałem też jej mężusia — rzucił Marek, jakby opowiadał anegdotę.

— Po nitce do kłębka? — pacjent z ulgą podchwycił jego lekki ton.

— Coś w tym rodzaju.

— No i?

— Kulturalny gość. Miło się z nim rozmawia. Ale to nudziarz.

— Jestem tego samego zdania.

* * *

Powoli wracał do normy. Nadal nie za bardzo chciało mu się dbać o siebie i swe otoczenie, ale nocne koszmary pojawiały się rzadko i nie były tak intensywne jak dawniej, toteż nie musiał przed nimi uciekać. Z zainteresowaniem obserwował natomiast, że w jego wyjałowionym umyśle zaczyna od czasu do czasu kiełkować coś, co, nie będąc jeszcze do końca skrystalizowanym zamiarem, oscyluje gdzieś blisko niego. Przyłapał się bowiem na tym, że zaczynają mu się podobać kobiety i że bezwiednie ogląda się za nimi na ulicy, w sklepie, wszędzie. Przynajmniej za niektórymi. I że zaczyna mieć na ich temat rozmaite przyjemne myśli. Uważniej spojrzał w lustro. Nie było powodów do radości. Zestarzał się, schudł, zmizerniał. Mocno posiwiał. Pocieszał się, że wygląda interesująco. Prawda była inna.

Któregoś ranka starannie sam przystrzygł sobie brodę i wąsy. Przy okazji skonstatował, że nie trzęsą mu się ręce. To był jakiś powód do radości. Ze straszną szopą, którą wyhodował na głowie, poszedł do fryzjera. Próbował posprzątać pracownię, lecz na to było jeszcze za wcześnie. Nie potrafił zorganizować sobie pracy i szybko się zniechęcił. Wykąpał się, założył czyste, prawie nowe ubranie. Poprosił Marka o pożyczkę, Marek poprosił o pożyczkę swego ojca i w ten sposób Bernard wszedł w posiadanie dwóch tysięcy złotych polskich.

W przyzwoitej restauracji zjadł dobry obiad. Do stolika zaprosił ani brzydką, ani ładną dziewczynę, pierwszą z brzegu, jedną z kilku oczekujących takiej propozycji, choć nie w pełni zawodową kurewkę. Po obiedzie spędzili razem higieniczną godzinkę w hotelowym pokoju.

* * *

Nazajutrz znalazł w skrzynce pismo z banku. Niecierpliwie rozerwał kopertę i zaraz popędził tam, gdzie czekała na niego zaległa należność za wykonaną pracę i zaliczka za tę, której jeszcze nie wykonał. Ku wielkiemu zaskoczeniu odkrył też jakąś całkiem niespodziewaną wpłatę. Po dłuższym główkowaniu domyślił się, że Dorotę ruszyło sumienie i zwróciła mu trochę forsy. Zaledwie cząstkę tego, co przywiózł. Ochłap. Pomyślał jednak, że lepszy rydz niż nic i nabrał otuchy. Podjął tyle, ile mu było trzeba, plus „górkę", żeby starczyło na jakiś czas i oddał Markowi dług.

Tego samego dnia stał się inny cud: odnalazł zaginione klejnoty. Sygnet natychmiast wsunął na palec i zabezpieczył go plastrem, żeby się nie zsuwał. Diadem rozpostarł na stole.

Jesteś piękny — myślał, wodząc wzrokiem po koronkowych łączeniach złotych elementów, pieszcząc oczami głęboką irydescencję wspaniale dobranych pereł.

Poczuł spóźniony żal i wstyd za to, co zamierzał zrobić, będąc w krańcowym dołku, nie, nie w dołku. Na samym dnie przepaści, upodlenia i rozpaczy, do której nie chciał się przyznać przed sobą samym.

Pamiętał jak dziś, że rozłożył klejnot przed sobą. Lecz nie po to, by napawać się jego pięknem. Nie. Piękno nie liczyło się zupełnie. Przeliczył wówczas diadem na alkohol. Wyszło mu, że może za niego kupić pięć cystern spirytusu. Albo więcej. Nie zastanawiał się, co zrobiłby z pięcioma cysternami spirytusu, gdyby nagle stał się ich właścicielem. Najpierw próbował szczęścia w kilku znanych sklepach jubilerskich. W żadnym z nich nie chciano nawet rozmawiać z brudnym, śmierdzącym włóczęgą. Odczekał więc trochę, heroicznym wysiłkiem doprowadził się do umiarkowanie przyzwoitego stanu i jeszcze raz spróbował szczęścia. Spotykał się z oględnie okazywanym zainteresowaniem profesjonalistów. Jednak na zainteresowaniu się kończyło, gdyż zazwyczaj pamiętano go z jego poprzedniego wcielenia. Poza tym nie potrafił podać wiarygodnego źródła pochodzenia skarbu. Obraził się więc na renomowane, bogate firmy i odwiedził kilka małych warsztatów złotniczych. Ich właściciele albo obiecywali bliżej niesprecyzowane zyski, w bliżej niesprecyzowanej przyszłości, albo wprost oznajmiali, że nie mają pieniędzy (czasy teraz takie ciężkie, proszę pana), albo płoszyli się, gdy przesadnie obniżał cenę. Jeden z nich, bezczelny młodzieniec z brylantyną w postawionej na sztorc fryzurce, chciał go ordynarnie oszukać.

— Ładny jablonex[1] — powiedział. — Wart ze dwie dychy. Może trzy. Dam ci dychę...

— Wała.

— Chcesz dwie dychy?

— Chyba żeś się z chujem na łby pozamieniał — warknął Bernard i wyszedł, rzuciwszy na pożegnanie grubym słowem i groźbą, po której cwaniaczek skulił się za kontuarem.

Po tych niepowodzeniach oferował diadem rozmaitym okazjonalnym nabywcom za dziesięć tysięcy, za pięć, za dwa, za tysiąc złotych. Bez powodzenia. Wreszcie,

205

---

[1] jablonex — tania sztuczna biżuteria, Jablonex — czeska firma handlująca wytwarzaną w Czechach sztuczną biżuterią ogromnie popularną w PRL w latach 60.

gdy gotów był go wymienić bodaj na litr wódki, a nawet zanieść z powrotem do przedsiębiorczego jubilera, wydębić chociaż na dwa wina, klejnot zniknął.

A teraz pysznił się przed nim, wyciągnięty ze schowka za kominem w korytarzyku. Bernard ukrył go wraz z sygnetem pani Chamsky. Zupełnie tego nie pamiętał, ale tak musiało być, bo nie mogło być inaczej, skoro właśnie dziś, po prostu wstał od stołu, poszedł tam nie wiadomo po co i znalazł obydwa przedmioty spoczywające zgodnie w małej niszy za załomkiem powstałym po ukruszonej cegle.

Musiał zadziałać instynkt — rozmyślał. — *Byłem na urwanym filmie. To się chyba nazywa „czynności podkorowe mózgu". Albo jakoś podobnie. Ukryłem diadem, bo chciałem go uchronić przed samym sobą. Podświadomość jest wielka. A może nie podświadomość? Może to Ona? Może to María? Hej, Marysieńko, czy to ty? Czy to twoja sprawka?*

Za sobą usłyszał szelest. Odwrócił się. Odrobina trocin sypała się spomiędzy desek stropu.

— Jeżeli to ty, Marysieńko, to bardzo ci dziękuję — powiedział półgłosem. — Nawet nie wiesz, jak bardzo — dodał głośniej.

Ponownie otulił klejnot w kolorową chustę. Zawiniątko rozpłaszczył i wsunął w specjalnie przygotowaną skrytkę. Na jej wykonanie poświęcił prawie cały dzień. Była istnym majstersztykiem. Nikt nie domyśliłby się, że zwyczajna z pozoru ścienna półka jest pusta w środku. Wykonana z cieniutkich listewek wyglądała tak, jakby była jedną, solidną, grubą na dobre pięć centymetrów, litą dechą. Dopiero zdjęta ze ściany, zadziwiłaby lekkoś-

cią. Ale kto by zdejmował ze ściany toporną niedokład-
nie oheblowaną półkę, na której postawiono kilka niezbyt czystych naczyń? W niej na dobre spoczął skarb.
Bernard nie sądził, by w najbliższym czasie miał go stamtąd wyciągać.

* * *

Bardzo intensywnie pracował. Nadrabiał zaległości.
Jednak nie tylko nagle rozbudzone poczucie obowiązku sprawiało, że harował jak nigdy. Absorbująca go bez
reszty praca nie pozwalała umysłowi na żadne narowy,
chroniła przed niepotrzebnymi myślami na temat spraw
i rzeczy, o których lepiej było nie myśleć. Leki otrzy-
mane od Marka uznał za niepotrzebne. Wrzucił je więc
do sedesu i dwukrotnie spuścił wodę. Sprawiło mu to
frajdę. Pożegnał się z czymś, co było ostatnią pamiątką
po najgorszym okresie jego życia. Przedłużanie terapii
stawało się więc przedłużaniem tego okresu, a tym samym mijało się z celem. Już nie potrzebował żadnych le-
ków ani żadnych lekarzy. Zresztą Marek wyjechał. Dostał stypendium i szlifował wiedzę w Zurychu. Nawet
przysłał ładną kartkę z pozdrowieniami i list pełen dobrych rad, którymi już nie trzeba się było przejmować.
I receptę, której nie trzeba było realizować. Przecież był
zdrowy. Całkiem zdrowy. Nigdy nie był chory. To tylko
noga powinęła mu się tak nikczemnie. Szczęście się od-
wróciło. Przecież każdy miewa wzloty i upadki. On sam
był okay. Tylko wyszło, jak wyszło. Ale będzie dobrze.
Jeszcze wszystko się odmieni. Jeszcze się odkuje. Jeszcze
pokaże im wszystkim, kim naprawdę jest.

Miał mnóstwo pomysłów, które notował, szkicował i nagrywał na dyktafon, by wykorzystać kiedyś w przyszłości. Pamiętał, że dawniej, niekiedy całymi tygodniami nosił swoją niepotrzebną pustą głowę, zanim coś z niej wykrzesał. Tak bywało szczególnie po ukończeniu jakiejś angażującej pracy, po namalowaniu ważnego, trudnego obrazu, napisaniu opowiadania, czy — rzadziej — wiersza lub eseju. Dziś jego zbyt często leniwa głowa eksplodowała. Projektował, rysował, malował i pisał. Z jednej dziedziny przechodził w inną wymagającą innych środków wyrazu, innego warsztatu i innego rodzaju skupienia. Zastępował jeden rodzaj działalności drugim, odrębnym, automatycznie i płynnie, zupełnie jakby zmęczony i znużony poprzednim, w kolejnym znajdował odpoczynek i regenerację nadwerężonych mocy twórczych. Późną nocą lub nad ranem padał i błyskawicznie zasypiał twardym, tępym, zwierzęcym snem bez snów. Tuż po przebudzeniu rzucał się na robotę. I pracował, pracował, pracował. Do utraty związku z rzeczywistością. Do upadu.

Pracę zleconą, którą pierwotnie planował na pół roku, wykonał w cztery miesiące. I to wliczając opóźnienie, ów kilkutygodniowy „francowaty poślizg na własnym gównie" — jak zwykł określać stracony czas. Jej efekt przedstawił szacownej komisji, która jednogłośnie zaakceptowała dzieło. Kolejne zamówienie było formalnością.

Zbiór opowiadań i szkiców literackich na tematy amerykańskie został przyjęty przez dobre wydawnictwo i wszystko wskazywało na to, że zostanie wydrukowany. A jeśli zostanie wydrukowany, to odniesie sukces. Bernard był o tym święcie przekonany i nie mylił się. Zanim upłynął termin udzielenia odpowiedzi, otrzymał zaproszenie do redakcji. Podczas rozmowy, której finałem było podpisanie korzystnej umowy na druk w formie książki, dowiedział się o sobie i o swym pisarstwie paru krzepiących rzeczy.

* * *

Od czasu do czasu wyruszał do niewielkiej kawiarenki o pretensjonalnej nazwie Café Esplanda, gdzie spotykały się na łowach samotne osobniki płci obojga. Zazwyczaj wychodził stamtąd z jakąś niewiastą, z którą spędzał potem noc, rzadziej dwie noce.

Przygarnął niewielkiego foksterierowatego kundelka grzebiącego w wysypujących się z kubła resztkach. Piesek odskoczył przestraszony, widząc zbliżającego się człowieka.

Bernard opróżnił swój kosz.

— No i co, Ciapek? — zagadnął. Piesek nadstawił uszu. Stał i patrzył. Był chudy, brudny, zabiedzony.

— Chodź do mnie. — Bernard kucnął i wyciągnął rękę. — Ja też niedawno grzebałem po śmietnikach — powiedział. Piesek warknął i obnażył ząbki.

— Chodź — rozkazał człowiek i zagwizdał. — No chodź. — Klepnął się po udzie.

Zwierzaczek nadstawił uszu, spojrzał przyjaźniej, zbliżył się nieufnie. Bernard bez obawy pogłaskał go po nastroszonej sierści, przemawiając do niego tak, jak zazwyczaj przemawia się do psa. Wstał. Piesek znów odskoczył, ale zaraz poszedł za nim, węsząc, zatrzymując się co chwila, to znów podbiegając bliżej. Bernard nie oglądał się za siebie, słysząc po schodach chrobot jego drobnych pazurków. Wszedł do pracowni, nie domykając drzwi. Piesek trochę postał w korytarzyku, pokręcił się niepewnie, wreszcie zwabiony zapachem kaszanki wślizgnął się chyłkiem do środka.

Bernard podzielił się z nim kolacją. Nakarmionego umył pod prysznicem bez wielkich protestów z jego strony. Potem ułożył mu posłanie po ciepłej stronie komina. Wieczorem wyszli razem na skwerek. Piesek ani na krok nie odstępował swego nowego pana. Bernard zaraz na początku nazwał go Ciapkiem i tak już zostało.

Rozdział czwarty

Od kilku dni odczuwał niepokój podobny do tego, jaki gnębił go zawsze wtedy, gdy zapomniał o czymś ważnym lub gdy miał do załatwienia coś niekoniecznie pilnego akurat w danej chwili, lecz nieuniknionego w przyszłości. Ten niepokój narastał. Bernard nie potrafił zapanować nad własnym umysłem, który wypluwał ze swych trzewi to, czego nie należało wydobywać nigdy. Rzeczy i sprawy przysypane, zdawałoby się na dobre, gruzem innych wydarzeń wypływały na powierzchnię.

Pozostawił za sobą co najmniej jedną taką niezałatwioną sprawę. Ta sprawa uwierała go, dokuczała przytłumionym bólem, zaprawiała goryczą odnoszone ostatnio sukcesy.

Nie chciał o niej myśleć. Odsuwał ją od siebie, przez co jednak nie stawała się byłą, minioną, pogrzebaną. Musiał ją załatwić. Po prostu musiał. Nie bardzo wiedział, jak. Nie potrafił wyobrazić sobie, na czym polegać ma owo „załatwienie". Ale coś z nią musiał zrobić.

To było silniejsze od niego, od Marka z jego pogawędkami, z receptami na ogłupiające pigułeczki i listami pełnymi mądrych rad i zaleceń. To było najsilniejsze. I żadna kolejna praca, żaden sukces, żadna kobieta nie były w stanie zagłuszyć coraz mocniej dającej o sobie znać myśli, że dał się tak wyrolować, że jest ktoś, kto drwi sobie z niego za plecami, że pozwolił, by zrobiono z niego pośmiewisko. Że wyszedł na skończonego frajera.

* * *

W samym środku nocy obudził go wiersz, który kołatał do jego głowy uporczywie, od razu cały, od początku gotowy:

> *Wróć śnie mój do mnie, wróć błękitnowłosy,*
> *wróć choć na chwilę i otul mnie sobą,*
> *w kaskady ciszy, w marzenia motyle,*
> *śnie mój niewierny co stało się z tobą,*
> *gdzieś się zapodział.*
> *Noc już za oknem kołysze drzewami,*
> *cienie znikają, nic mi dzisiaj po nich.*
> *Co utraciłem, na darmo by gonić.*
> *Nie trzeba szukać myślą po kamieniach*
> *w głębokiej wodzie od dawna kamiennych,*
> *gdzie tylko ryba rybim głosem śpiewa.*
> *Sen mi nie wróci, pozostanę senny.*

Bernard przeczytał go dwa razy i poczuł się nędznie.

— Sen mi nie wróci, pozostanę senny — mruknął, czując wzbierającą w nim złość. Ten wiersz błagał o litość. Był żałosny.

Podarta na drobne strzępy kartka spłynęła na podłogę, niby rzadkie płatki grubego śniegu. Wstał, nie myśląc, po co wstaje. Ubrał się, nie myśląc, po co się ubiera. Narzucił skórzaną kurtkę, założył ciężkie robociarskie buty, ze wzmocnionymi metalem noskami, zabrał duży klucz francuski, butelkę denaturatu i pojechał dobrze znaną trasą tam, gdzie pod plandeką czekał na niego stary ford o nieco pordzewiałej karoserii.

Brezentowe okrycie skutecznie tłumiło dźwięk rozbijanego szkła, zmieniając brzęk w głuchy trzask, gdy kluczem francuskim rozbijał szyby w aucie Artura. Następnie wylał butelkę fioletowego płynu na dach forda. Nie krył się zupełnie. Powolnym ruchem z namaszczeniem potarł łebkiem zapałki o draskę, obrócił płonące drewienko w palcach i rzucił je na plamę rozlewającą się po brezencie plandeki. Błękitny, chwiejny niczym ognie świętego Elma[1], płomień zatańczył nad pojazdem. Bernard odszedł parę kroków i usiadł na trawniku opodal. Skrzyżował nogi i doskonale widoczny w świetle widmowej poświaty przypatrywał się, jak z domu wybiegają ludzie, by gasić wzniecony przez niego pożar. Poobserwował trochę ich gorączkowe zabiegi. Gdy wspólnymi siłami zerwali płonący pokrowiec, rzucili na ziemię i zaczęli deptać, wstał. Powoli ruszył w mrok. Był już dość daleko, gdy usłyszał za sobą odgłos szybkich kroków. Gonili go. Zerknął przez ramię. Było ich trzech. W rozrzedzonym i skąpym świetle latarni rozpoznał Artura po długich włosach. Po jego lewej ręce biegł krępy,

[1] ognie świętego Elma — wyładowania elektryczne na końcach masztów okrętowych, piorunochronów itp.

mocno zbudowany mężczyzna, po prawej szczuplejszy dryblas. Bernard przystanął. Ścigający zatrzymali się także. Niespiesznie obrócił się ku nim twarzą i bez ostentacji, lecz tak, by było to widoczne, wsadził prawą dłoń w wewnętrzną kieszeń na piersi. Czekał. Jeszcze naradzali się. Czekał. Nerwowe głosy umilkły. Przyglądali się sobie nawzajem przez wypełnione wilgotną nocą dwadzieścia metrów powietrza. Ich trzech. On jeden. Ich trzech w pierwszym momencie pewnych siebie, silnych siłą grupy, potem zaskoczonych tym, że ofiara nie ucieka, nie dając im radości pościgu i schwytania jej, że nie daje im szans na potwierdzenie ich własnego męstwa, wreszcie wystraszonych, bo ten tam, jeden, sam, samotny, mężczyzna o ciemniejszej od mroku sylwetce czeka. Czeka na nich.

Wyhamowali, stracili rozpęd, sflaczeli. Nawet nie rzucali pogróżek, wyzwisk. Nie czynili rytualnych gestów, którymi mogliby dodać sobie otuchy i podnieść upadającego bojowego ducha. Odwrócili się jak jeden mąż i roztopili w ciemności.

* * *

Trochę mu ulżyło. Niewiele, ale jednak. Własna odwaga oraz tchórzostwo przeciwników podbudowały go. Uczucie nieokreślonego niepokoju i niedosytu przygasło. Jak wtedy, gdy dotkliwie poniżył Artura na oczach kochanki.

Niech wiedzą, że nie jestem rzadką sraczką, którą bezkarnie można spuścić z wodą — myślał zadowolony. — *Spierdalali przede mną wszyscy trzej* — nieco na siłę wzbudzał w sobie uczucie tryumfu. Prawie żałował, że nie kontynuowali pościgu. — *Dogodziłbym wam wszystkim* — pogroził pięścią niewidzialnym, odległym wrogom. — *Pozabijałbym was, skurwysyny. Nie byłoby co zbierać, głupcy. Albo oni zabiliby mnie* — zreflektował się. — *Najwyżej. No i co?* — Było mu to kompletnie obojętne.

Spał tak mocno, że nie słyszał skomlenia i tak długo, że gdy wreszcie się zbudził, zastał pod drzwiami sporą kałużę. Ciapek bojaźliwie łypał na niego, lecz Bernard nie gniewał się i nie zamierzał go karcić. Rzucił szmatę i bezmyślnie patrzył, jak psie siuśki wsiąkają w brudną flanelę. Zaraz poszli na długi spacer. Szli coraz dalej i dalej mglistym nadrzecznym bulwarem. Było pusto, cicho. Pogoda nie sprzyjała spacerowiczom. A oni szli, szli, szli. Bernard coraz bardziej lubił wiernego i posłusznego pieska. Często rozmawiał z nim tak, jak to zwykle czynią wszyscy samotni ludzie ze swymi czworonożnymi przyjaciółmi. Kundelek nadstawiał uszu, udając, że uważnie słucha, a Bernarda bardzo to bawiło. Kupił mu ładną obrożę i zbyt grubą, podobną do pejcza smycz z mocnym karabińczykiem na wyrost. Ciapek zazwyczaj trzymał się blisko niego i nie odbiegał dalej niż na parę kroków. Smycz więc i obroża nie były właściwie potrzebne. Bernard jednak uważał, że porządny pies powinien mieć i jedno, i drugie. A Ciapek z pewnością był porządnym psem.

* * *

Po południu zajrzał do Café Esplanda. Pragnął uzyskaną wczoraj satysfakcję na polu militarnym wzmocnić i ugruntować satysfakcją innego rodzaju. Lecz w jego zasięgu nie pojawił się nikt, kto by się do tego nadawał. Owszem, nadeszła jakaś pani i pokręciła się nawet koło jego stolika, zagadnęła, ale Bernard nie zareagował na jej przejrzyste awanse. To nie był jego typ, a dziś nie było mu wszystko jedno, między czyimi nogami spędzi noc. Zastanawiał się trochę nad profesjonalistką. Taką z klasą. Czuł się dość bogaty, wydatki miał małe. Lecz by znaleźć rzeczywiście dobrą kurewkę, musiałby i knajpę zmienić na lepszą. Do tego z kolei musiałby się inaczej ubrać. W wytartych dżinsach i skórzanej kurtce nie wpuszczono by go ani do Empire, ani do Grandu, ani do żadnego szanującego się lokalu nocnego. Zresztą tak ubrany czułby się akurat tam idiotycznie. Gra nie była warta świeczki. Wymagała zbyt wiele zachodu. *W końcu jedna dupa więcej, jedna mniej* — wyperswadował sobie ostatecznie. — *Jakie to nudne.* Wypił kawę i kieliszek koniaku. Jeszcze zwlekał, rozglądał się. Wreszcie poszedł do domu.

Ciapek przywitał go entuzjastycznie i natychmiast porwał w pyszczek smycz, dając do zrozumienia, że chce wyjść na spacer. Bernard westchnął, powiedział do siebie: „chciałeś to masz" i wyszli. Noc była chłodna i ciemna. Skwerek pusty. Zbliżała się jesień.

Już miał wracać i pogwizdywał na psa, który zawieruszył się gdzieś w krzakach, gdy podeszło do niego dwóch mężczyzn. Zauważył ich dopiero w ostatniej chwili, gdy byli o krok przed nim.

— Ma pan ogień? — usłyszał.

— Tak — odpowiedział, wsuwając ręce do kieszeni w poszukiwaniu zapałek. Wtedy zaatakowali. Bernard uniknął pierwszego ciosu, który nieszkodliwie osunął mu się po skroni. Wyrwał lewą rękę. Prawa uwięzła. Z jej nadgarstka zwieszała się smycz, której karabińczyk zaczepił o brzeg kieszeni. Poczuł mocne uderzenie w głowę, zachwiał się, prawa ręka sama uwolniła się z trzaskiem rozrywanego materiału. Śmignęła smycz. Niższy z napastników krzyknął i odskoczył. Drugi pstryknął sprężynowym nożem. Przedramiona Bernarda automatycznie utworzyły szczelną gardę. Ostrze zgrzytnęło o klamrę ściągacza na rękawie. Odparowując pchnięcie, starał się jednocześnie kopnąć przeciwnika w krocze. Chybił, zatoczył się, potknął. Wtedy uderzony smyczą skoczył mu na plecy. W ułamku sekundy Bernard zrozumiał, że nie ma szans. To nie byli przypadkowi chuligani, zwykłe łobuzy, małoletnie obszczymurki szukające taniej rozrywki, tylko dorośli, silni faceci, uparci, nieustępliwi i świadomi swego celu. Szarpnął, próbując się uwolnić, ale napastnik był ciężki i miał silne ręce. Nożownik był tuż. Uderzył go lewą pięścią w brzuch. W prawej wciąż trzymał nóż, lecz nie zadawał nim pchnięcia. Ponownie uderzył lewą, celując w splot. Bernard napiął mięśnie, wykorzystując jako oparcie tego, który wciąż trzymał go w zapaśniczym chwycie, podkurczył nogi i potężnym kopnięciem odrzucił atakującego. Upadli wszyscy trzej. Bernard zerwał się pierwszy, gotów dać dyla, lecz schwycony za nogę, runął jak długi. Skurczył się, zwinął jak wąż, chcąc jak najdłużej uniknąć kopniaków.

Naraz rozległ się straszliwy wrzask. Nożownik stanął w miejscu jak wryty i ryczał nieludzkim głosem. To

Ciapek nadbiegł, niezauważony w ciemności, szybki jak błyskawica zatopił kły w jego łydce. Zapaśnik zawahał się zdezorientowany, niepotrzebnie dając Bernardowi sekundę na pozbieranie się. Ta sekunda zdecydowała o ich klęsce. Znów śmignęła smycz. Tym razem uderzenie było celniejsze. W ciemności rozległo się zrozpaczone wycie: — Kuuuuurwaaaa, moje oczyyy. Zapaśnik bezwładnie walnął cielskiem o ziemię, trzymając się za twarz. Bernard doskoczył do nożownika, który, kopiąc psa, usiłował uwolnić się od jego zębów. Ciapek nie puszczał. Bernard odbił mało precyzyjne pchnięcie i ulokował dwa celne haki, jeden po drugim, prawie równocześnie, w odsłoniętym podbródku wysokiego mężczyzny. W ciosy te włożył całą swą jeszcze nie w pełni odzyskaną siłę. Wrzask umilkł. Nożownik runął na wznak i pozostał bez ruchu. Z tyłu pojękiwał oślepiony. Bernard obrócił się do niego.

— Masz dość? — wysapał. — Czy może ci dołożyć?

Odpowiedzią był bolesny jęk.

Teraz pochylił się nad nożownikiem. Psie szczęki nadal wpijały się w jego łydkę.

— Dobry piesek, dobry, puść. No puszczaj — powiedział. Ciapek nie ruszał się, nie wydawał żadnych odgłosów. Leżał na boku w nienaturalnej pozycji. Miał złamany kręgosłup. Był martwy.

Dopiero teraz Bernard poczuł prawdziwą wściekłość. Adrenalina rozsadzała mu tętnice. Dokładnie skopał nieprzytomnego. Dopadł jęczącego, wciąż trzymającego się za twarz i też go kopnął. Z całej siły. Ochłonął trochę.

Macając po ciemku, odnalazł nóż. Złożył ostrze i zabrał go sobie. Wsiadł do auta i ruszył przez miasto.

* * *

Z łatwością domyślił się, kto stoi za całą chryją. Okolica była spokojna. W starej dzielnicy mieszkali głównie starzy ludzie. Nie miał tu żadnych wrogów, no i nikt tu nigdy na nikogo nie napadał. A ci dwaj, krępy i chudy pasowali do tego, co zapamiętał z poprzedniego wieczoru. Wystarczyło tylko skojarzyć, co było do skojarzenia.

Zaparkował. Mocno nacisnął przycisk domofonu. Beznamiętny głos odezwał się natychmiast. Tak jakby jego właściciel czekał tuż za drzwiami.

— Już otwieram. Jak poszło, panowie?

— Dossskonale. Dossskonale poszło, mój mały przyjacielu — padła odpowiedź zakończona krótkim złowieszczym — he, he, he.

Zapanowało milczenie. W trakcie jego trwania Bernard wyobrażał sobie wyraz twarzy Artura.

— No co, nie wpuścisz mnie? Bo jak nie, to wjadę razem z drzwiami i dopadnę cię, skurwielu. A może wyjdziesz do mnie sam, cwaniaczku?

— Zaczekaj — zabrzmiało nieoczekiwanie. — Zakładam buty i wychodzę.

Bernard zapalił papierosa. Przyszło mu do głowy, że znienawidzony wróg będzie próbował salwować się ucieczką przez okno i już miał tam popędzić, gdy przypomniał sobie, że Artur ma w oknach solidne kraty. Zresztą on sam pojawił się już w jasno oświetlonym korytarzu. Szedł ani powoli, ani szybko, zbliżał się, nadchodził.

Bernard dorwał go natychmiast, gdy tylko przestała ich dzielić przezroczysta szklana tafla drzwi. Przyłożył mu do rozporka zdobyczny nóż. Artur stał spokojnie. Nie okazywał strachu ani gniewu, ani żadnej w ogóle emocji. Tylko grdyka skakała mu w górę i w dół, a oczy były rozbiegane.

— No i mam cię, kolego. — Przyłożył mu papierosa do policzka. Artur syknął, lekko szarpnął głową i nadal tkwił bez ruchu, zapewne zdrętwiały z przerażenia. — Co, nie kopniesz mnie nawet? Gdzie twoje dżudo? Gdzie twój czarny pas? Patrz chowam kosę. — Schował sprężynowca do kieszeni. — No, spróbuj teraz — prowokował, a wobec braku reakcji, z rozmachem zgasił mu papierosa na klapie marynarki. Sypnęło iskrami. — Co ty na to, panie ładny?

Oczy Artura znieruchomiały. Już nie ganiały tam i z powrotem. Wydawały się wpatrzone w coś, co dla nikogo oprócz niego samego nie było widoczne.

— Rozumiem cię lepiej, niż sądzisz — powiedział łagodnym głosem kogoś tak zupełnie innego, że dla odmiany Bernard zdębiał, jakby oblano go żelatyną. — Czujesz się odtrącony, niepotrzebny. Musisz odreagować stres i odreagowujesz go tak, jak potrafisz. Czy jednak zastanawiałeś się, przychodząc do mnie, co chcesz osiągnąć? Chciałeś mnie zabić? Jeśli tak, to proszę. Nie sądzę jednak, by tak było, bo wtedy zabiłbyś mnie od razu, bez wstępów i ceregieli, nie bawiąc się w ten osobliwy sposób. Zresztą dobrze wiesz, że to by ci nie pomogło. A może chciałeś mnie poniżyć? Czymże jednak jest takie poniżenie? Czy potrafisz mi wytłumaczyć, na czym polega?

— Ładnie to tak nasyłać kolesi w ciemną noc? A sam nic, panie szwagier? — Bernard z trudem przerwał usypiający monolog.

— Nikogo nie wysyłałem. — Artur nie zmienił ani intonacji, ani wyrazu twarzy. Wciąż był odległy, nieobecny, a jego cichy głos płynął monotonnie. — Pojechali do ciebie z własnej woli. Zatrzymywałem ich. Wczoraj mi się udało. Dziś nie.

— Wczoraj chciałem, żebyście mnie dopadli. Miałbym z tego lepszą radochę.

— Miałbyś wielki kłopot. Uniknąłeś więzienia, bo chciałem, byś go uniknął.

— Dobrodziej się znalazł. A, a niby dlaczego?

— Nie było warto cię wsadzać za dziurawą plandekę i dwie szyby w starym aucie. Takich szyb jest pełno na każdym szrocie. Kosztują grosze. Sprawa ciągnęłaby się długo i szeroko. Objęłaby swym zasięgiem i inne osoby, którym wcale rozgłos nie jest potrzebny. Czy pomyślałeś o Krystynie? O tym, czego ona chce i oczekuje? W jakim świetle byś ją postawił podczas następnej sprawy rozwodowej? Czy myślisz, że jej mąż nie wykorzystałby przeciw niej tego wszystkiego? A może zależy ci na tym, by jej zaszkodzić? Nie rób tego. Ona nie zrobiła ci nic złego.

— Nic złego?

— Nic. To co się stało, zawdzięczasz tylko sobie. Nigdy nie szukaj u innych źródła własnych niepowodzeń, bo nigdy nie osiągniesz sukcesu. Nie szukaj wad u innych, bo nigdy nie poprawisz własnych.

Bernardowi opadają ręce. Rozumna argumentacja i zniewalająca melodia tego głosu są nie do odparcia. Jego wściekłość przygasa. Jego umysł uspokaja się, schodzi z obrotów.

— Teraz wracaj do domu. Wyśpij się porządnie — płyną słowa. — To musi jeszcze trochę potrwać. Ale przejdzie. Wszystko przejdzie, bo wszystko przechodzi z czasem. Wracaj. Odejdź.

I... Bernard odszedł.

* * *

Właśnie dlatego na poddaszu wielowiekowej kamienicy w najstarszej części miasta pewien mężczyzna leży wpatrzony w mrok, a zimna nienawiść oblepia mu mózg niby sieć jadowitego pająka. Ten pająk, uśpiony, do niedawna pogrążony w letargu, wyłazi ze swego kokonu, włokąc za sobą lepkie kosmate nogi. Przeciąga się, prostuje zdrętwiałe stawy. Długo dojrzewał skulony, ukryty, prawie martwy. Teraz ożył. Może przystąpić do działania w pełni dojrzały, silniejszy niż kiedykolwiek.

Bernard rozpatruje kolejno wszystkie popełnione błędy. Równolegle w jego pamięci pojawiają się osiągnięcia i sukcesy. Pojawiają się kobiety, które były mu przychylne bez większych ceregieli i zabiegów z jego strony, kobiety, o które nie musiał walczyć, a także te, które walczyły o niego. Nigdy nie miał kłopotów z nawiązywaniem znajomości. Podobał się kobietom tu i gdzie indziej. Nie mógłby powiedzieć, że nie miały dla niego znaczenia. Nie. Ale z pewnością nie były ważniejsze niż całe mnóstwo rozmaitych ważnych spraw i rzeczy. Tylko jedna, Krystyna, była ważniejsza od innych, najważniejsza. Krystyna i ten jej demoniczny przydupas Arturek, pierdolony magik, który dzięki niej też stał się ważny.

Bernard na zimno przeżuwa ostatnie upokorzenie, czując, że w jego umyśle uchyliła się jakaś klapka, otworzyły się jakieś drzwi. Artur był tchórzem, krętaczem, kłamcą. Powiedział, że nie wysyłał przeciwko niemu ludzi, że powstrzymywał kompanów, a jednak czekał na nich niecierpliwie i w rezultacie przywitał go życzliwym: „jak poszło". Artur jest złem. Potrafi omotać słowami, otumanić, zaczadzić. Tak omotał Krystynę. Próbował omotać i jego. Ale mu nie wyszło. On, Bernard, jest silny, najsilniejszy. Miał kilka twardych lądowań. Prawda. Ale pozbierał się. Nabrał sił. Już jest zdolny do walki.

Zniszczy Artura. Bo Artur jest złem, a zło należy niszczyć! Tylko trzeba to robić z głową. Dość było szarpania, pustego machania rękami, wygrażania, głupstw. Dość było samoudręczania się. Dość kretyńskiego masochizmu, stękania, wzdychactwa. Postawi na swoim. Krysieńka będzie jego. Nie liczy się nic poza nią. Udawał, że jest inaczej. Zajmował się wszystkim, co oddalało go od niej. Robił wszystko, by o niej zapomnieć, by wyrzucić ją ze swej pamięci. A naprawdę liczy się tylko ona. Wszystko inne to miraż, surogat, erzac. Inne kobiety... Phi. Tylko ona. Jedna. Nawet jeśliby przyszło zapłacić największą cenę. Bo żadna cena za nią nie jest największa.

Kiedyś, dawno, podczas pierwszej rozmowy, Marek zasugerował, że być może Krystynie odpowiada układ, w jakim tkwi od lat. Teraz Bernard rozwija tę myśl i wyciąga wnioski, które zdumiewają go swą prostotą.

Ona wywalczyła sobie wprost wymarzoną pozycję — myśli. — Uciążliwości pozostawania w formalnym związku są niewielkie. Zdzisław płaci za mieszkanie, reguluje rachunki, utrzymuje dzieci i... zupełnie niczego nie żąda w zamian. Istnienie małżeństwa bez wynikających z niego zobowiązań sprzyja więc brudnemu romansowi. A już na pewno nie przeszkadza jego istnieniu i kontynuacji. Z normalnym mężusiem, w normalnym małżeństwie nie mogłaby sobie swobodnie pogrywać — myśli. — Z kolei gdyby była na stałe z tym całym magikiem, pajacem, to by ich to tak nie rajcowało. Zdzisław uważa, że robi jej na złość i utrudnia życie. Tymczasem jest wręcz przeciwnie. Jednak największą przysługę oddaje temu skurwysynowi, zasranemu fiutowi. Powinien był odpuścić już dawno. Niechby sobie pomieszkali razem. Zaraz by im przeszło, bo ile można... A Aneta? Chuj z Anetą. Ona nie ma tu nic do rzeczy. Głupi Zdzisław. Pierdolony mięczak, mózgowiec. Ani w tę, ani we w tę, zasrany intelektualista targany wątpliwościami. Wiecznie niezdecydowany palant. To on jest winien. Gdyby nie jego głupota, nie byłoby całej tej parszywej sytuacji. Nie byłoby... Artura. Artur jest skutkiem, nie przyczyną. Przyczyną jest Zdzisław. Jeśli więc zniknie Zdzisław, zniknie i Artur. Jakie to proste. Wszystko zawsze jest cholernie proste. To tylko człowiek komplikuje sobie sprawy najprostsze w imię bliżej niesprecyzowanych, jakichś tam wartości, zasad i innych dyrdymałów. Należy ponownie wszystko uprościć, rozplątać to, co zaplątane i będzie dobrze. W tej grze jest zbyt wiele elementów. Gdyby część z nich wyrzucić, wszystko wróciłoby do normy. Do równowagi, która w tej chwili jest kompletnie zaburzona. Do stanu, w jakim powinno

się znajdować zawsze i od zawsze. Trzeba tylko... usunąć...
jeden... element.

Tej nocy napisał:

Przyczyną złego zostawiony brzeg
Mnie pozostał tylko bieg, bieg, bieg
Nim oślepiony i rozdarty
Mój dzień nastanie nad mą drogą
Ja mur przebiję cudzą głową
Nim mnie dopadnie zmierzch.

Rozdział piąty

Bernard miał poważny dylemat. Nie potrafił zdecydować, czy lepiej będzie załatwić sprawę w niedzielę, czy już w sobotę. A może w piątek? Za niedzielą przemawiało to, że Zdzisław w ciągu tygodnia nie bywał w klubie. Tak więc, aż do kolejnego piątku nie zauważono by jego nieobecności. Z kolei w soboty i piątki weekendowi żeglarze urządzali sobie hałaśliwe imprezy przy ogniskach. To mogłoby być korzystne. Pośród śpiewów, wrzasków i pijackich hałasów nikt nie usłyszałby wołania o pomoc, jeśliby coś poszło nie tak. A gdyby zaryzykować już w piątek po południu? Przydybać Zdzicha, zanim znajdzie się na terenie przystani? Ta myśl była kusząca.

Bernard już wcześniej dobrze poznał rozkład jego zajęć. Jego przyzwyczajenia i szlaki, którymi najchętniej się poruszał. Dlatego teraz śledził go krótko i dla zasady. Zaś obserwując skrycie, doznawał dziwnej, nieznanej mu dotychczas przyjemności. Zupełnie jakby sprawował nad nim jakąś tajemną a dwuznaczną opiekę. I jakby miał nad nim władzę. Wystarczyło tylko wybrać czas.

Zdzisław zazwyczaj pojawiał się w klubie już w piątek po południu. Często korzystał z małej, na wpół zapomnianej furtki, a nie z bramy głównej. Szczególnie, gdy wychodził z przystani późną nocą. Ale czasami także wchodził na teren tym skrytym peryferyjnym wejściem, jakby unikał ludzi. Wtedy spotykało go niewielu. A już na pewno nie widywał go podrzemujący w swej stróżówce stary cieć.

* * *

Zdecydował się na piątek, bo dzień był pogodny, choć chłodny. Zakładał, że właśnie w taki dzień wytrwały żeglarz zechce przygotować jacht do być może ostatniego w sezonie sobotniego rejsu i już po drugiej zaczaił się w krzakach, przy ledwie widocznej ścieżce wiodącej do furtki. Około trzeciej usłyszał szelest kroków po zeschniętej trawie, trzask gałązki pod czyjąś stopą. Cofnął się troszeczkę, gdyż nie był pewien, kto nadchodzi. Zresztą i tak było jeszcze zbyt jasno. Jeszcze musiał trochę poczekać. Poczuł dumę z własnej przebiegłości, gdy ujrzał znajomą wypłowiałą kurtkę. Przykucnął i spoza zasłony gęstych gałęzi patrzył, jak Zdzisław otwiera bramkę, jak zmierza do łódki, jak wchodzi na pokład i coś tam majstruje przy takielunku. Zaczęło się ściemniać. Na drugim krańcu przystani rozpalono ognisko. Zabrzmiała gitara, ktoś zaśpiewał piosenkę, jedną, drugą. Imprezka rozwijała się ładnie. Zdzisław zapalił lampę. W jej jasnym świetle był widoczny jak na dłoni. Dwukrotnie schodził pod pokład, potem wywlókł jakąś deskę i przycinał ją, jeszcze potem palił papierosa i patrzył w kierunku ogniska, jakby zastanawiał się, czy wziąć udział w żeglarskiej popijawie. Bernardowi byłoby to bardzo nie na rękę. Czekał jednak cierpliwie, niemal bez ruchu, chociaż zrobiło się dość chłodno. Wreszcie lampa na łodzi zgasła. Zapadła ciemność. Tylko ognisko płonęło w oddaleniu. Po chwili dał się słyszeć zgrzyt zardzewiałych zawiasów.

Dobrze jest — pomyślał Bernard i wyszedł z ukrycia. Ubrany na czarno, w kominiarce, nie był widoczny na ciemnym tle krzaków. Za to jasna plama Zdzichowej kurtki kontrastowała z intensywną czernią zapadającej nocy. Ta plama zbliżała się wraz z powolnym szuraniem męskich kroków najpierw po szutrze, potem po suchej trawie. Łowca sprężył się w sobie. Zwierzyna była tuż.

* * *

Okulary zatrzymały na sobie część gazu i osłabiły jego działanie, ale nie mogły zneutralizować go całkiem. Niczego nieprzeczuwający Zdzisław zachłysnął się i, charcząc, opadł na kolana. Druga porcja gazu ulokowana precyzyjnie, z bardzo bliska, rzuciła nim o ziemię. Zaciągnięcie pętli na jego chuderlawej szyi, wytrzymanie bezładnego dwuminutowego wierzgania, upakowanie ciała w wielkim worze, zanim nastąpi rigor mortis[1] i zawleczenie ładunku do samochodu okazało się nad podziw łatwe. Bernard nigdy do końca nie zdawał sobie sprawy z własnej siły. Zawiózł trupa na dawno wybrane miejsce, poniżej miasta, tam, gdzie nurt rzeki skręcał ku

---

[1] rigor mortis (łac.) — stężenie pośmiertne mięśni

środkowi odbity od wzmocnionego betonowymi płytami brzegu. Pusta tafla wody rozprysła się, zafalowała i zamknęła nad powierzoną jej tajemnicą.

Jeszcze przez chwilę obserwował bąble powietrza wydostające się z worka. Rząd jasnych koralików na czarnej powierzchni wody znaczył ku środkowi rzeki ostatnią drogę zabitego. Bernard stał i patrzył. Trylinka[2] użyta jako balast z pewnością pociągnie ładunek na samo dno. Ale nie zaraz. Dopiero po kilkudziesięciu, może po stu lub więcej metrach. Tam zakotwiczy go w jakiejś rozpadlinie. Reszty dokona natura — zaśmiał się krótko. Mocny worek pleciony z nylonowych włókien nieprędko się rozleci. Prędzej zgnije i rozpadnie się ukryte w nim ciało i już nikt nie będzie w stanie go rozpoznać.

Miał trochę kłopotów z ruszeniem z miejsca, bo samochód buksował w błocie, poradził sobie jednak. Rano umył wóz, odkurzył. Sprawdził czy nie pozostał w nim żaden przedmiot po zamordowanym. Wyrzucił do śmietnika swoją czarną kurtkę. Nie sądził, by ktokolwiek widział go nocną porą na odludziu nad rzeką, ani tym bardziej, by mógł go rozpoznać. Jednak lubił być dokładny.

Nie obawiał się o ślady opon pozostawione w mokrej glinie. Padające często deszcze powinny je rozmyć, zanim ktokolwiek zacznie poszukiwać Zdzisława.

* * *

---

[2] trylinka — sześcioboczne płyty betonowe używane do budowy nawierzchni parkingów, podjazdów, tymczasowych dróg itp.

Wezwanie na policję zaskoczyło go. Spodziewał się, że kiedyś pewnie zostanie przesłuchany jako jeden z wielu znajomych zaginionego. Nie sądził jednak, że nastąpi to tak szybko. Na komendzie przeżył miłe rozczarowanie, gdyż przystojnej pani policjantce chodziło o coś zupełnie innego.

— Jest skarga na pana — powiedziała i Bernard odetchnął, gdyż czego jak czego, ale skargi ze strony Zdzisława nie oczekiwał.

— Skarga? — zdziwił się — Na mnie?

— Tak. Dwóch obywateli zgłosiło ciężkie pobicie z okaleczeniem przy użyciu niebezpiecznego narzędzia.

— Co? — Bernard nie miał powodu do ukrywania przyczyny swego oburzenia. — Napadli na mnie, pobili i jeszcze się skarżą?

— Podobno to pan ich pobił.

— Broniłem się. Zostałem zaatakowany niespodziewanie, gdy wracałem ze spaceru z pieskiem. Skoczyli na mnie we dwóch. Najpierw perfidnie podeszli, grzecznie spytali, czy mam ogień, a gdy wsadziłem ręce do kieszeni, po te cholerne zapałki, rzucili się na mnie i zaczęli bić. Uratowała mnie smycz i Ciapek, mój piesek. Pieska mi zabili. Dołożyłem im. Prawda. Ale miałem za co. Sami się prosili. Łobuzy!

— Wiele wskazuje na to, że przekroczył pan granice obrony koniecznej. — Policjantka sprawiała wrażenie nastawionej do niego życzliwie.

— Nie wiem, gdzie leżą granice takiej obrony. Wiem natomiast, że walczyłem o życie. Jeden z nich miał nóż sprężynowy. Rozciął mi rękaw kurtki. Mogę pokazać.

Nóż zachowałem. Z pewnością będą na nim jeszcze odciski palców tego chudego.

— Dał pan radę dwóm facetom z nożem? — W głosie policjantki zabrzmiał prawdziwy podziw.

— Nie miałem wyboru. Nawet chciałem uciec w pewnej chwili, ale jeden chwycił mnie za nogę. Ten grubszy. I upadłem. Gdyby nie Ciapek, już bym nie żył. Albo był kaleką.

— Czy znał pan wcześniej tych ludzi?

— Nie, skądże. Nigdy w życiu ich nie widziałem. — W mózgu Bernarda zabłysła ostrzegawcza lampka. Ta policjantka była bardzo sprytna. Powolutku, układnie, wciągała go w pułapkę.

— Jest pan pewien?

— Tak. Zresztą nie wiem — udał zastanowienie. — Było ciemno. Nie przyglądałem im się. Podczas walki nie miałem na to czasu. A potem, jak już było po wszystkim, oddaliłem się. Poszedłem do domu i piłem wódkę. Na uspokojenie i z żalu. Po Ciapku. Przygarnąłem go niedawno. Był bardzo wierny, oddany.

— A gdy pan wypił, to co pan zrobił?

— Zasnąłem. Obudziłem się rano z głową opartą o stół.

— Dużo pan wypił?

— Flaszkę „Wyborowej". Trzy czwarte. Byłem bardzo zmęczony i alkohol podziałał na mnie silniej niż zwykle. Poza tym piłem szybko. Duszkiem.

— Nie dziwię się. Taaak. Czy pan dużo pije?

— Jeśli już piję, to dużo i do skutku. Ale raczej rzadko. Generalnie mocno zaniżam polską statystykę. Przynajmniej pod tym względem.

— Czy pan jest pewien, że nigdy wcześniej nie spotkał się pan z tymi mężczyznami? Przy jakiejś okazji?

— Jakiej okazji?

— Choćby niewielkiego pożaru?

— Jakiego znów pożaru? Dawno temu, u moich dziadków, na wsi paliła się stodoła, ale byłem wtedy mały — zaimprowizował. — To nie chodzi o tamten pożar, prawda? — spytał z głupia frant.

— Nie. Nie o tamten. — Policjantka nie spuszczała z niego oka. Wytrzymał jej spojrzenie, nadając swej twarzy wyraz zaciekawienia.

— Ci panowie oskarżają pana o podpalenie samochodu należącego do jednego z nich.

Widocznie fiut sprzedał któremuś z nich swojego grata — przebiegło Bernardowi przez myśl. — *Pewnie dlatego byli tacy zażarci.*

Albo kobitka bierze mnie pod włos. Jeśli myślisz, siostro, że teraz powiem: „skądże znowu, podpaliłem samochód pana Artura, a nie jakiegoś innego pana", to jesteś w błędzie.

— Nie wiem nic o żadnym spalonym samochodzie — odpowiedział wyraźnie, bez zająknienia. Tak jak mógł odpowiadać tylko człowiek, który nie ma i nigdy nie miał na sumieniu żadnego poważniejszego grzechu. — Nie dość, że na mnie napadli, to jeszcze oskarżają. Bezczelni.

— Czy poprzedniego dnia podpalił pan samochód? — policjantka zaatakowała wprost. — Obaj poszkodowani twierdzą zgodnie, że widzieli pana podpalającego samochód.

— Poszkodowani? Do diabła! Przecież to ja jestem poszkodowany, napadnięty, pobity. Jeszcze kurtkę mi rozdarli, łobuzy. A bronić się wolno. Każdemu.

— Czy podpalił pan auto? — Patrzyła badawczo prosto w oczy.

— Nie — odparł krótko.

— Oni twierdzą, że widzieli, jak pan podpalił — powtórzyła z naciskiem.

— No dobra. Jeśli widzieli mnie przy tym, to dlaczego mnie nie złapali?

— Bali się.

— A nie bali się potem przyjechać do mnie? Bo zrozumiałem z całej tej historii, że chcieli mi sprawić odwetowe lanie za spalony wóz.

— Bali się, że pan będzie strzelał. Podobno pan ma broń. Czy to prawda?

— Nie. To TEŻ nie jest prawda. Gdybym miał broń, tobym jej użył w czasie napadu na mnie, a nie chlastał smyczą. To się kupy nie trzyma, proszę pani.

— Wydaje mi się, że tu znacznie więcej rzeczy nie trzyma się kupy. — Policjantka nadal przyglądała mu się uważnie.

— Wracając do sprawy, chciałem spytać, jeśli nie jest to tajemnica, czy napastnicy odnieśli poważne obrażenia. — Bernard nadał swemu głosowi umiarkowanie zatroskany ton, starając się, by nie zabrzmiało to obłudnie.

— Chciałby pan usłyszeć „tak" czy „nie"? — Policjantka uśmiechnęła się pod nosem.

— Powiem pani szczerze, że wtedy, gdy biłem się z nimi, byłem rzeczywiście wściekły i nie liczyłem się z niczym. To chyba zrozumiałe, prawda? Oni zabili mi psa. Dziś trochę mi przeszło. Więc?

— Mogę panu powiedzieć tylko tyle, że wyższy miał podejrzenie lekkiego wstrząsu mózgu, a niższy ma uszkodzoną lewą gałkę oczną.

— Pewnie oberwał smyczą.

— Na swoje i pańskie szczęście nie straci oka. Obaj odnieśli też inne obrażenia. Bolesne, ale raczej powierzchowne. Są ogólnie mocno poobijani. Twierdzą zgodnie, że pan ich kopał, jak już nie mogli się bronić. Czy tak było?

— Może i tak. Nie pamiętam. Po prostu nie pamiętam. W skrajnym gniewie człowiek bywa zdolny do wszystkiego. Natomiast gdy pani słucham, nie potrafię się oprzeć wrażeniu, że oni pomylili osobę, do której mieli żal i trafili pod zły adres. Pytanie brzmi: skąd wzięli właśnie mój?

— Tego panu nie mogę powiedzieć, ale myślę, że kojarzy pan prawidłowo. Najwyraźniej ma pan jakiegoś wroga, o którym pan nie wie.

— Nie wiem. — Pokręcił głową. — I nie chcę wiedzieć.

Zaraz po wyjściu z komendy zatelefonował do Artura.

— Jeżeli twoi kolesie nie wycofają skargi, to być może wsadzą mnie do pudła — warknął. — Ale wcześniej własnoręcznie obedrę cię ze skóry i posolę.

— Ja nie znam sprawy... Ja nic nie wiem... To nie ja... — po drugiej stronie rozległo się wystraszone gęganie.

234

— Milcz. — Bernard nie czekał, aż Artur zbierze siły i rozpocznie swój glejowaty bajer. Wytrzymał jeszcze nagle ucichłe pół sekundy i rozłączył się.

* * *

Leżący w skrzynce list uświadomił Bernardowi, że zupełnie zapomniał o Dorocie. To było zadziwiające. Żona, syn, całe jego wcześniejsze życie zdawało się nie istnieć w sposób prawie doskonały. Czyżby był kiedyś żonaty? Rzeczywiście. Był. Miał cholernie kłótliwą i złośliwą, a potem odmienioną przez rozumne zabiegi dobrego szamana Marka, żonę Dorotę. Miał z nią syna? Rzeczywiście. Miał. Krzysia. Nie do wiary. Kiedy to było? Odległe o tysiące lat świetlnych obrazy powracały nieostre, wybladłe, nieistotne.

Przez dłuższą chwilę Bernard rozmyślał, jak mogło do tego dojść. Jak było możliwe, że ważny i niemały kawał jego własnego życia tak bardzo oddalił się od niego wraz ze światem, w którym on sam żył kiedyś. Wraz z najbliższymi osobami, które nieoczekiwanie tak dalece zatarły się w jego pamięci, że stały się obce i obojętne. *Widocznie w ten właśnie sposób mój mózg poradził sobie z przemijaniem spraw trudnych i bolesnych* — pomyślał. — *Coś, co nie może wrócić, należy traktować jak rzecz niebyłą, bądź prawie niebyłą.*

— Jesteś bardzo mądry, mój bardzo mądry mózgu — powiedział głośno.

Był gotów przyjąć wszystkie warunki żony (nadal i mimo wszystko pełnoprawnej), nie zagłębiając się w ich treść. To, czego mogła od niego żądać Dorota, nie miało znaczenia. Nie było warte uwagi, straty czasu, głębszego zastanowienia. Zabrała mu wszystko, co było do zabrania. Już nie było czego bronić. Teraz miał na głowie sprawy ważniejsze niż jakiś tam rozwód, jakieś tam alimenty. Oczekiwał na coś znacznie ważniejszego niż sprawa rozwodowa, która powinna się zakończyć bezboleśnie i bezproblemowo.

* * *

Stary dom był bardzo podobny do tego, z którego kiedyś obserwował zakurzoną drogę i wędrującego po niej białego konia. Miał takie same pociemniałe drewniane ściany, ale wydawał się większy. Wtedy jednak Bernard siedział na jego progu. Teraz zaś pętał się po nim bez celu, to wchodząc na piętro po spróchniałych trzeszczących schodach, to znów schodząc z nich w poczuciu absolutnej beznadziejności zarówno owego wchodzenia, jak i schodzenia. Zmęczył się wreszcie i usiadł pod ścianą. Podkurczył nogi, oparł głowę na kolanach. Musiał odpocząć. Nagle ujrzał Śmierć wychylającą się z pustej framugi pozostałej po wyrwanych drzwiach. Nie zareagował. Podeszła. Stanęła nad nim. Była odziana w prześwitujący biały całun. Patrzyli na siebie. On z dołu, ona z góry, paskudnie i dwuznacznie szczerząc rzadkie żółtawe zębiska. W pokrytym rdzawym nalotem ostrzu jej kosy odbijały się blaski zimowej księżycowej nocy wpadające przez okna pozbawione szyb. Nagle Bernard oburącz schwycił drzewce kosy pomiędzy trupimi dłońmi. Szarpnął mocno do siebie, jednocześnie kopiąc z przodu poniżej mostka w kręgosłup zdezorientowanego i rozchwianego szkieletu, który, najwyraźniej nieprzywykły do tego rodzaju traktowania, bronił się słabo i bez zdecydowania. Rozległ się chrzęst i zgrzyt. Śmierć upadła. Jeszcze pełzała, jeszcze unosiła się na łokciach, ale była bezsilna. Miała złamany stos pacierzowy. Bernard zerwał się na równe nogi. Krótkim kopnięciem zdjął jej czerep z karku. Uniósł w górę kosę i wydał ryk tryumfu.

Zwyciężył i obudził się. Dniało. Za oknem padał pierwszy śnieg.

Nie zapalając światła, namacanym na oślep ogryzkiem ołówka, spiesząc się gorączkowo, by nie utracić ulotnej weny, bazgrał na kawałku kartki urywane słowa, zbitki, strzępy, pierwsze wrażenia po minionym śnie.

Było to krótko
I w starym domu historia ta się odbyła.
O starym szkielecie z kosą,
Śmiercią nazwanym z wygody.
Gdy przyszedł, głowę w drzwi wetknął,
półbokiem zerknął z futryny
zanim przede mną stanął,
On, szkielet z pożółkłej kości.
Nie mówił. Tylko patrzył.
Za oknem nocny śnieg padał,
matowy nadając mu połysk.
Siedziałem sobie spokojnie
kiedy się ku mnie nachylił
szarpnąłem i z dłoni sępich
drewno z metalem wydarłem.
Kopnięty przez białe płótno,

rozchwiany i rozchrzęszczony
z łoskotem opadł na ziemię
i zaraz z kręgosłupa pogubił
parę kawałków.
Ha! Wstałem.
Włóczył za sobą nogami
z poprzetrącanym grzbietem,
na łokciach się unosił,
czołgając i dźwigając
bezwładny i bezgłowy
kościotrup com go dopadł
i oręż mu wydarłem.
Bo zawsze kogoś zabrakło
Portrety postrącane
szkło się od luster walało
i dawno porozbijanych zegarów
po kostki, po kolana
ryngrafy połamane
i połamane ramy
Jam dziś zaczekał na tego,
co się zniszczeniem para
A inni tylko śpiewali
Chorał na zawsze przerwany
Głupcy bezwolni i słabi...
A teraz grzbiet przetrącony.
Kosę powieszę na ścianie
Największe myśliwskie trofeum
będzie wisiało nad łóżkiem
pięknie ją wypoleruję.
Mój dzień się będzie przeglądał
niby w wiosennej kałuży

pokrytej świeżutkim liściem.
I co? Ha!

Odłożył ołówek. Zapisał już wszystko. Teraz należało tylko ułożyć z tego wiersz. A potem namalować obraz. *Zapowiada się większa robota* — pomyślał. — *Troszkę trzeba będzie poczekać. Niech mi się wszystko poukłada w głowie. Niech mi się wszystko poukłada.*

* * *

Rozmowa nazywana przez policjantkę „operacyjną" nie dawała Bernardowi spokoju. Przez cały czas jakaś część umysłu wałkowała tam i z powrotem każdy jej detal, by ostatecznie przekazać świadomej części, że umundurowana niewiasta wiedziała coś więcej, niż powiedziała. Szczególnie zdanie: „Widocznie ma pan jakiegoś wroga, o którym pan nie wie", wydało mu się podejrzane.

Ona chciała, żebym sam opowiedział o Arturze. A może chodziło jej o coś innego? — pomyślał i zaraz zganił się za nadmiar wyobraźni. O czym więcej mogła chcieć wiedzieć policjantka, nawet nie wiadomo jak przebiegła? Nawet nie wiadomo jak doświadczona i mądra. Co już wiedziała? Pewnie nic.

Tego, co być może chciałaby wiedzieć, gdyby wiedziała, czego chcieć, wiedzieć tymczasem nie może. Akurat to wiem tylko ja — pomyślał o pewnym ciężkim, bardzo pełnym worku spoczywającym gdzieś na dnie wielkiej rzeki. — *„Każde zdarzenie powoduje inne zdarzenie"* — przypomniał sobie słowa Marii. — *Zniknięcie Zdzisława wywoła szereg wynikających z siebie zdarzeń.*

To się nazywa „logiczny ciąg przyczynowo-skutkowy" — myślał. *— Rozpocząłem taki ciąg. Zainicjowałem go. —* Uśmiechnął się do swoich myśli. *— Postępujące po sobie zdarzenia doprowadzą do określonego celu. Muszą doprowadzić. Jeszcze nie jutro. Ani nie pojutrze. Ale muszą. Mogę poczekać —* myślał. *— Potrafię czekać. Jestem cierpliwy i wytrwały. Cierpliwość jest matką łowów. Krystyna sama przyjdzie do mnie. Teraz z łatwością zorientuje się, że ten pieprzony fiut przez całe lata robił ją w konia i przyjdzie do mnie. Tak będzie, bo inaczej być nie może. Wystarczy trochę poczekać.*

* * *

Rozprawa trwała krótko. Bernard zaakceptował wszystkie warunki stawiane przez Dorotę. Nie widział powodu, by z nią walczyć. Jego była żona skoncentrowała się na utrzymaniu tego, co już zdobyła. Nie oczekiwała dodatkowych korzyści, a dalszych ustępstw żądać nie mogła, bo i tak nie bardzo miał już gdzie ustąpić. Sprawiała natomiast wrażenie nieco zaskoczonej, a nawet zawiedzionej tym, że wygrana przychodzi jej bez najmniejszego trudu, bez jakiegokolwiek oporu z jego strony.

— Sądziłam, że będziesz się bronił. Zażądałam więcej, niż spodziewałam się uzyskać, by mieć się z czego wycofać — powiedziała szczerze w trakcie krótkiej przerwy przed ogłoszeniem wyroku.

— Nie zależy mi na dobrach materialnych — odparł obojętnie. — Zresztą sama powiedziałaś, że wam są bardziej potrzebne — dodał, bo pomyślał, że zabrzmi to szlachetnie.

— Spodziewałam się też, że będziesz chciał częściej widywać się z synem. Myślałam, że bardziej ci na nim zależy — zauważyła z przekąsem. Udał, że nie słyszy. Zaraz wezwano ich z powrotem na salę.

* * *

Kolejna wystawa narobiła trochę szumu. Rzędy posępnych fotogramów wykonanych za pomocą camera obscura[3] sprawiały dziwne wrażenie. Zdawały się odsłaniać utajone i niedostrzegane na co dzień przez ludzi wewnętrzne życie używanych przez nich osobistych przedmiotów. Ukazywały więc pomiędzy człowiekiem a przedmiotem, potem jego zmieniającą się w uzależnienie zależność od stworzonych ku własnej wygodzie drobiazgów. Wreszcie ewoluujące w kierunku niewolnictwa podporządkowanie się jednostki przedmiotowi. Cykl zakończony był obrazem, którego dwuznaczność ukrywała ostro pornograficzny charakter dzieła, podkreślając zarazem jego głęboką perwersję. Tytuł „The Texan Hole"[4] budził uśmieszki, chichoty i arcydowcipne komentarze części publiczności. Budził też zgorszenie i oburzenie.

Bernard udzielił kilku wywiadów dla prasy, radia i telewizji. Stał się bohaterem kilku reportaży. Dziennikarze zgodnie kreowali go zarówno na wielce wszechstronnego „człowieka renesansu" (tak, tak, pojawiło się

---

[3] camera obscura — ciemnia optyczna; szczelna skrzynka drewniana z maleńkim otworkiem, który można przesłaniać i odsłaniać, by dowolnie naświetlać umieszczoną wewnątrz kliszę

[4] The Texan Hole (ang.) — Teksańska dziura

i takie określenie), jak i na wielkiego samotnika, który „Prawdziwej Sztuce" (naprawdę napisano „Prawdziwej Sztuce") poświęcił wszystko, w tym życie rodzinne, stabilizację, dobrobyt. To był bardzo korzystny wizerunek. Totalnie olewający wszystko i wszystkich pustelnik żyjący na strychu, był czymś ciekawym w skomercjalizowanym świecie, w zachłystujących się wolnorynkową gospodarką i ząbkującym kapitalizmem mediach. Obecność kogoś takiego była jawnym i namacalnym dowodem na to, że jeszcze nie wszystko zostało przeliczone na pieniądze. Sukces kogoś takiego pozwalał mieć nadzieję, że jeszcze nie wszystko zostało pozbawione ludzkiej twarzy, a technika, w jakiej wykonano prace, zdawała się w pełni to potwierdzać.

Oprócz dodatkowej reklamy wywiady przyniosły mu nieoczekiwaną znajomość z pewną panią reżyser, nie pierwszej młodości, lecz nadal atrakcyjną, w obcisłych dżinsach i skórzanej ramonesce[5]. Miała na imię Edyta i była tuż po rozwodzie z niemieckim biznesmenem. Dobrze wiedziała, czego chce, wodząc za Bernardem zachłannymi oczami głodnego drapieżnika. Nie miała nic przeciwko nieładowi jego pracowni, on zaś nie miał nic przeciwko luksusowi jej willi z basenem. Uzupełniali się więc doskonale. Ich romans przetrwał prawie trzy miesiące, zanim Edyta przywiozła swym złotym volvo nowego absztyfikanta — młodzieńca ślicznego jak z żurnala mód.

242

---

[5] ramoneska — czarna krótka skórzana kurtka, której nazwa pochodzi od punkrockowego zespołu „The Ramones"

— Poznajcie się, panowie — powiedziała jakby nigdy nic, a Bernard przypomniał sobie Rosalynn i swego następcę, pretendenta do jej praśnych wdzięków. Ogarnęło go poczucie śmieszności wszystkiego i zaczął rechotać tak, że omal nie pękł. Gdy już do syta nacieszył się ich głupimi minami, przeprosił Edytę za — jak go określił — „niewczesny wybuch, będący skutkiem zbyt nagłego wstrząsu i wywołanego nim poczucia nieszczęścia", pożegnał się szarmancko i odjechał do siebie z zapewnieniem jej przyjaźni.

Książka sprzedawała się lepiej niż dobrze i coraz lepiej. Wkrótce dostał propozycję napisania scenariusza na podstawie jednego z opowiadań. Za tą propozycją stała Edyta, lecz nie miało to dla niego znaczenia. Kolejna praca posuwała się do przodu gładko i bez zgrzytów.

* * *

Niekiedy czuł się przygnębiony i nieszczęśliwy, porzucony i niepotrzebny nikomu. Wypijał wtedy kielicha lub dwa. Rzadziej całą flaszkę whisky. Pił powolutku, z przyjemnością obserwując odprężające działanie alkoholu. Czasem bez popadania w przesadę popalał trawkę. Marihuana dawała mu z jednej strony dystans do wszystkiego, z drugiej uwrażliwiała na to, na co chciał pozostawać uwrażliwiony.

Jednak gdy czuł, że może go dopaść stan naprawdę ciężkiego zdołowania, odstawiał domorosłe środki i sięgał po przepisane mu przez Marka leki, które jednak wykupił na wszelki wypadek. Nauczył się nimi posługiwać ostrożnie i umiejętnie. Systematyczne zażywanie ich już dawno uznał za zbędne. Ale od czasu do czasu grzecznie, choć na krótko wracał do nich, bo zauważył, że po ich zażyciu ogarnia go długotrwałe uczucie spokoju i wewnętrznego, trudnego do zakłócenia, ładu.

* * *

María cierpliwie czekała, aż skulony na legowisku mężczyzna przebudzi się. Stała w najbardziej oddalonym, mrocznym kącie pracowni i patrzyła na niego. Bernard czuł jej obecność, lecz jakoś długo nie mógł wyrwać się z objęć snu. Kręcił się, wiercił, wreszcie otworzył oczy.

— Aaa, to ty — ucieszył się. Spróbował wstać, lecz powstrzymała go gestem dłoni.

— Leż, leż — mruknęła dobrodusznie. — Myślałam, że się nie doczekam. Masz mocny sen.

— Tak. — Od razu zrozumiał, o co jej chodzi. — Nie odczuwam wyrzutów sumienia, jeśli to masz na myśli. Zrobiłem rzecz konieczną. Jasne, że wolałbym jej nie robić. Ale nie miałem wyboru. Nie jest mi przyjemnie, ale nie jest i nieprzyjemnie. Przynajmniej nie stale i nie bez przerwy.

244

— Jesteśmy do siebie podobni. Ty i ja. Gdy załatwiłam cycatkę i dwóch z moich mężów, też nie czułam się gorzej niż ty teraz.

— Jesteś przepiękna.

— Prawda? — Uśmiechnęła się i rozchyliła otulającą ją szatę.

— Rany boskie — wyszeptał.

Stara wiedźma, która tu, teraz, miała najwyżej ze dwadzieścia lat, pod lekką tkaniną była zupełnie naga.

— Chcesz mnie?

Nie odpowiedział, tylko wytrzeszczał zbaraniałe oczy i łykał ślinę.

Podeszła do niego, po drodze od niechcenia zrzuciwszy okrycie. Miała brązowozłote gładkie ciało błyszczące jakby przed chwilą wykąpała się w oliwie. Bernard obserwował ją z dołu. W niepewnym mżącym świetle przedświtu widział jej szczupłe, lecz nie chude uda, łono pokryte gęstymi smolistymi kędziorkami, duże, lecz nie zbyt wielkie piersi o prawie czarnych stożkowatych koniuszkach. Stanęła nad nim w lekkim rozkroku. Teraz zobaczył dokładnie i to, co sprawiło, że jego męskość wezbrała gwałtownie i mocno. To coś było inne niż wszystko, co widział do tej pory. Kojarzyło mu się z jakimś dziwacznym kwiatem o mięsistych bardzo ciemnych płatkach, rozjaśniających się ku środkowi. Dno kwiatu rozchylało się, ukazując różowe wnętrze. Maria wstrząsnęła grzywą kruczoczarnych włosów. Jej zęby błysnęły w półmroku.

— Widzę, że naprawdę mnie chcesz — zagruchała cichym, prowokującym jak diabli, gardłowym śmiechem.

Bernard nadal nie był w stanie wydusić z siebie choćby jednego słowa.

Opadła na niego, objęła kolanami i nadziała się na jego sterczący dyszel. Zaledwie kilka razy poruszyła biodrami, wpasowując się i moszcząc, aż wypełnił ją dokładnie do samego końca. A potem trwała bez ruchu, przymknąwszy oczy i tylko jej gorące wnętrze pulsowało miarowo. Bernard też nie poruszał się prawie. Od czasu do czasu, gdy był już bardzo blisko, napinał mięśnie i unosił się trochę, prężąc ciało w niezbyt mocno wygięty łuk. María otwierała wtedy oczy, uśmiechała się do niego rozpustnie, a jej zachłanna kobiecość na krótką chwilę zaprzestawała swych cierpliwych systematycznych zabiegów, nie dopuszczając do ostatecznego zakończenia spektaklu.

Trwało to bardzo, bardzo długo, jakby czas przestał istnieć, a ziemia zatrzymała się w swym obrocie. Ranek, który dawno powinien był nastąpić, nie następował. Wciąż było półmroczno, ciemnoszaro, jak to przed świtem. Nagle przez ciało Maríi przebiegł dreszcz. Mocno ścisnęła udami swego wierzchowca. Odrzuciła głowę do tyłu, jej piersi zafalowały, a ruchy stały się gwałtowne i niepohamowane. Tym razem łuk wygiął się mocno, jak najmocniej: Bernard uniósł ją na sobie, czując jak gwałtownymi kaskadami wypływają z niego soki. *Hektolitry* — pomyślał półprzytomnie i opadł bezsilnie na wznak. María przytuliła się do niego całym ciałem. Wyraźnie poczuł twardość jej jędrnych piersi. Wycieńczony do ostatka zasnął zaraz z nozdrzami wypełnionymi zapachem młodej gorącej kochanki.

Gdy się obudził, obok niego nie było nikogo. Miewał już równie plastyczne sny z rozmaitymi kobietami w roli głównej, więc nie czuł się ani specjalnie zdziwiony tym, że María przyszła do niego, ani zawiedziony tym, że już sobie poszła. Przeciągnął się, ziewnął. Wstał, spojrzał na prześcieradło, szukając na nim charakterystycznych plam zaschniętej spermy. Nie znalazł ich. Na poduszce leżało kilka długich kruczoczarnych włosów.

* * *

Dużo czasu spędzał pomiędzy sztalugami a komputerem. Pisał scenariusz i malował. Jeszcze nigdy praca, jako praca sama w sobie, nie dawała mu takiej satysfakcji. Radość odczuwał zazwyczaj dopiero po ukończeniu dzieła. I to nie od razu. Teraz jednak cieszył się pracą i tym, że chce mu się pracować.

Obraz o Śmierci w starym domu był charakterem zbliżony do „Wędrówki za białym koniem". Panowała w nim podobna atmosfera. Pomysł, by oba płótna wystawiać jednocześnie, zrodził się sam z siebie i był naturalną konsekwencją zarówno tematów, jak i sposobu ich potraktowania. W przyszłości Bernard zamierzał namalować jeszcze jeden obraz „do kompletu", a potem całość sprzedać jako tryptyk. Albo nie sprzedawać, tylko zachować sobie. Postanowił, że to, co umieści na trzecim z obrazów, będzie miało związek z Marią. Wizja spowitej w płomienie Starej Czarownicy spoczywającej na śmiertelnym tronie, często wracała do niego, przeplatając się z inną wizją, tą ostatnią. Dwa wcielenia jednej kobiety oddzielone od siebie otchłanią czasu nakładały się na siebie w jego pobudzonej wyobraźni. Uwiecznienie Maríi w obu jej postaciach na jednym obrazie, a następnie umieszczenie go pomiędzy dwoma innymi obrazami o dziwacznej treści, wydawało mu się kuszące. Wyobrażał sobie „Wędrówkę za białym koniem" po lewej, a „Opowieść o Śmierci w starym domu" po prawej ręce Maríi. Samą czarownicę zamierzał przedstawić w dwóch lustrzanych ujęciach. Raz jako prastarą wiedźmę poznaną kiedyś, raz jako zachwycającą, egzotyczną piękność, którą poznał ostatnio. Ze znalezionych na poduszce włosów uplótł obrączkę i nosił ją na serdecznym palcu lewej ręki, dopóki nie uprzytomnił sobie, że jego ostatnia przyjaciółka z Café Esplanda była ciemną brunetką. Zaraz wyrzucił włosiany krążek do kosza, strofując się w duchu za naiwność. Przy okazji z niejakim żalem skonstatował, że na dobre posiał gdzieś sygnet pani Chamsky. Zauważył jego zniknięcie już jakiś czas temu i wówczas nie przejął się tym, przekonany, że zarzucił go czymś w pracowni i że zguba prędzej czy później sama wypłynie na światło dzienne. Ale sygnet jakoś nie chciał się ujawnić. Bernard postanowił mu pomóc, w związku z czym dokumentnie i bezskutecznie przeorał cały strych. Zaglądał nawet między deski podłogi, szczególnie tam, gdzie szczeliny były najszersze. Kamień w wodę.

Zatelefonował do Edyty w nadziei, że zostawił go u niej. Pani reżyser nie ukrywała, że jest zbyt zajęta swą najnowszą zdobyczą, by tracić czas na poszukiwanie „jakiegoś tam pierścioneczka". Obiecała jednak, że go poszuka. Kiedyś. Jak będzie miała chwilę czasu. A jak znajdzie, to oddzwoni. Bernard nie nalegał, wiedząc, że na razie i tak nic nie wskóra. Nauczył się być cierpliwy. Czekał na coś, co było dla niego znacznie ważniejsze niż najważniejszy nawet i najbardziej cenny sygnet świata.

Rozdział szósty

Kolejne wezwanie na policję nie zaniepokoiło go. Był na nie przygotowany psychicznie, wyluzowany. Nawet ucieszył go widok znajomej policjantki.

— Czyżbym znowu kogoś pobił albo podpalił? — zażartował.

— Tamta skarga została wycofana — odparła poważnie. — Chciałam zadać panu kilka pytań w innej sprawie.

— Odpowiem na wszystkie pod warunkiem, że znam odpowiedź — obiecał.

— Czy zna pan pana Zdzisława Felińskiego? — Bernard błyskawicznie zorientował się w niebezpieczeństwie.

— Tak, znam go dość dobrze — odpowiedział pogodnie, pilnując się, by nie użyć czasu przeszłego.

— Czy zna pan również panią Krystynę Felińską?

— Oczywiście, że znam.

— Jakie stosunki łączą pana z państwem Felińskimi?

— Cóż — zrobił dłońmi nieokreślony gest — są chyba jeszcze mymi przyjaciółmi.

— Chyba? Jeszcze?

— Nie jestem pewien, czy są nimi nadal. Kiedyś byli. Od czasu mego wyjazdu do Stanów stosunki między nami nieco się rozluźniły.

Policjantka zanotowała coś na kartce w kratkę.

— Czy zna pan pana Artura Stepkę — spytała.

— Chyba tak. Zdaje się, że poznałem go kiedyś.

— W jakich okolicznościach?

— Pewnie na jakimś przyjęciu. Może na imieninach.

— Zapamiętał pan osobę, a nie zapamiętał okoliczności?

— Jestem malarzem, a ten pan wydał mi się dosyć... hm... charakterystyczny. Oczywiście pod warunkiem, że mówimy o tym samym człowieku.

— Proszę go opisać.

— Wysoki, szczupły brunet. Długowłosy. Bardzo przystojny.

— To by się zgadzało.

— Czy widział go pan tylko raz?

— Nie wiem. Może ze dwa?

— A za drugim razem?

— Chyba wpadł tylko na chwilę. Nie pamiętam. Akurat byłem u państwa Felińskich i to wtedy. Tak mi się wydaje, ale głowy nie dam. To było dość dawno.

— Jakie stosunki łączą pana Stepkę z panią Felińską?

— Skąd mogę wiedzieć?

— Czy wtedy, gdy pan go widział za drugim razem, w mieszkaniu byli oboje państwo Felińscy?

— Nie pamiętam. Po prostu nie pamiętam. — Wzruszył ramionami i wykrzywił twarz w krótkim przepraszającym uśmiechu.

Doskonale pamiętał tamtą sytuację, ale nie miał zamiaru opowiedzieć jej policjantce.

To było zaraz potem, jak Krystyna powiedziała, że poważnie rozpatruje możliwość bycia z nim na stałe. Zdzisław wyjechał służbowo do Wrocławia. Właśnie cieszyli się po swojemu z jego nieobecności, gdy pojawił się Artur. W pierwszej chwili Bernard chciał po prostu spuścić intruza po schodach, lecz zmienił zamiar. Usiedli razem przy stole i grzecznie pili herbatkę, dopóki Artur nie zaczął mówić, a Krystyna wpatrywać się w niego jak w tęczę.

— Otworzę okno — Bernard przerwał toksyczny monolog. — Tu śmierdzi. Czy wiesz, czym się różni mądry od głupiego? — spytał.

Artur zmieszał się, stracił wątek. — Nie, nie wiem, o co ci chodzi — wyszeptał, rozglądając się z półotwartą bezmyślnie paszczą.

— Mądry wie, co mówi. A głupi mówi, co wie.

— Co to ma... wspólnego...?

— A wiesz, czym się różni moja żona od twojej?

— Nnnie, nie wiem — bąknął Artur niepewnie.

— A ja wiem. — Bernard patrzył bez mrugnięcia, tryumfująco, w te wąsko osadzone oczy. Artur zaczynał się bać. To było widać.

— Mam do ciebie jeszcze jedno pytanie. Czy wiesz, co się stanie, jak zaraz stąd nie wyjdziesz? — Tym razem nie czekał na odpowiedź.

Zbliżył twarz do twarzy rywala. Artur siedział zupełnie skamieniały, gdy Bernard jednym palcem z wyraźnym wstrętem odsunął trochę jego długie włosy z boku, na skroni. — Wyfruniesz przez to okno, człowieniu —

powiedział wyraźnie i dobitnie prosto do jego ucha. — Czy mam powtórzyć, zanim wykonam?

Nie musiał. Artur podniósł się i już go nie było. Krystyna wyglądała tak, jakby nie do końca orientowała się, co zaszło.

Gdy wieczorem wynosił śmieci, zauważył wroga czającego się pod schodami. Zlazł za nim do piwnicy. Tam przyparł go do ściany.

— Nie doczekasz się, pajacu — powiedział. — Możesz tu walić konia, ile wlezie. Ja zanocuję na górze.

I zanocował na górze. Rano pojechali z Krystyną do pracowni. Potem spędzili razem cały dzień, ani słowem nie wspominając o wieczornym incydencie.

— Więc? — Chłodny głos policjantki wyrwał go z zamyślenia.

— Próbuję sobie przypomnieć. Niestety. — Bezradnie rozłożył ręce.

— Jaka szkoda. — Policjantka świdrowała go wzrokiem.

— Czy sądzi pan, że pan Stepka jest kochankiem pani Felińskiej? — spytała nieoczekiwanie.

— Trudno powiedzieć. Nie odniosłem takiego wrażenia.

— A czy pan był kochankiem pani Felińskiej?

— No wie pani? — udał oburzenie. — Pani Felińska jest żoną mego kolegi Zdzicha. Wiem o napięciach i problemach między nimi. Krystyna uważa, że Zdzich poświęca jej zbyt mało czasu. Nie ma racji, bo to człowiek żyjący w nieco innym wymiarze. Ale kobiecie trudno to wytłumaczyć.

— Nie wie pan o tym, że państwo Felińscy rozwodzą się właśnie? Pan Feliński żąda rozwodu z orzeczeniem o winie. Donoszą na siebie różne ciekawe rzeczy. Dlatego właśnie zajmuję się tą sprawą, gromadzę i ustalam fakty.

— Co temu Zdzichowi odbiło na stare lata? Nie wiedziałem, że się rozwodzą.

— Widocznie przyjaźń między państwem nie była zbyt bliska.

— Bliska nie była. Poza tym, jak już wspomniałem, jakiś czas temu jakby... wygasła. Nie utrzymywaliśmy kontaktów od wielu miesięcy. Może nawet od roku. Albo dłużej.

Policjantka kręciła głową. Coś jej nie pasowało.

— Co pan może powiedzieć o pani Felińskiej?

— Ooo, to bardzo miła osoba. Spokojna, kulturalna, życzliwa ludziom. Bardzo delikatna.

— A pan Feliński?

— Kulturalny, skromny. Nieco zagubiony. Bardzo inteligentny. Romantyk. To chyba wszystko.

— A pan Stepka?

— Za mało go znam. Po prostu nie wiem. Chociaż...

— Chociaż?

— Nie wiem, jak to określić. On, proszę pani, wydał mi się jakiś dziwny.

— Dziwny?

— Tak. Na tym przyjęciu, o ile dobrze pamiętam, przez cały czas tylko siedział i nic nie mówił.

— Siedział i nic nie mówił?

— Nie zauważyłem, by z kimkolwiek rozmawiał — poprawił Bernard. — Znaczy, tak mi się zdaje.

— Czy wie pan, dlaczego pana wezwałam?

— Nie wiem.

— A chciałby pan wiedzieć?

— I tak mi pani nie powie.

— Nie powiem. Ale... może pan zgadywać. — Policjantka uśmiechnęła się zapraszająco.

— Nie, dziękuję.

— Nie jest pan ciekaw?

— W zasadzie... niespecjalnie. To są ich sprawy. Sprawy pomiędzy dwojgiem ludzi. Sprawy małżeńskie, może intymne. Nie lubię nikomu zaglądać... wie pani gdzie.

— A ja muszę.

— Taką pani ma pracę.

Policjantka nie spuszczała z niego wzroku, zastanawiając się nad czymś. Dało mu to krótką chwilę na zebranie myśli. Miał już całkowitą pewność, że kobieta kłamie. Zdzisław leżał na dnie rzeki. Ostatnio nie mógł od nikogo żądać rozwodu z orzeczeniem o winie. Policjantka blefowała. Czekała na jakieś potknięcie z jego strony. Jeżeli kłamała w jednej sprawie, to kłamała i w pozostałych. Prawdopodobnie od dawna wiedziała znacznie więcej niż okazywała. Ale co? Co mogła wiedzieć?

— Jestem znajomą pani Anety Stepki — spróbowała z innej beczki. — Dobrą znajomą — powtórzyła z naciskiem.

— No dobrze. Ale co z tego wynika?

— Uważa pan, że nic?

— Dla mnie zupełnie nic.

— Jest pan pewien?

— Przepraszam, ale czego pani oczekiwała? Nie znam tej kobiety. Po prostu nie znam.

— Ona twierdzi, że pan jest kochankiem pani Felińskiej, że kiedyś pobił pan jej męża, że podpalił mu samochód. Że dobierał się pan do niej. Robił propozycje seksualne.

— Bzdura. Kompletna bzdura. Ta pani najwyraźniej ma bujną wyobraźnię. Nie widziałem jej nigdy w życiu, nie mówiąc o propozycjach. A bijać nikogo nie mam zwyczaju. Ani podpalać samochodów. Jestem artystą. Malarzem i poetą. Odczuwam potrzebę tworzenia, nie niszczenia.

— Wiem. Słyszałam i czytałam w gazetach. Oglądałam też program o panu. Ten robiony na strychu. Znalazł pan ciekawy sposób na życie.

— Właśnie. Staram się nie wadzić nikomu.

— Ale tych dwóch facetów pobił pan i to ostro. Potrafi pan to doskonale robić.

— To oni weszli mi w drogę. Nie ja im. Zresztą przypominam, że bardzo pomógł mi pies. Nie wiem, jak by to się skończyło bez niego. Niby trenowałem kiedyś boks i potrafię się bronić, ale... — zawiesił głos i pokręcił głową w geście powątpiewania. — Natomiast z pewnością nie jest to powód, bym bił nieznajomego faceta, który mi niczym nie zawinił. I na dodatek podpalał mu auto. Na co dzień jestem raczej opanowany.

— Widzę. Pan się zupełnie nie denerwuje.

— A niby czym miałbym się denerwować? Jestem tylko umiarkowanie zaciekawiony, do czego pani zmierza. No i jaki cel ma cała ta afera. Bo już rozumiem, że zostałem mocno obsmarowany przez panią Stepkę. Nie rozumiem tylko po co?

— Strony składały na siebie donosy i skargi. W tych donosach i skargach przewija się pańskie nazwisko. Pańskie nazwisko pojawia się też w raporcie policyjnym...

— Raporcie? Policyjnym?

— Tak. W sprawie naruszenia przepisu dotyczącego obowiązku meldowania się. Już pan zapomniał?

— Pamiętam aż za dobrze. Zanocowałem kiedyś u nich. Na podłodze. Potem był skandal. Idiotyczny na dodatek i bez sensu. Właśnie wtedy przestaliśmy się przyjaźnić. To był w zasadzie kres naszej znajomości.

— Dlaczego nie opowiedział mi pan o tym? Nie podejrzewał pan, że taki raport mógł trafić akurat do mnie, prawda? Ale od czasu gdy jesteśmy skomputeryzowani, zdobycie i powiązanie ze sobą informacji przebiega sprawnie i jest bardzo łatwe — stwierdziła policjantka od niechcenia. — A ja zbieram wszystkie dostępne informacje, mogące rzucić światło na sprawę.

— Nie sądziłem, że spisano taki raport. Sprawa wydawała mi się banalna, by nie rzec trywialna. Uznałem natomiast, że jeśli pani o to nie pyta, to nie ma powodu o tym mówić. To było dla mnie bardzo przykre, upokarzające zdarzenie. Najchętniej wyrzuciłbym je z pamięci. Jestem natomiast wdzięczny interweniującym funkcjonariuszom. Zachowali się bardzo po ludzku. Pozwolili mi tam zostać ze względu na stan zdrowia. Bo ja zemdlałem, proszę pani. Miałem wypadek. Byłem świeżo po wyjściu ze szpitala. No i zdarzyło się...

— To już wiem z raportu. Swoją drogą moi koledzy dopuścili się poważnego niedopatrzenia. Zupełnie ich nie rozumiem. Ja na ich miejscu... — Policjantka splotła przedramiona na piersi. — Troszeczkę odbiegliśmy od tematu — powiedziała w zadumie, jakby przez moment myślała o czymś innym. — Czy nie poczuje się pan urażony, jeśli podzielę się z panem moją prywatną opinią o panu? — spytała niespodziewanie lekkim tonem.

— Prywatną opinią? — Bernard zdumiał się uprzejmie. — Bardzo proszę. Jestem ciekaw...

— Powiem panu zupełnie niesłużbowo, ale za to szczerze, że niezłe z pana ziółko.

— Uuuuuch — Bernard westchnął ciężko i przewrócił oczami. — Myślałem, że będzie gorzej — pozwolił sobie na żart. Zaraz przybrał poważny wyraz twarzy. — Widzi pani, ja nieźle dostałem od życia po tyłku. Szczególnie w młodości, ale nie tylko w młodości. Dlatego staram się unikać kłopotów, trzymać z daleka od nieprzyjemnych spraw, w tym od niesnasek małżeńskich. A że nie zawsze mi się udaje, to cóż — rozłożył ręce. — Taki widać mój los. Państwo Felińscy to kulturalni, spokojni ludzie. Skąd mogłem wiedzieć, że im się poodmienia. Czy to moja wina, że zostałem wplątany w taką głupią i... cokolwiek wstrętną... zabawę? Toż to czysta paranoja.

— Właśnie. Pan Feliński twierdzi, że jego żona ma kilku kochanków. Wymienił pana, jako jednego z nich, byłego, zaś pana Artura jako stałego. Pani Stepka twierdzi to samo.

— Ha, ha, ha — Bernard zaśmiał się głośno. — Od jak dawna pracuje pani w policji? — spytał.

— Od dwudziestu lat — odpowiedziała nieco zaskoczona takim obrotem sprawy.

— Czy więc pani, jako doświadczony policjant, zetknęła się z odtrąconym kochankiem, który broniłby tej, która go odtrąciła?

— Jak to?

— Pani sama powiedziała, że jestem byłym, a więc odtrąconym kochankiem.

— Noo... mógł pan sam zrezygnować, wycofać się, znudzić...

— Pani najwyraźniej nie zna Krystyny. Ona jest tak urocza i miła, że nie sposób się nią znudzić.

— Jednak mąż...

— Eee tam, mąż. — Bagatelizująco machnął ręką. — Mąż po wielu latach, to tylko mąż... safanduła. Zdzich, niestety, jest pierdołowaty. Taka jest prawda. Jest mądry. Nawet bardzo mądry. Ale czasem mądrość nie wystarcza. Są rzeczy między kobietą a mężczyzną... — nie dokończył. — Niech mi więc pani powie jako doświadczony policjant — powtórzył — i jako kobieta — podkreślił — czy odtrącony kochanek broniłby byłej kochanki.

— Nie. Zdecydowanie nie.

— A widzi pani? Nie mogę więc być byłym kochankiem Krystyny. Choć przyznam, że nie miałbym nic przeciwko, by być aktualnym. — Szelmowsko zmrużył oko. — Ale z tego nic nie wyjdzie. Za długo znaliśmy się wcześniej. Zresztą, co ja chrzanię? Przepraszam.

— A pan Stepka? — Policjantka była uparta.

— To już pani Stepka wie najlepiej. Swoją drogą, jeśli uważa mnie za kochanka pani Felińskiej, to powinna mi być wdzięczna, a nie robić koło pióra — przypomniał sobie niegdysiejszą rozmowę ze Zdzisławem.

— A to dlaczego? — policjantka zgrabnie udawała idiotkę.

— Bo moje pojawienie się przy pani Felińskiej w określonej roli dawałoby jej szansę na odzyskanie męża.

— Jak zwykle kojarzy pan bardzo prawidłowo. A wracając do pana Stepki, to jest tym kochankiem czy nie?

— Nie wiem. Naprawdę. Nic o nim nie wiem, oprócz tego, że wydał mi się milkliwy, a to chyba nic złego.

— Nic. Nawiasem mówiąc, też wydał mi się dziwny.

— Ooo?

— Tak. Rozmawiałam z nim przed godziną w tej samej sprawie.

— No i co?

— Jest skryty. Pan odpowiada na pytania, patrzy w oczy, nie unika kontaktu.

— A on?

— Siedzi skulony, jakby się wstydził. Ucieka ze wzrokiem. Odpowiada półgębkiem albo wcale nie odpowiada.

— Widzi pani!

— Co czy widzę?

— Facio jest nieśmiały. Posądzać kogoś takiego i mnie o romanse z cudzą żoną? Phi. Będę jednak kiedyś musiał wyjaśnić to ze Zdzichem, bo z mojego punktu widzenia posunął się za daleko. Po tym, co mi pani powiedziała, nie mogę tego tak zostawić. Nie mam ochoty na dalszy udział w takiej żałosnej komedii.

— Cóż. — Policjantka zagryzła wargi. — Niewiele mi pan pomógł. Dziękuję panu.

— Gdybym był kiedyś potrzebny, to ja zawsze chętnie, choć przyznam, że akurat ta sprawa nie bardzo mi się podoba. To jest jakieś... chore. Paskudztwo. Do widzenia pani. — Obdarzył ją szczerym szerokim uśmiechem i wyszedł na zalaną słońcem ulicę.

* * *

Dopiero po przejechaniu kilku przecznic poczuł, jak wiele kosztowała go ta rozmowa, ten luz bez ostentacji, lecz stale demonstrowany przed śledczą. *Chytra sztuka* — pomyślał o niej z uznaniem. — *Jeszcze trochę, a by mnie skołowała. Ale nie skołowała. Niewiele zabrakło, żebym spytał: „Co pan Stepka mówił o mnie?". No i dopiero bym się sypnął. Ale nie spytałem. A już miałem na końcu języka. Uuuufff. Myślałaś, siostro, że ci wszystko wyśpiewam? Czekałaś na to? Już to widzę! Szanowna pani władzuchno, utopiłem niejakiego Felińskiego, bo go nie lubiłem. Tak, tak wrzuciłem go do wora i plusk w wodę.* — He, he, he — zarechotał ponuro. — *Niedoczekanie! Nie dałem się. Dobry jestem. Dobry w tym jestem, psiakrew. We wszystkim jestem dobry. Bardzo dobry. Najlepszy. Nigdy mnie nie dostaniecie. Nikt nigdy nie dowie się prawdy.*

* * *

— Zginęły mi dzieci! — W głosie Krystyny pobrzmiewała desperacja. Bernard słuchał uważnie. — Pojechały na urodziny do koleżanki. Sama je tam zawiozłam. Umówiłam się, że zabiorę je o dziewiątej, ale mój grat nie chciał odpalić. Jak zwykle wtedy, gdy jest potrzebny. Zadzwoniłam więc, ale okazało się, że już wyszły, aby czekać przed domem. Tam jest niezbyt bezpiecznie, więc poprosiłam Mietka, znaczy gospodarza, męża mej koleżanki, żeby je zawrócił. Nie znalazł ich w pobliżu, chociaż podobno przeszedł się po okolicy. Teraz proszę ciebie, żebyś tam pojechał. Ty je znajdziesz. Na pewno. Tak bardzo cię proszę. Tak się niepokoję. Niby Jacek jest już duży, ale...

— Już jadę — przerwał. — Za godzinkę, w porywach do półtorej będę u ciebie. Z dziećmi.

Krążył po pustawych ulicach dzielnicy, w której nowe bloki sąsiadowały ze starą, mocno podupadłą zabudową. Jechał wolniutko i rozglądał się. Tu można było zabłądzić. Była jedenasta w nocy. Zimno. Kierował się raczej wyczuciem niż rozsądkiem, myśląc jednocześnie o Krystynie i o tym, ile musiała ją kosztować taka prośba. Ale myślał i o tym, że zaginięcie Jacka i Kasi mogło być dla niej doskonałym pretekstem do zrobienia pierwszego kroku w jego kierunku.

Dlaczego nie pojedzie Zdzich? Albo Artur? — mógł odpowiedzieć. Mógł jej wypomnieć to i owo. Nie zrobił tego. Pojechał jakby nigdy nic. Bez zbędnych pytań. Bez zbędnych słów. Postąpił tak, jakby nic się nie stało. Niech ona wie, że zawsze może na niego liczyć, choć sama była taka podła. Niech wie i niech zapamięta. Niech dobrze zapamięta, kogo straciła i kogo być może uda się jej odzyskać. *Trzeba być mądrym* — myślał.

Zauważył je na jednym z rogów. Jacek trzymał Kasię za rękę i rozglądał się niepewnie.

— O, wujek Bernard, wujek Bernard! — ucieszyły się ogromnie. — Wyszliśmy i czekaliśmy na mamę, a potem odeszliśmy kawałek i jeszcze kawałek, i już nie mogliśmy trafić z powrotem. Przedtem nigdy tu nie byliśmy. Te wszystkie bloki są zupełnie takie same. Chcieliśmy dojść do autobusu, ale nie wiedzieliśmy, gdzie iść. W którą stronę? Tam gdzie powinien być przystanek, wcale go nie było — tłumaczyły jedno przez drugie.

Zawiózł je do domu, najpierw słuchając ich paplaniny, potem gawędząc przyjaźnie.

— Zostaniesz na herbatę? Do kogo miałam się zwrócić, jak nie do ciebie? — Krysieńka patrzyła na niego radosnymi, śmiejącymi się oczami.

Bernard uśmiechnął się również. Jednoznaczna odpowiedź nasuwała się samoistnie i wprost cisnęła na usta. Lecz wspominanie o Arturze akurat teraz, mimo wszystko wydało mu się niezbyt smaczną złośliwością.

— Nie, dziękuję. — Cmoknął ją w rękę i w czoło, nie obejmując, tylko robiąc ryjek. Cieplej ucałował Kasię, pogłaskał ją. Jackowi poważnie podał rękę i wyszedł. Dopiero gdy był na półpiętrze, usłyszał szczęk zamykanej zasuwy. Ruszając spod bloku, widział na balkonie szczupłą kobiecą sylwetkę wyraźnie odcinającą się od jasnego prostokąta okna.

* * *

Trochę żałował, że nie skorzystał z zaproszenia. *Wiele mogłoby się wyjaśnić przy okazji takiej herbatki* — myślał. — *Ona, zdaje się, chciała mnie zatrzymać na noc. Ciągnęła mnie na dupę. Ewidentnie.*

— Zaskoczyłem cię kotku, prawda? — mówił głośno do otaczającej go ciemności. — Zaczynasz za mną tęsknić, co? Ale tym razem to sobie troszkę potęsknisz.

To ci bardzo dobrze zrobi. Wytrzymałem już sporo, to wytrzymam jeszcze tyle, ile będzie trzeba. Taaak, kochaneczko. Jak sobie na mnie poczekasz, to dopiero stanę się cenny. Swoją drogą ciekawe, co się stało z Arturkiem? Czyżby znowu gdzieś wyjechał? A może całkiem ze sobą zerwali? Najpewniej Aneta postawiła sprawę na ostrzu noża i facet pękł jak stary kondon. Albo się nią znudził. Albo to Krystyna znudziła się nim. Albo faktycznie zorientowała się, że to jest ślepa uliczka. Że to ja przez cały czas miałem rację. Że przez całe lata dawała się robić w konia. Wykorzystywać. Z pewnością tak właśnie musi być. Czuje się upokorzona. No to niech sobie jeszcze trochę pobędzie upokorzona. Niech lepiej poczuje tego klapsa. Tak czy inaczej jest wolna i potrzebująca. Jeśli nawet jeszcze nie jest, to już wkrótce będzie moja — nabierał coraz mocniejszego przekonania. — Ja sam wybiorę czas. Ja sam zadecyduję, co, jak, kiedy.

Był coraz bardziej pewny swego. Teraz wiedział z całą pewnością, że wybrał właściwą drogę. Że się doczeka. Że jeszcze się odegra. Że będzie górą. Arabskie przysłowie o tym, że oczekiwanie na przyjemność jest przedłużeniem przyjemności, wydało mu się słuszne jak nigdy dotąd. Właśnie odczuwał satysfakcję i przyjemność oczekiwania na satysfakcję pełną i ostateczną.

* * *

W ciągu kilkunastu najbliższych dni odebrał kilka głuchych telefonów. Tak jakby osoba po drugiej stronie sprawdzała go albo obawiała się lub wstydziła rozpocząć rozmowę. Dobrze wiedział, kto jest tą drugą osobą.

Czekał. Był coraz bliżej celu. Cel zbliżał się sam. Krok po kroczku. Ostrożnie. Ale zbliżał się stale.

* * *

— Muszę z tobą pomówić — w głosie kobiety brzmi nieznany mu dotychczas ton.

— O co chodzi? Czy mogę ci w czymś pomóc, Krysieńko „nie moja"— sili się na żart.

— To nie jest rozmowa na telefon.

Umawiają się w spokojnym odludnym miejscu, znanym ze wspólnych spacerów za dawnych dobrych czasów. Zanim wsiądzie do auta, połknie setkę koniaku i zagryzie liściem laurowym, by nie poczuła od niego alkoholu. Rozpoznaje znajomą drogę w lesie. O, drzewo ze złamanym wierzchołkiem. Jeszcze stoi. Niewiele się zmieniło.

Czerwony samochód czeka na polance. Bernard podjeżdża blisko. Krystyna wysiada. Idą razem leśną alejką. Obok siebie. Jeszcze nie ze sobą. Utrzymują cywilizowaną bezpieczną odległość, odstęp, którego na razie żadne z nich nie decyduje się naruszyć. Milczą. Tylko las szumi nad ich głowami.

— Czy twoje deklaracje są nadal aktualne? — Kobieta nie traci czasu. Zadaje pytanie niespodziewanie i szybko, nie dając mu czasu na żadne wykręty, na żadną finezyjną odpowiedź.

— Tak.

— Wiesz, co się stało?

— Nie. Skąd mam wiedzieć?

— Artur nie żyje.

— Coooo?

— Miał wypadek — Krystyna oznajmia to tonem przesadnie beznamiętnym. — Był kompletnie pijany. Jechał na motorze. Wpadł na słup. Zmarł dwa dni później, nie odzyskawszy przytomności.

Bernard słucha, nie wierząc własnym uszom.

— Co teraz?

— Będę z tobą, jeśli chcesz. Od dawna o tym myślałam. Wiele myślałam. Bardzo wiele. O tobie, o sobie, o wszystkim. Coraz częściej myślałam, że to ty masz rację. Że niepotrzebnie wpędzam się w lata z Arturem. Ale jakoś nie mogłam się zdobyć na ostateczny krok. Dopiero jak zniknął mój mąż, okazało się, jaka jest prawda. Artur wcale nie miał zamiaru odchodzić od Anety.

— Zaraz, zaraz! Zdzisław zniknął? Jak to zniknął? Jak można zniknąć? — Bernard ma nadzieję, że jego zdumienie wygląda naturalnie.

— Jakoś z końcem października wyszedł z domu i dotąd go nie ma. Dałam znać na policję. A Artur niczego nie zmienił. Dlatego pytam raz jeszcze, czy twoje deklaracje i propozycje są nadal aktualne? Czy nadal chcesz być ze mną?

— Chcę. Powiedziałem, że chcę. Czasami bywam wierny.

— Och ty... — Krystyna przytula się do niego. — Coś ty ze mną zrobił, zbóju? Jak to zrobiłeś? Ja przez cały czas myślałam tylko o tobie. Chciałam być z tobą, ale...

— Dobrze, już dobrze... — Obejmuje ją mocno. Stają w leśnej alejce przytuleni do siebie. Dobrze im ze sobą. Jak wtedy, jak za pierwszym razem.

— Kiedy?

— Kiedy co?

— Kiedy przeniesiesz się do mnie?

— Tak zwyczajnie? Po prostu?

— Tak zwyczajnie. Będziemy razem. Ty i ja. Nareszcie całkiem razem.

— Mogę nawet zaraz. Ale co będzie, jeśli on niespodziewanie wróci? Może tylko gdzieś wyjechał? No, choćby za granicę. Służbowo. Nie powiedział, że jedzie, bo i tak nie rozmawialiście ze sobą...

— Nie wróci.

— Skąd taka pewność? — odsuwa ją od siebie na odległość wyprostowanych rąk, uważnie patrzy w oczy.

— On nie żyje. Czuję to.

— Czujesz?

— Czuję i już. Śnił mi się parę razy. Wzywał mnie do siebie spod ciemnej wody płynącej leniwym nurtem. Wołał mnie z tej głębi. Wzywał do siebie. W ciemność. To było straszne. Budził mnie mój własny krzyk. Straszne. Pewnie się utopił. Łódź znaleziono pustą, dryfującą z prądem. — Bernard konstatuje ten fakt jako kolejną miłą niespodziankę.

— Wypłynął w złą pogodę, idiota. Oj, przepraszam. O zmarłych nie należy mówić źle.

— Pewnie poślizgnął się i wypadł za burtę. Nie umiał pływać. — Krystyna zupełnie nie zwraca uwagi na jego próby tłumaczenia się.

— Nie sądziłem, że tak wszechstronnie wysportowany facet może nie umieć pływać. O ile wiem, Zdzich wspinał się po górach, jeździł na nartach... — Prawie robi mu się żal tak wspaniałego człowieka.

— Ale pływać nie umiał — kobieta gładko ucina peany pochwalne. — Więc kiedy przeniesiesz się do mnie?

— Nie wiem. Nie uważasz, że powinniśmy trochę odczekać? Dzieci...

— Dzieci są przygotowane na twoje przyjście. Odbyłam z nimi kilka rozmów.

— Wobec tego za parę dni. Może w przyszłym tygodniu? — Najchętniej leciałby do niej już. Natychmiast. Lecz Krystyna wcale nie musi o tym wiedzieć. Zresztą jego radość nie jest tak wielka, jak ją sobie wielokrotnie wyobrażał. Ostatnio nabrał dystansu do wszystkiego. Najbardziej zaś do tak zwanych ważnych spraw. Bo jak się zastanowić, to wszystko jest ważne tylko trochę i tylko w danym momencie. A właściwie co jest ważne, a co nie?

— Dzisiaj. Przeniesiesz się dzisiaj. Już dziś zanocujesz u mnie. Zjemy razem kolację. Masz coś do roboty po południu?

— Nie. Nic.

— A jutro rano?

— Też nie.

— To dobrze. To bardzo dobrze. Nawet nie wiesz jak dobrze, mój ty zbóju.

* * *

Są więc znów razem. Bernard nie odczuwa żadnych lęków, żadnych wyrzutów sumienia. Przestał popijać, palić trawkę, brać psychotropy. Nie są mu potrzebne żadne ogłupiacze. Nocne zmory, koszmary, widziadła, napady bezsenności na przemian ze złymi snami minęły bezpowrotnie. Dnie wypełnia praca. Wiedzie mu się jak nigdy. Dzieci Krystyny akceptują go, lubią i okazują mu to na każdym kroku. Opieka nad nimi nie jest kłopotliwa. Nie wymagają nadzoru czy kontroli. Są bardzo samodzielne i doskonale ułożone.

Wolne dni spędzają wszyscy razem. Chodzą na spacery, do kina, do teatru. Odwiedzają znajomych. Wieczorami oglądają telewizję, nie kłócąc się nigdy o to, który program włączyć. Albo grają w rozmaite gry. Żyją zgodnie, jak dobra, rozumiejąca się rodzina, w której każdy zna swoje miejsce i ma do spełnienia określoną rolę. Krystyna kwitnie. Kochają się namiętnie i często, a potem mała kobietka zasypia wtulona w niego ufnie. Bernard jest szczęśliwy. Po raz pierwszy w życiu jest tego pewien. Coraz mocniej wierzy, że szczęście nareszcie uśmiechnęło się i do niego. Czasem budzi się w nocy zaniepokojony, bo to szczęście może okazać się złudą, mirażem, pięknym snem. Ale nie. Krysieńka oddycha spokojnie u jego boku, więc tylko okrywa ją troskliwie i patrzy na nią — taką niewinną, taką bezbronną, taką bardzo kochaną.

Rano wstaje pierwszy, przynosi jej do łóżka kawę, budzi delikatnym pocałunkiem, przygotowuje śniadanie i jest mu cholernie dobrze z tą cholerną nadopiekuńczością, którą jeszcze całkiem niedawno uznałby za ckliwoczułostkowy idiotyzm.

* * *

Bernard zawsze był świadom wielkiej wartości diademu. Nie sądził jednak, że jest posiadaczem rzeczy omal bezcennej. Specjaliści, którym zlecił wycenę klejnotu, nie potrafili dokładnie określić jego wartości. Przy czym ich opinie były zgodne co do jednego: nie powinien go sprzedawać.

Jednak decyzja już zapadła. Wygodny dom na wzgórzu, z dużym ogrodem i zdziczałym sadem łagodnie opadającym w stronę rzeki znajdował się w zasięgu ręki. Bernardowi żaden dom nie był specjalnie potrzebny do szczęścia. Wystarczał mu strych. Ale teraz nie był sam i chciał go dla Krystyny. Chciał wygodnego, pięknego domu dla swojej Krysieńki, której dotychczasowe mieszkanie nie bez powodu kojarzyło się gorzej niż źle.

Dlatego, gdy rzeczoznawcy odradzali mu sprzedaż, powiedział im: „Bo nie jest światło, by pod korcem stało"[1] i wystawił klejnot na licytacji organizowanej przez znany dom maklerski.

Niejako przy okazji stało się dla niego oczywistym, że powyżej określonego poziomu nie zadaje się pewnych pytań: tym razem nikt nie dociekał pochodzenia diademu.

Z ostrożnych szacunków wychodziło mu, że suma, którą uzyska, powinna wystarczyć na kupno nie jednego, a dziesięciu takich domów.

W swych obliczeniach niewiele się pomylił. Już wkrótce zamieszkali w podmiejskim dworku, który pod bacznym i fachowym okiem Bernarda zmienił się ze smutnej niszczejącej rudery w najprawdziwsze i najbardziej stylowe dzieło sztuki. Dom wyposażyli we wszystko, co wydawało im się potrzebne do ułatwienia sobie

---

[1] cytat z „Promethidiona" Cypriana Kamila Norwida

życia. Zrobili to jednak w taki sposób, by nie utracił swego charakteru. Wraz z dworkiem przejęli zabudowania gospodarcze. Wozownię przeznaczyli na garaż. Jeden z budynków Bernard zaadaptował na pracownię. Urządził też salkę do treningów i siłownię. Miał z tego sporo radości, gdyż wszystko mógł od początku zrobić po swojemu. Po raz pierwszy w życiu był u siebie. Całkiem u siebie. Z wybraną i ukochaną kobietą. Jeśli nie bardzo bogaty, to z pewnością zamożny. Jeśli nie bardzo sławny, to z pewnością znany i uznany.

Krystyna dostała dobre nowe auto. Stare zostawiła pod blokiem. Bernard tylko dla przyzwoitości i porządku odkręcił tablice rejestracyjne. Planowali wziąć ślub, lecz przedtem należało jakoś uporać się ze Zdzisławem, którego zaginięcie potężnie komplikowało sprawę. Byli jednak dobrej myśli, zwłaszcza że nie spieszyło im się, a rozmowy na temat zawarcia małżeństwa sprawiały im przyjemność.

Rozdział siódmy

Żył szybko, płynął na wysokiej fali. Film na podstawie jego scenariusza zdobył wyróżnienie prestiżowego międzynarodowego festiwalu. Książka sprzedawała się doskonale. Wciąż robiono dodruki. Liczni czytelnicy dopytywali się o następną. Zaczął więc pisać coś w rodzaju autobiografii.

Na kolejnym wernisażu wystawił kilka obrazów olejnych, w tym tryptyk z podwójnym portretem Maríi, jedyne dzieło, którego nie sprzedał, chociaż chętnych było kilku i dawali mu duże pieniądze.

Mimo nawału pracy znalazł czas na namalowanie obrazu przeznaczonego tylko dla Krystyny. Namalował go na grubej desce, zagruntowanej techniką zapewniającą mu przetrwanie przez wieki. Na obrazie widniał wyłaniający się z mroku biały koń z rozwianą grzywą i różanym wieńcem wokół potężnej szyi. Na koniu tym siedział on sam, Bernard, z długimi opadającymi na barki i ramiona siwiejącymi włosami. Przyobleczony był w renesansową zbroję turniejową mocno powgniataną i noszącą ślady licznych bojów. Kirys[1] był przedziurawiony po lewej stronie, mniej więcej na wysokości serca. Z otworu sterczał grot złotej strzały Amora. Jeździec trzymał przed sobą siedzącą bokiem jasnowłosą nagą kobietę o częściowo zasłoniętej końską grzywą twarzy. Można się jednak było łatwo domyślić, kim jest owa branka. W prawej dłoni miał skruszoną kopię. Zakuta w metalową połyskującą szmelcowaną[2] czernią rękawicę dłoń lewa krzepko dzierżyła wodze. Lecz ta żelazna dłoń powstrzymywana była w nadgarstku przez delikatną i kruchą dłoń nagiej kobiety.

W tle widniał starannie wykaligrafowany gotykiem napis: „Th'a drm abt flt wth yu — frvryrs", oraz data i pozioma ósemka — znak nieskończoności.

* * *

Krystyna była pod wrażeniem. Od razu i bez żadnej pomocy przetłumaczyła sobie tytuł.

— „Sen o locie z tobą — na zawsze twój"— wyszeptała i przytuliła się do niego.

— Tak. Na zawsze twój. Zostawiliśmy za sobą ciemną przeszłość.

— Ale przyszłość będzie jasna, prawda? — spytała i popatrzyła na niego ufnym wzrokiem dziecka.

---

[1] kirys — osłaniająca tułów część zbroi płytowej złożona z napierśnika i naplecznika

[2] szmelcowanie — zdobienie przedmiotów metalowych, nadawanie im ciemnego koloru poprzez poddanie działaniu wysokiej temperatury

— Już jest. Jest i będzie — odpowiedział i mocno przycisnął ją do siebie. Otoczył ją ramionami w opiekuńczo-zaborczym geście. Przytuliła głowę do jego piersi.

— Twoje serce bije bardzo mocno — powiedziała.

— Ono bije dla ciebie — odparł. Brzmiało to jak banał, lecz było najprawdziwszą prawdą, w którą święcie wierzył. Przecież prawdą było i to, że wszystko co robił, robił dla niej. Dla Krystyny, dla swojej, nareszcie tylko swojej Krysieńki. Bo tylko z nią żył pełnią życia. Całe jego poprzednie życie było pomyłką. Nie istniało. Bernard wyobrażał sobie, że w jego mózgu wytworzyła się gruba elastyczna błona, która oddzieliła zdarzenia minione i pamięć o nich od zdarzeń obecnych po to, by mogli razem cieszyć się sobą bez wstrętnego i... niewygodnego balastu przeszłości. Ta przeszłość zatarła się i zacierała coraz mocniej.

A może Zdzisław rzeczywiście gdzieś... zniknął? — zastanawiał się czasem. — *Może wcale go nie zabiłem? Może go zabił tamten? Ten drugi?*

Już dawno zauważył, że jest w nim dwóch ludzi. „Ten drugi" ujawniał się rzadko. Bardzo rzadko. W sytuacjach skrajnych zaczynał działać za niego, podczas gdy on sam, Bernard, biernie stał obok. Tak było wtedy, gdy po raz pierwszy przeciwstawił się mentalnie Arturowi. Gdy złamał wolę rywala, wprawił go w skrajne przerażenie i nieledwie wpakował mu bagnet w nerki. Gdy pobił go i poniżył. I wtedy, gdy omal nie wyrzucił Doroty przez balkon. I dawno, dawno temu, gdy wymontowanym ze starego kaflowego pieca rusztem rozbijał głowę spokojnie śpiącego człowieka. A potem „ten drugi", rozumny i mądry, zgrabnie i bez większego trudu obarczył całą winą półgłówkowatego Bubu. Potrafił być bardzo przekonujący.

Jako dziecko Bernard często wpadał w furię z powodu własnej bezradności. Niszczył wtedy wszystko, co nadawało się do zniszczenia. Zbierał za to straszliwe cięgi, które nie przydawały się na nic. Aż kiedyś pojawił się „ten drugi" i cięgi zaczęli zbierać inni. Bo „ten drugi" był mądry. Całkowicie pozbawiony jakichkolwiek uczuć i skrupułów. Kompletnie nieprzewidywalny. Umiejący w samą porę powstrzymać od działania i zupełnie niespodziewanie do działania skłonić. Zawsze miał najprostszą radę na wszystko. Zapewne więc i tym razem... Nikt inny. To „ten drugi" utopił Zdzisława pieczołowicie poupychanego w starannie zawiązanym wielkim worze. Na pewno. „Ten drugi". Bernard bał się go, ale tylko trochę i tylko czasem. Nigdy nie powiedział o nim nikomu. Nawet Markowi. Nawet Krystynie.

A teraz był z niego zadowolony. Bardzo zadowolony. Przecież tylko dzięki niemu, dzięki „temu drugiemu" przeszłość coraz rzadziej i coraz słabiej dawała o sobie znać krótkimi atakami niejasnych, niesprecyzowanych lęków, których nie było warto zwalczać, bo przechodziły same.

W letnie ciepłe wieczory spacerowali przytuleni po ogrodzie: on — barczysty, brodaty troglodyta z mózgiem na wyrost i ona — delikatna, subtelna w lekkiej jasnej sukience, taka śliczna, taka kobieca, taka najmilsza. Tak bardzo jego, jego Krysieńka. Albo siadywali przed domem na ławeczce i wpatrywali się w płynącą sennie zakolami rzekę, odbijającą krwawe blaski zachodzącego słońca. Idylla trwała.

* * *

Nowa rzeczywistość jawiła się Bernardowi z jak najbardziej korzystnej strony. Dawniej, w zgrzebnym, siermiężnym i szaroburym Peerelu, gdzie o powodzeniu decydowały częściej znajomości, koneksje i partyjne poparcie niż talent, aby zdobyć intratny kontrakt, musiał się zawsze nieźle nagimnastykować, napodlizywać i nawdzięczyć ludziom, których solennie i rzetelnie miał w głębokiej pogardzie. I tak często tylko sprzedaż jakiegoś monidła na murach ratowała go wraz z rodziną od widma głodowej śmierci. Teraz było inaczej. Ugruntowany udanymi wystawami i dobrą prasą rozgłos zaowocował szeregiem zamówień. Kilka z nich przyjął i wykonał, kilka zmuszony był odrzucić. Nie wybierał najbardziej intratnych, tylko te, które najbardziej mu odpowiadały. Nie pozostało to niezauważone. Zarówno więc u krytyki, jak i u odbiorców zyskał opinię bardzo niezależnego. Człowieka i artysty naprawdę wolnego, oswobodzonego z materialistycznych okowów, a więc szczerego i prawdziwego w swej sztuce. Tym bardziej cenionego i tym bardziej cennego.

* * *

Już dawno zauważył, że nędza wszędzie jest do siebie podobna. Poznał ją dobrze, zarówno „za wodą", jak i w kraju.

Od niedawna natomiast miał możliwość obserwowania i porównywania bogactwa. Dokonywał przy tym ciekawych spostrzeżeń, bo polskie bogactwo było inne niż amerykańskie. Bardziej zachłanne, bardziej drapieżne, przede wszystkim bardziej połyskliwe tandetną powierzchowną pozłotką. Wymagające większej chwalby, większej pompy. Polskie, raczkujące, płytkie a krzykliwe bogactwo było jeszcze bardzo świeże. Ci, którzy je osiągnęli, bądź ci, którym wydawało się, że je osiągnęli, pławili się w nim, na każdym kroku manifestując przynależność do nowo powstałej budującej się dopiero klasy. Niekiedy wzbudzali wesołość. Niekiedy grozę. Ale mieli aspiracje i tylko to się liczyło, nawet jeśli nie mieli predyspozycji.

Bernard przekonał się o istnieniu tej dość potężnej rozbieżności, gdy otrzymał pierwszą propozycję namalowania portretu kogoś z tej właśnie sfery. O ile, malując portrety Grazianim i ich przyjaciołom, tylko troszkę kadził, lizał i przysładzał, o tyle tu miał trudniejsze zadanie. Bo tamci ludzie byli zadbani, ładni i pozbawieni kompleksów. Przyzwyczajeni do określonego poziomu, oswojeni z własnym bogactwem nie odczuwali potrzeby oznajmiania go całemu światu za pomocą głupich, nadętych zachowań. Byli naturalni w bogactwie, bo ono było ich własną starannie wypielęgnowaną skórą. Natomiast polscy nuworysze... Pożal się Boże!

* * *

W zasadzie nie musiał pracować zarobkowo. Odsetki z kwoty uzyskanej ze sprzedaży diademu wystarczały na pokrycie wszelkich tak zwanych bieżących wydatków rozsądnie gospodarującej zamożnej rodziny. Ale wydatki nie ograniczały się tylko do bieżących, zaś Bernard nie potrafił długo siedzieć z założonymi rękami. To było sprzeczne z jego naturą. Nie chciał się rozleniwiać, no i po prostu lubił pracować. Lubił malować, pisać, fotografować i obrabiać zdjęcia. Lubił czuć przysłowiową mękę tworzenia i widzieć jej efekt. Lubił zmagać się z materią, słowem, własnym lenistwem, inwencją i jej brakiem, czuć ogromną ulgę i satysfakcję po ukończeniu dzieła. Nie chciał natomiast uzależniać się od dużych zamówień, o jakie — najczęściej bezowocnie — walczył kiedyś.

Dziś już nie musiał uczestniczyć w wyścigu szczurów, rywalizować z nikim, zabiegać o poparcie kogokolwiek, szukać protekcji. *Ja w ogóle niczego nie muszę!* — myślał często z niedowierzaniem. Była to prawda. Przede wszystkim jednak nie musiał wykonywać pracy, która kazałaby mu długo przebywać poza domem. Bo dom, który stworzył, był dla niego wszystkim. Dłuższe rozstania z domem i Krystyną byłyby dla niego czymś, na co przystałby tylko w skrajnej ostateczności. A taka nie istniała i nie wyobrażał sobie, by mogła zaistnieć w przyszłości.

* * *

Całkiem przyzwoicie i wiernie, choć trochę bez polotu wykonany portret nie podobał się klientowi, który wydziwiał i krytykował podniesionym, nieprzywykłym do cienia sprzeciwu tonem. Bernard znosił to cierpliwie. Był ciekaw, do czego posunie się przesadnie zlany dobrymi perfumami mężczyzna, który przedstawił się jako finansista. Odziany był w nienagannie dobrany garnitur od Bossa, lecz jego łopatkowate niedoczyszczone paznokcie, miód w uszach i nieświeże białe skarpetki nie uszły bystremu oku malarza.

Facet mówił, Bernard słuchał. Doskonale rozumiał, że klient deprecjonujący dzieło stara się maksymalnie obniżyć uzgodnioną wcześniej cenę. Wreszcie jednak skończyła się jego cierpliwość i wskazał gościowi drzwi. Ten nie zrozumiał jednoznacznego gestu i gadał dalej jak nakręcony. Wtedy Bernard spokojnie ujął go pod ramię i bez słowa odprowadził do furtki, przy której stało piękne nowiutkie audi. „Finansista" odgrażał się, wrzeszczał i nie chciał wsiąść do wozu. Bredził coś o stracie czasu i o tym, jaki to ten jego czas jest cenny.

— A w mordę chcesz?— przerwał mu Bernard.

— Co? Co? Ty nie wiesz, kim ja jestem...

— Pytam, czy spłyniesz stąd dobrowolnie, czy wolisz zebrać po mordzie szlachetną pięścią wielkiego artysty? — Bernard podsunął mu pod nos swój sękaty kułak. Facet kwiknął krótko, zadrobił nogami, wsiadł do auta i odjechał.

* * *

Ale zdarzali się i inni, lepsi klienci. Niemłody już elegancki pan pojawił się szybciej niż go oczekiwano. Bernard znał z widzenia jego twarz, lecz nie kojarzył jej z niczym konkretnym.

— Ładnie pan mieszka — zagadnął przyjaźnie, rozejrzawszy się po domostwie. — Czy to prawda, że bija pan swoich modeli?

— Nie. — Bernard nie podchwycił żartobliwego tonu przybysza. — Wiem, o kogo panu chodzi. Nie uderzyłem go, choć niewiele brakowało. Im bardziej byłem cierpliwy, tym bardziej się rozkręcał. Obrażał mnie. W końcu odprowadziłem go do wyjścia. Został mi po nim portret. Nie chciał zapłacić umówionej ceny, więc... został.

— Czy mogę obejrzeć?

— Tak, proszę. Prawdę mówiąc robiłem już lepsze. Ale ten facet od początku mi jakoś... nie leżał. Nie chciałem go malować, ale nalegał, no i sporo obiecywał. Nie jestem specjalnie chciwy, ale jestem tylko człowiekiem.

Weszli do pracowni.

— Hm, wcale nie jest taki zły. Natomiast widzę, że pan jest dobrym psychologiem. Uchwycił pan pewne cechy, pewien rys charakteru... Ten człowiek to naciągacz i malwersant. Usiłował wyłudzić od nas pożyczkę, to znaczy od mojego banku, oczywiście. Prędzej czy później wyląduje w kryminale. Na długo.

— Nie wiedziałem. — Bernard zdał sobie sprawę, z kim rozmawia. Jego gość był prezesem filii dużego cudzoziemskiego banku komercyjnego, szyszką i figurą jakich mało. A nosił się skromnie i mówił normalnie. Ani trochę nie nadymał się i nie pańszczył.

— Ma pan, znaczy się, wielką intuicję. Ooo, a to jest rzeczywiście dobre. — Wskazał schnący i czekający na ramy, najnowszy portret Krystyny.

— To moja żona — skłamał Bernard.

— Jest piękna. Znaczy obraz jest piękny. Czy ma pan jeszcze jakieś podobne?

* * *

Starszy pan nie szczędził słów uznania dla wszystkich trzech portretów Krystyny, dla tryptyku, a przede wszystkim dla ostatniej kompozycji.

— Czy pańska żona rzeczywiście ma na pana aż taki wpływ? — Wskazał rycerską rękawicę oplecioną w nadgarstku białą kobiecą dłonią o smukłych palcach. — Pan kieruje koniem, żona panem? Czy trafnie odgadłem przesłanie?

— Bezbłędnie.

— Biały wynurzający się z mroku koń. Wieniec różany na szyi. Spękana zbroja, skruszona kopia. Ta symbolika jest godna Malczewskiego z jego najlepszego okresu — zachwycał się.

— Technicznie jestem lepszy od Malczewskiego — mało skromnie zaznaczył Bernard. — Zaś co do inwencji, cóż... Nie chciałbym uchodzić za jego epigona.

— Nie to miałem na myśli. Jednak pewna idea wydaje się wspólna. Malczewski był według mnie jednym z pierwszych surrealistów. Co pan na to?

— Był modernistą — machinalnie sprostował Bernard.

— Jednak w pewnym sensie...

— Noooo, powiedzmy. Jeśli jednak już jesteśmy przy surrealistach, to wcześniej był Pieter Breughel, którego w żadnym wypadku nie należy mylić z jego bratem,

Breughelem zwanym „Kwietnym". No i przede wszystkim Bosch. Zresztą każda epoka miała swoich gawędziarzy. Niezłe pole do popisu dla takich fantastów sprzed wieków stwarzało malarstwo religijne. — Bernard grzecznie zamknął temat. Rozmowa o Malczewskim, surrealiście, nie pociągała go.

— Przyjechałem zamówić u pana portret mej żony — gość przeszedł do konkretów. Bernard wyobraził sobie starą i zgryźliwą, tłustą lub wysuszoną, pełną pretensji, zbyt bogatą jędzę i gwałtownie zachciało mu się odmówić. Przyszły klient wyczuł go natychmiast i sięgnął po portfel. Jednak nie wyciągnął z niego pliku banknotów, lecz zdjęcie apetycznej pani o miłej i inteligentnej twarzy.

— Oto moja żona — powiedział. — To jest jej aktualne zdjęcie — uprzedził nietaktowne pytanie, które już, już cisnęło się Bernardowi na usta.

— Zapraszam pana wraz z modelką, to jest z małżonką, oczywiście — wpadł w nieco uroczysty ton. Ten gość wzbudzał prawdziwy szacunek. — Muszę ją, to znaczy małżonkę pańską, obejrzeć na żywo, jeśli obraz ma być rzeczywiście wierny oryginałowi. Muszę też ułożyć ją sobie w głowie.

— Ułożyć w głowie?

— Tak. Mam zwyczaj przedstawiania mych modeli w rozmaitych rolach, w strojach z różnych epok, w różnych, czasem baśniowych, czasem alegorycznych czy wręcz historycznych sytuacjach. No i w niecodziennej scenerii. Bardzo proszę przygotować panią mentalnie na kilka seansów pozowania, czyli nieruchomego trwania w niezmiennej pozycji — wolał uprzedzić.

— O to nie ma obawy. Elżbieta jest bardzo cierpliwa. Z pewnością będzie pan z niej zadowolony. Czy mam zostawić zaliczkę?

— Nie, dziękuję. Zapłaci pan przy odbiorze, tyle ile uzna pan za stosowne. O ile, oczywiście, obraz spodoba się państwu.

— Ma pan ciekawe podejście do zagadnienia.

— Sam pan powiedział, że jestem dobrym psychologiem.

— Hm. Zdaje się, że rzeczywiście zna się pan na ludziach — odparł bankier, chowając portfel. — À propos ludzi, to mam kilkoro przyjaciół, którym mógłbym pana polecić. Co pan na to?

Bernardowi wydało się, że gość wpada w protekcjonalny ton. Tego nie lubił, więc najeżył się troszeczkę.

— Jeżeli mają równie ciekawe twarze jak grube portfele, to zapraszam — odparł. — Poza tym pracuję dość wolno, więc nie ma pośpiechu — dodał łagodniej.

— Jest pan bardzo dumny.

— Znam swoją wartość.

— No dobra. — Starszy pan zerknął na zegarek. — Czas na mnie. Kiedy się spotykamy?

— Kiedy panu odpowiada. Jestem do dyspozycji. Ja prawie nie opuszczam mego domu. Tu jest mój cały świat. — Bernard powiódł ręką dookoła. Wskazał na sad, rzekę, horyzont. — Będąc tutaj, jestem wszędzie.

— Rozumiem, więc, że jesteśmy wstępnie umówieni?

— Tak. Proszę tylko zatelefonować do mnie na godzinę przed przybyciem.

* * *

María stała w kącie strychu, dokładnie tam, gdzie pojawiła się po raz ostatni. Znów była bardzo stara i wyglądała tak jak zawsze. Jak dawniej. Na ramiona narzuciła wyblakłą, meksykańską płachtę, której czasem w gorące noce używała do przykrywania się podczas snu.

— A jesteś — zauważył ją wreszcie. — Szkoda, że nie przyszłaś taka jak ostatnio. Byłaś piękna.

— Nasze zmysły oszukują nas niekiedy — szepnęła.

— Co masz na myśli?

— Nie ja byłam u ciebie.

— A kto? — zdziwił się straszliwie.

— Ten, Który Wie Wszystko.

— Przecież widziałem, słyszałem, czułem. To byłaś ty — upierał się.

— To był sen. On przybrał moją postać, by ukraść twą duszę. Wezwałeś Go, to przyszedł.

— Nikogo nie wzywałem.

— Niczego nie zrozumiałeś. Już dawno mówiłam ci, że wystarczy zrobić albo tylko pomyśleć coś, co Go przyciąga. Ty zrobiłeś coś takiego, a twoje myśli... fiu, fiu. Dlatego przyszedł do ciebie w jednej ze swych ładniejszych postaci.

— Ładniejszych postaci?

— Może przybrać każdą postać i nigdy się nie powtórzyć. To dla Niego nietrudne. Tym razem wybrał moją. Bo ja właśnie tak wyglądałam za swoich najlepszych czasów. Sto dziesięć lat temu. Teraz On zna wszystkie twoje myśli i uczynki, bo jest tobą.

— Dziwnie mówisz.

— Przyszłam do ciebie ostatni raz. Niedługo odejdę na dobre.

— Dokąd?

Wiedźma milczała.

— Mówiłam ci, że On nigdy niczego nie daje za darmo — powiedziała po chwili smutnego przypatrywania się Bernardowi. — A dał ci sporo.

— Nikt mi nic nie dał w całym moim życiu. Może tylko oprócz ciebie. Wszystkiego dorobiłem się sam.

— Gówno prawda — burknęła. — Szkoda, że nie upilnowałeś pierścienia. Mówiłam, żebyś strzegł go przed umarłymi.

— Co ma piernik do wiatraka?

— Niejedno. Czy pamiętasz, jak ostrzegałam cię przed jasnowłosą kobietą?

— Tak. Myślałem, że chodzi o panią Graziani.

— Chodziło o kogoś całkiem innego.

— O Krysieńkę? — chciał spytać, ale Maríi już nie było. Tylko echo jej głosu zdawało się jeszcze błądzić pod krokwiami dachu.

Bernard rozglądał się nieprzytomnie. Siedział na bujanym fotelu w swej nowej pracowni. Był zupełnie sam. Krystyna pojechała po dzieci. Kot przybłęda wygrzewał się na ganeczku.

— Musiałem się zdrzemnąć — pomyślał. — Starość, nie radość — zaśmiał się nieszczerze. Dawno nie czuł się tak zdrowy. Był u szczytu swych mentalnych i fizycznych możliwości. A jednak w samym środku dnia spadło na niego niespodziewane zmęczenie i senność. Wyszedł przed budynek. Spojrzał w niebo. Nadciągała burza. Zgęstniałym powietrzem niósł się odległy dźwięk gromu.

— Ciśnienie spada — mruknął, splunął i poszedł pozamykać okna.

* * *

Żonę prezesa banku przedstawił jako boginię urodzaju, gdyż jej spokojna, jeszcze całkiem niedawno wielka uroda, przywodziła mu na myśl ciepłą wczesną jesień i kojarzyła się z dorodną dojrzałością.

Obraz podobał się obojgu. Pan prezes okazał się człowiekiem hojnym i słownym, toteż wkrótce mistrz miał pełne ręce roboty. Pracował powoli, systematycznie, nie szedł na łatwiznę, nie leciał po łebkach. Malował tradycyjnie, dokładnie, tak jak lubił. Nie spieszył się, dzięki czemu dodatkowo zyskiwał opinię człowieka, który poważnie traktuje poważnych ludzi. Bo jego klientami byli teraz niemal wyłącznie ludzie, których twarze co prawda raczej nie ukazywały się na pierwszych stronach gazet, lecz bez których ludzie z pierwszych stron z pewnością nigdy by się na nich nie znaleźli. Oni bardzo dobrze płacili za bardzo dobrze wykonaną pracę.

* * *

Wystawna kolacja ogromnie zaskoczyła Bernarda.

— To nasza rocznica, nie pamiętasz? — Krystyna czule pogładziła go po policzku. — Eeeech wy, mężczyźni.

— Jakże mogłem zapomnieć? Wybacz — usiłował się tłumaczyć. Było mu niezręcznie.

— Nie szkodzi. Wystarczy, że ja pamiętałam. Ty żyjesz w innym świecie. Masz prawo czasem zapomnieć to i owo.

— Tak, tak, najdroższa, rzeczywiście. Maluję obraz po obrazie, trzaskam i trzaskam te monidła, dopóki znajdzie się ktoś, kto zechce mi za nie płacić. Wykorzystuję swoją szansę. Swoje pięć minut. Dziś jestem na topie. To nie będzie trwało wiecznie.

— Wiem, jak ciężko pracujesz. Podziwiam cię i trochę martwię się o ciebie.

— Martwisz? Dlaczego?

— Pracujesz ponad siły. Robisz to dla mnie, dla nas.

— Jesteś wszystkim, co mam. Bez ciebie nic się nie liczy. Nie ma po co malować, pracować, żyć — ucałował jej dłonie.

Stali przed domem przytuleni do siebie, patrząc sobie w oczy. Zapadał ciepły zmierzch. Powietrzem snuł się senny zapach palonych traw. Bernard pomyślał, że Krystynie coś się pomyliło. Żadna z ich wspólnych ważnych dat nie pasowała akurat do tego dnia. Jakie to jednak mogło mieć znaczenie? Nie było sensu niewczesną uwagą psuć ulotnego nastroju atmosfery miłości i porozumienia. Nie było sensu sprowadzać jej na ziemię.

— Siadajmy do stołu. — Krystyna ujęła go za rękę i zaprowadziła na werandę. Zapaliła świece.

— Trzy nakrycia?

— To tradycja, którą postanowiłam kultywować. Za dawnych czasów w mojej rodzinie panował zwyczaj, że stawiało się jedno dodatkowe nakrycie dla wędrowca. Słyszałam o tym od mej babci. Szkoda, że nie zdążyłeś jej poznać. Wspaniała kobieta. Zawsze osiągała to, co sobie zamierzyła. Podobno wdałam się w nią pod względem charakteru.

— Ha, w takim razie rzeczywiście szkoda.

* * *

Jedli, popijali, gawędzili. Po kolacji kochali się długo i wytrwale. Dobre czerwone wino podniosło temperaturę ich pieszczot. Wreszcie nasycili się sobą ostatecznie. Bernard czuł się ociężały i bardzo senny. Jednak nie dane mu było zasnąć, bowiem Krystyna nagle nabrała ochoty do rozmowy na wyjątkowo niewdzięczny temat.

— Powiedz mi, co stało się z moim mężem? — spytała, wyrywając go z błogiego półletargu, w którym właśnie zaczynał się pogrążać.

— Nie rozumiem — wymamrotał niechętnie.

— Noo, powiedz mi, co z nim zrobiłeś?

— Jaaa? Co miałem zrobić?

— Nie musisz przede mną niczego udawać. I tak wiem sporo.

— Daj spokój. Niby co miałem z nim zrobić? Kiedyś rzeczywiście spotkaliśmy się, wypiliśmy po kilka piw. To było wtedy, kiedy wymówiłaś mi po raz pierwszy. Pamiętasz?

— Pamiętam. Byłam wtedy pod silnym wpływem Artura. On robił ze mną, co chciał. To było okropne. Nigdy tego nie zapomnę. Ale teraz pytam, co TY zrobiłeś ze Zdzisławem?

— Ueeeee — ziewnął. — Kochanie, błagam, nie teraz. Nie o tej porze. Ale jeśli jeszcze masz ochotę na figielki, to ja chętnie, tylko daj mi trochę odsapnąć. Nie mam już dwudziestu lat — udawał, że nie rozumie, próbował się wykręcić, zmienić temat.

— Bernard, znam cię dobrze! To nie był wypadek. Co z nim zrobiłeś? Jak?

— Spoko, spoko. Sama powiedziałaś, że wypłynął gdzieś. Zaraz, zaraz. Ooo, już mam. Powiedziałaś wtedy: Wypłynął na tej swojej łajbie i wypadł. Nie umiał pływać. Pamiętasz?

— Pamiętam. Ale wiem, że to nie odbyło się tak po prostu. Jemu ktoś pomógł. Tym kimś byłeś ty. Nie musisz przede mną niczego ukrywać. Znam cię dobrze. Już dawno chciałam cię o to spytać, ale jakoś... nie śmiałam. A teraz jest inaczej. Posłuchaj. Nie możemy mieć przed sobą tajemnic. Nienawidziłam Zdzisława tak, że chętnie zabiłabym go nie raz, a pięć razy, gdyby to było możliwe. Jeśli to ty pomogłeś mu zniknąć, to jestem ci wdzięczna. On pastwił się nade mną mentalnie od lat. Byłam u kresu wytrzymałości. Między innymi, choć nie tylko dlatego, uciekałam do Artura. A potem zjawiłeś się ty. Taki silny. Taki mądry. Taki odważny. Zdecydowany na wszystko dla mnie. Dzięki tobie odzyskałam wolność, wiarę w siebie. Dałeś mi nowe życie.

W pamięci Bernarda odżyły zapomniane zdawałoby się na zawsze zdarzenia. Słowa Krystyny wydobyły na powierzchnię to, co podświadomie ukrył gdzieś na samym dnie.

Obrazy i sceny były nieostre, przyblakłe, niczym najstarszy film wyciągnięty z najstarszego archiwum. Bernard przyglądał im się z pewną ciekawością, nie do końca wierząc, że dotyczą właśnie jego.

Tajemnica od dawna mocno mu ciążyła. Aż do dziś nie w pełni zdawał sobie z tego sprawę. Chętnie powiedziałby o wszystkim. Podzieliłby się z nią. Są ze sobą wystarczająco długo. Znają się wystarczająco dobrze. Więc niby czemu nie? Dobrze byłoby zrzucić z siebie ten ciężar. Choćby jego część. Z drugiej strony, po co? Wytrzymał tyle, wytrzyma jeszcze trochę. Z czasem będzie mu coraz łatwiej. Już było nieźle, a ona przypomniała niepotrzebnie. Eeeech, zasnąć, zapomnieć. Teraz będzie trudno.

— Co właściwie chcesz wiedzieć? — jeszcze się broni, jeszcze walczy.

— Posłuchaj. Nienawidziłam go. Z tobą jest mi wspaniale. Nie wiem, jak to zrobiłeś, ale czuję się tak, jakbym nigdy przed tobą nie miała innego mężczyzny. Zastępujesz mi wszystko i wszystkich. Nigdy cię nie zostawię, bo nie muszę już szukać nikogo, ani niczego. Jesteśmy sobie przeznaczeni. Nie widzisz tego, nie czujesz? A ty coś skrywasz przede mną.

— Ja? Skrywam?

— Chcę wiedzieć wszystko. Jeśli ty go załatwiłeś...

— A jeśli nawet ja, to co?

— To znaczy, że mało o tobie wiedziałam. Nie sądziłam, że kochasz mnie aż tak bardzo. Że byłeś gotów zrobić dla mnie rzeczywiście wszystko.

— Byłem i jestem nadal. Nie wracajmy do tego, dobrze? To było dla mnie bardzo trudne. Nie chcę o tym...

— Więc przyznajesz się, przyznajesz, że to ty? — Oczy Krystyny zalśniły zimnym krótkim błyskiem.

— Heeeej, powoli. Do niczego się nie przyznałem. — Nie wiadomo dlaczego poczuł nagły strach, a jego umysł z sennego i ospałego stał się czujny.

— Zabiłeś go i utopiłeś w ciemnej wodzie. Tam jest jakiś nurt, zarośla, prawda?

— Nikt mi niczego nie udowodni.

— Wiem, że to, co powiedziałam, jest prawdą.

— No dobra. Poteoretyzujmy sobie troszeczkę. Załóżmy, że tak. Co w związku z tym? Nienawidziłaś Zdzisława. Mówiłaś o tym wielokrotnie. Nawet dziś. Przed chwilą.

— Tak było. Nienawidziłam. Załatwiłeś go. W porządku. O niego nie mam żalu. Ale Artur też nie żyje. Przez ciebie.

— Jakim cudem przeze mnie? Przecież zabił się po pijanemu.

— Tak, to prawda. Był pijany. Zabił się. Nie ma Arturka... ha, ha, jak fajnie.

— Zupełnie nie rozumiem, dlaczego przypisujesz mi i ten tragiczny wypadek.

— Tragiczny? Chyba nie dla ciebie? Artur wbrew pozorom był słaby, miękki. Umiał tylko tak dziwnie mówić jak nikt inny i... i... Zresztą nieważne, co jeszcze umiał. Ale poza tym był taki niezaradny, taki biedny, taki zagubiony. Nie to co ty, herosie. Bo ty potrafisz wszystko. Ze wszystkim i ze wszystkimi sobie poradzisz. Wrogów niszczysz, wdeptujesz ich w ziemię. Albo topisz. Na wszystko masz radę. Jesteś niepokonany i niezniszczalny. A on był taki delikatny... Przesłuchiwano go wielokrotnie. Podejrzewano go o... o to zniknięcie. Zatrzymywano, wypuszczano, zatrzymywano znów. Bał się coraz bardziej. Tłumaczyłam, jak komu mądremu, że nic mu nie mogą zrobić, że w końcu się odczepią, bo na razie w ogóle nie wiadomo, co się stało ze Zdzisławem. Nie pomagało. Załamał się kompletnie. Pił na umór. Pewnego razu wsiadł na motor swojego kumpla i trrrach. Czy przewidziałeś taki wariant? — Jej głos stał się agresywny.

— Krysieńko, najdroższa moja, wciąż nie rozumiem. Wybacz, ale chyba wypiłaś za wiele...

— Och, daj spokój. Wypiłam akurat tyle, ile trzeba.

— Nie dojdziemy dziś do ładu. Idę spać gdzie indziej. Prześpij się. To ci dobrze zrobi. — Bernard całą siłą nakazał sobie cierpliwość. Pytania i domysły Krystyny nie były pozbawione pewnej mocno niepokojącej logiki, a jej chaotyczne uwagi i niedokończone wyznania oznaczały coś bardzo, ale to bardzo niedobrego.

— Siedź tu i słuchaj. Zabiłeś Zdzisława, żeby pozbyć się Artura, czy tak?

— Uuuufff, ty znowu swoje. Pomyśl troszkę. Zabijając twego męża, otworzyłbym drogę Arturowi. Nie wpadłaś na to? Jeśli więc już miałbym kogoś mordować, to raczej Artura, nie sądzisz? Zresztą gdybym był na jachcie ze Zdzichem, to zostałyby tam po mnie jakieś ślady. Chociażby odciski palców, butów...

— Wymyśliłam to sobie. Jacht przez cały czas stał na przystani. Dalej tam stoi. Ja tylko chciałam zobaczyć, jak zareagujesz na korzystną dla ciebie informację. Ucieszyłeś się jak diabli. Nie mów, że nie, bo nie uwierzę. Wymyśliłam sny o wołaniu spod głębokiej wody. Wszystko. Całą scenerię dopasowałam do ciebie. Wiem, gdzie ukryłbyś ciało. Zrobiłbyś to, by zyskać na czasie. Zaginięcie, to nie morderstwo. Nie ma trupa, nie ma zbrodni. Poszukiwania trwają, ale naprawdę nikt się specjalnie nie przejmuje. Mało to ludzi ginie? A potem się znajdują i dobrze jest. Albo się nie znajdują i też dobrze jest, bo wszyscy zdążyli się przyzwyczaić do nieobecności szanownego zaginionego. Nie jest tak? Co? Dopóki nie ma ciała, jesteś w miarę bezpieczny. Ukryłeś je więc — powtarza. — Nie w jaskini czy bunkrze. W lesie też nie. Nie chciałoby ci się kopać dołu. A więc w wodzie. Głębokiej. W okolicy miasta mamy trzy rzeki, trochę stawów, stawków i glinianek, plus dwa zalane kamieniołomy. Do wyboru, do koloru. To nie może być byle jaka rzeczka, strumyk, mokradło. Ani rozlewisko czy glinianka. To duża rzeka i niezbyt daleko. Raczej poniżej niż powyżej miasta. To musi być jedno z twoich miejsc. Trafiłam? Nie trzeba żadnych cudów. Wystarczy odrobinę cię znać. — Śmieje się, a jej dobrze widoczna w świetle księżyca taka śliczna, taka kochana twarz staje się odrażająca i wstrętna. — Długo czekałam na tę chwilę. Tyle czasu z tobą. Ale było warto. Mogłam cię obserwować w dzień i w nocy. Czy ty wiesz, co wygadujesz przez sen? Pewnie teraz i mnie załatwisz, bandyto? Ale co potem?

— Jakże to, Krysieńko? Co ty opowiadasz? Dlaczego? Powiedz, że to był żart. Niezbyt udany, ale żart...

— Żart? Ty durniu. Przyjmij do wiadomości, że w całym swoim życiu kochałam naprawdę tylko Artura.

— Co ci się stało? Jeszcze przed chwilą mówiłaś, że jest nam ze sobą wspaniale. Że nigdy mnie nie opuścisz.

— Wolałabym z nim mieszkać pod mostem, niż z tobą w pałacu. Wolałabym z nim kamienie tłuc, niż żyć w luksusie z tobą. Być z tobą na zawsze? Dlatego, że dobrze się rżniesz? Nie ty jeden. Ta kolacja była dla niego. Dla ciebie może być najwyżej, ha, ha, ha, ostatnią wieczerzą! Dzisiaj jest rocznica jego śmierci! Kapewu? Dotarło wreszcie, gdzie trzeba? Wiedz też, że to ja kiedyś życzliwie poinformowałam pewną panią o tym, jak jej mężuś spędza czas w pracowni na poddaszu.

— Cooooo? — Dopiero teraz Bernard zerwał się na równe nogi. — Dlaczego? Po co?

— Chciałam jej dołożyć za to, jak mnie potraktowała na wernisażu. Zemściłam się na niej. Nieźle mi wyszło, co? Czyżbyś miał mi to za złe?

Bernardowi staje w pamięci María i jej słowa: „Strzeż się jasnowłosej kobiety". Te słowa stają się nagle zrozumiałe aż do bólu. Są proste i jednoznaczne, toteż byłyby zrozumiałe dużo, dużo wcześniej, gdyby tylko zechciał się nad nimi zastanowić. Ale on nie chciał. Odrzucał od siebie to, co teraz wali go po mózgownicy z siłą nabijanej gwoździami dębowej pały. Kolejna przestroga starej czarownicy: „Nie pozwól umarłym zabrać sobie tej rzeczy", tak enigmatyczna i pozornie pozbawiona sensu, nagle nabiera znaczenia. W ostrym niby błysk flesza przypływie olśnienia pojawia się wizja herbowego sygnetu otrzymanego w spadku po pani Chamsky. Własnoręcznie wygrawerował po jego wewnętrznej stronie swoje inicjały. Ten sygnet zsunął mu się z palca wtedy, gdy upychał w wielkim worze sztywniejące ciało Zdzisława. Teraz spoczywa na dnie rzeki wraz z rozkładającymi się zwłokami zamordowanego mężczyzny.

— Milcz. — Bernard otrząsa się jak po ciosie. Lekcja była okrutna. Ma ochotę rozszarpać Krystynę gołymi rękami, ale jednocześnie odczuwa ogromny żal. Nie okaże go. Nie da jej takiej satysfakcji. Przybiera wyniosły, pogardliwy ton.

— Po tym, co objawiłaś, nie pozostaje mi nic innego, jak prosić cię, byś możliwie szybko opuściła mój dom. W najbliższym czasie wyniesiesz się stąd. Bez względu na to, czy masz rację, czy nie. Najlepiej jutro. Chwała dobremu Panu Bogu, że nie wzięliśmy jeszcze ślubu. Dopiero bym wpadł. Tymczasem służę pomocą przy przeprowadzce. Jest mi oczywiście bardzo przykro, że tak mnie oszukiwałaś. Pokochałem cię i byłem ślepy, przyznaję. Punkt dla ciebie. To, prawdę powiedziawszy, bardzo boli. Mimo wszystko nie życzę ci, byś kiedyś miała odczuwać to, co ja w tej chwili. A teraz wyprowadzę cię z błędu, by oszczędzić policji niepotrzebnej pracy. Ciemną wodę i całą resztę wymyśliłaś sama. To twoje własne słowa. Potem na tyle długo wmawiałaś sobie rozmaite brednie, że uznałaś je za prawdę. O ile mnie pamięć nie myli, to nazywa się „wzmocnienie". Cóż, bywa. Szczególnie wśród osób o chwiejnej, niedojrzałej psychice. Oczywiście będą mnie przesłuchiwać. To ich obowiązek. Jednak nie uda im się mnie złamać takimi... hm... dowodami. Wyprę się wszystkiego. To są tylko twoje urojenia, którym nikt normalny nie da wiary. Nic poza tym. Tylko urojenia, ty... — z trudem zapanowuje nad wzbierającą w nim furią.

— A sytuację na strychu z wielką łatwością wykorzystam przeciwko tobie. Leciałaś na mnie, nachodziłaś mnie, rozbiłaś mi małżeństwo. O właśnie, właśnie. Wspominałaś kiedyś, że rozbiłaś małżeństwo Arturowi. Pamiętasz? Widać to takie twoje małe hobby. Ale pójdźmy dalej, bo jak nas uczy mądre przysłowie, apetyt rośnie w miarę jedzenia. Nastąpiła eskalacja potrzeb. Zapragnęłaś silniejszych wrażeń. Rozszerzyłaś więc zakres swych... ehm, ehm... powiedzmy — zainteresowań — i zabiłaś męża. Ooch, nie osobiście. Wiem. Zleciłaś zabójstwo. Było tak? Teraz to jest łatwe i podobno nie kosztuje drogo, więc kto wie? Nastały okropne czasy. Wracając zaś do tematu, to ja nic nie wiem o żadnej głębokiej wodzie. Ani o zaroślach nad brzegiem rzeki. Ani o betonowym nadbrzeżu...

— Ja nic nie mówiłam o betonowym nadbrzeżu.

Koniec

Paweł Siedlar

Rozdeptać pająka Tom 1

Bohaterów łączą związki o wybitnie toksycznym cha-
rakterze. Pragnienie utrzymania tych związków popy-
cha ich do dalszych działań, które w innych warunkach
nawet nie przyszły by im do głowy.

Główny bohater, poeta i malarz, wchodzi w damsko-
-męski trójkąt, który szybko okazuje się czworokątem,
a nawet sześciokątem. W ten sposób ich sytuacja stopniowo zapętla się w węzeł generujący coraz bardziej
dramatyczne wydarzenia. To nadaje powieści posmak
fantastyczności i niesamowitości.

ISBN: 978-83-60504-22-2

REDHORSE

Marta Skiera

Z pamiętnika młodej mężatki

To niezwykła opowieść o tym, czego kobiety nie mówię głośno, czego się wstydzą, boją i pragną.

Kiedy nie jest się Ally McBeal, ani rodzimą Magdą M. i nie uprawia się seksu w wielkim mieście można być… Martą Skierą, czyli młodą mężatką, prawniczka z poczuciem humoru, która potrafi wcielać się w wiele życiowych ról.

Lektura obowiązkowa, nie tylko dla młodych mężatek!

ISBN: 978-83-60504-33-8

REDHORSE

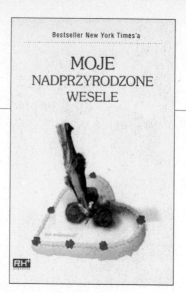

Bestseller New York Times'a

MOJE
NADPRZYRODZONE
WESELE

Antologia

Moje nadprzyrodzone wesele

Wilkołaki, wampiry i Elvis, o rany!

Zbiór całkiem nowych, oryginalnych, nadprzyrodzonych opowiadań o ślubach, napisanych przez grupę autorów bestsellerów i zdobywców wielu nagród, związanych z New York Times.

Zachwycające, pełne seksownego humoru i przezabawnych postaci, trzymające w napięciu opowiadania sprawią, że będziecie domagać się więcej.

ISBN 978-83-60504-39-0

REDHORSE

Jacek Dąbała

Ryzykowny pomysł

„Ryzykowny pomysł" Jacka Dąbały to współczesny kryminał z wielkomiejskim klimatem w tle pełny nieoczekiwanych zwrotów akcji.

„Autor z lekkością, niemal niezauważalnie buduje intrygę wodząc za nos zarówno czytelnika, jak i głównego bohatera, Artura Brandta, twórcę popularnych seriali, kawalera w średnim wieku z syndromem nieuporządkowanego życia. Pomysł ryzykowny, ale skuteczny."

Łukasz Michalski
Internetowe Imperium Książki

ISBN: 978-83-60504-07-9

REDHORSE

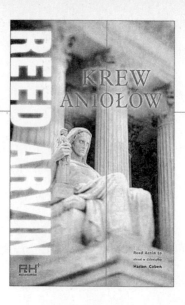

Reed Arvin

Krew aniołów

Powieść, w której autor uzmysławia jak wielkie znaczenie w życiu każdego człowieka ma prawda i jak
dramatyczne w skutkach może być jej poszukiwanie.

Magdalena Gorzelak
Klub Literacki Litera

„Krew aniołów" jest potwierdzeniem pisarskiego kun-
sztu Reeda Arvina, którego wyznacznikami stają się:
intrygująca historia, błyskotliwie prowadzona fabuła
i świetnie skonstruowane postacie.

ISBN: 978-83-60504-09-3

REDHORSE

Reed Arvin

Ostatnie pożegnanie

Ostatnie pożegnanie Reeda Arvina to bestsellerowy thriller, znakomicie osadzony w realiach współczesnych Stanów Zjednoczonych. Akcja powieści rozgrywa się w dwóch, całkowicie sobie obcych środowiskach: w snobistycznym świecie finansjery amerykańskiego Południa, i w czarnym gettcie - w bandyckiej dzielnicy Mc Daniels Glen.

ISBN: 987-83-60504-10-9

REDHORSE

Kirył Jeskow

Ostatni Powiernik Pierścienia - tom 1

Alternatywna historia Śródziemia, próbująca wykazać, że zwycięzcy ludzie i elfy zamanipulowali historią, dokonując czystek etnicznych w Śródziemiu.
Mordor buduje cywilizację technologiczną, wynajduje proch, buduje huty i fabryki.
Elfy, ludzie z Gondoru, a przede wszystkim Biała Rada Magów zawiązują antymordorską koalicję, celem „ostatecznego rozwiązania kwestii mordorskiej".

ISBN: 987-83-60504-26-0

REDHORSE

Kirył Jeskow

Ostatni Powiernik Pierścienia - tom 2

Jeskow usiłuje przedstawić taką, jaką zapewne być mogła bez ubarwień i retuszy, rzeczywistość skrajnie nieraz różną od cukierkowatego obrazu nakręconego przez Tolkiena. I udaje mu się to.

Paweł Laudański
Fahrenheit

Wysłuchaliście już kiedyś tych, co zwyciężyli. Posłuchajcie też tych, którzy przegrali.

ISBN: 987-83-60504-27-7

REDHORSE

Wydanie pierwsze
Copyright © 2007 by Paweł Siedlar
Copyright © 2007 by Red Horse sp. z o.o.

Opracowanie graficzne i projekt okładki
Studio Wizualizacji GRAPHit
Poznań (61) 856-00-39
Krzysztof Spychał

Redakcja
Jolanta Aleksandrowicz

Korekta
Barbara Caban
Agnieszka Pokryszka

Skład
Blind Dragon

ISBN 978-83-60504-23-9

Sprzedaż internetowa
www.merlin.pl

Zamówienia hurtowe
Firma Księgarska Jacek Olesiejuk sp. z o.o.
05-850 Ożarów Mazowiecki, ul. Poznańska 91
tel./fax: (22) 721-30-00
www.olesiejuk.pl, e-mail: hurt@olesiejuk.pl

Wydawnictwo
Red Horse sp. z o.o.
www.redhorse.pl, e-mail: biuro@redhorse.pl

Druk i oprawa
ABEDIK S.A. Poznań